ARCO DE FOGO

ARCO
DE
FOGO

ARCO DE FOGO

BASE SANTARÉM
INSPIRADO EM FATOS REAIS

Edson Geraldo de Souza
João Carlos Borda

Novo Conceito

© 2019 Editora Novo Conceito
Todos os direitos reservados.

Nenhuma parte desta publicação poderá ser reproduzida ou transmitida de qualquer modo ou por qualquer meio, seja este eletrônico ou mecânico, incluindo fotocópia, sem permissão por escrito da Editora.

1ª Impressão — 2019
Impressão e acabamento Eskenazi 040619

Produção editorial: Equipe Novo Conceito
Preparação: Lígia Alves
Diagramação: Emap Produções

Dados Internacionais de Catalogação na Publicação (CIP)
(Câmara Brasileira do Livro, SP, Brasil)

Souza, Edson Geraldo de
    Arco de fogo : Base Santarém / Edson Geraldo de Souza, João Carlos Borda. – Ribeirão Preto, SP : Novo Conceito Editora, 2019.

    ISBN 978-85-8163-876-8

    1. Ficção brasileira I. Borda, João Carlos II. Título.

19-26956   CDD-B869.3

Índices para catálogo sistemático:
1. Ficção : Literatura brasileira B869.3
Iolanda Rodrigues Biode - Bibliotecária - CRB-8/10014

Novo Conceito
Rua Dr. Hugo Fortes, 1885
Parque Industrial Lagoinha
14095-260 — Ribeirão Preto — SP
www.editoranovoconceito.com.br

Nota dos autores

Este livro é para quem tem sangue frio. Esperamos que você esteja disposto a participar de uma operação ao lado de um grupo de homens determinados a fazer a diferença, no coração da Amazônia, na luta por preservá-la.

Para você aproveitar melhor o livro, uma dica: fique atento às informações exibidas no início de cada capítulo sobre data e local.

Boa leitura!

Corra, porque a missão tem prazo!

Edson Geraldo de Souza
João Carlos Borda

Apresentação

Esta é uma obra inspirada em fatos reais.

As fotos que a ilustram pertencem ao acervo pessoal do autor, que foi formado por cessão colaborativa de diversos integrantes da Operação Arco de Fogo. As fotos mostram que os fatos aqui relatados ocorreram, mas não atestam que ocorreram da forma descrita.

Os registros e relatórios de todos os eventos estão assentados em anotações pessoais, noticiários, autos de inquéritos policiais, termos circunstanciados, processos judiciais e outros arquivos da Polícia Federal, Justiça Federal, Justiça Estadual, Ibama, ICMBio e Polícia Civil.

O principal objetivo aqui é mostrar ao leitor a complexidade que envolve o tema da preservação da Amazônia, a ação predadora do homem, e a luta incessante de pessoas e órgãos para tentar protegê-la.

Diante disso, alertamos o leitor de que, embora baseada em fatos reais ocorridos em 2010, em razão da maneira como se trataram nomes, pessoas e eventos, esta é uma obra de ficção.

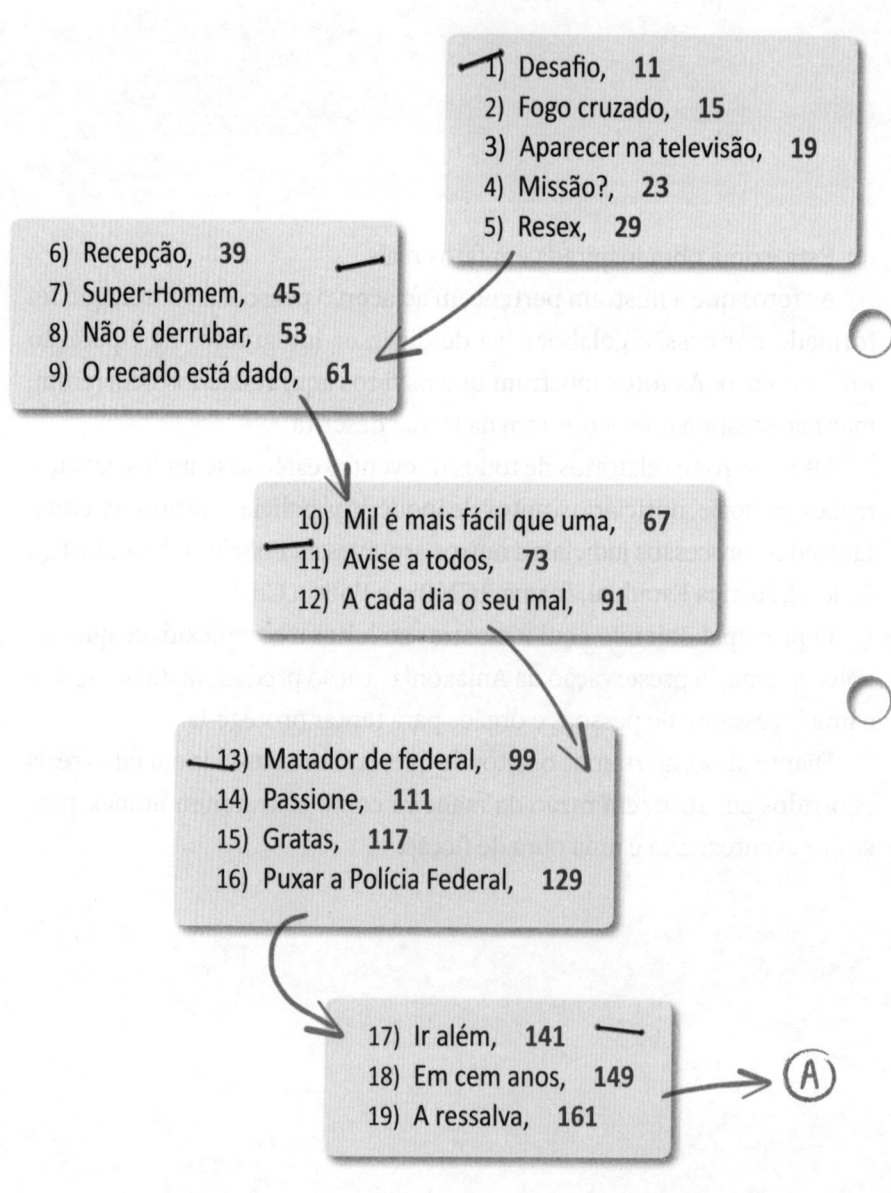

20) Emboscada?, **169**
21) Caminhão flutua?, **179**
22) Alter do Chão, **189**
23) Nossa conversa é com todos, **195**

24) Se chegarmos vivos, **205**
25) E na semana que vem..., **211**
26) Em uma dessas, **219**
27) Ainda é cedo, **229**
28) Nós não vamos, **235**

29) A última ponta, **241**
30) Fantasma e zumbi, **245**
31) Sempre corre, **257**
32) É possível que sim, **265**

33) A teia fina, **271**
34) Os que o senhor mandou, **283**
35) Vai valer para todos, **289**

Notícia da Amazônia, **297**
Um novo paradigma: Operação Arco de Fogo, **298**
Madeira que vale milhões, **302**

- 1 -
Desafio

RELATÓRIO POLICIAL

Operação Arco de Fogo	Data: 3 de setembro de 2010
Local: Uruará, PA	Hora: 2h
Missão, dia 40	Pág. 11

Não era sob aquele silêncio que as pessoas costumavam dormir depois de um dia de trabalho duro na selva, tostadas pelo calor dos fornos das carvoarias ou em meio ao barulho ensurdecedor das motosserras, que rasgavam imensas toras de jataís e jequitibás. Naquela noite, dois planos estavam em curso. Era só riscar o fósforo para o barril de pólvora explodir.

Não fosse o latido dos cães, Uruará[1] seria uma verdadeira cidade fantasma. Ruas vazias e mal iluminadas. Uma densa poeira ainda sob suspensão retocava uma atmosfera sinistra. Carros velhos na frente das casas de madeira e um semáforo, que fazia a escuridão se alternar entre o vermelho e o verde. Naquela madrugada, até o bar do Zé Raimundo, que sempre fechava bem tarde, se enquadrou na ordem vigente e todos foram para casa mais cedo. Disperso pelo ar, o cheiro da mata. A pequena cidade, às margens do rio Uruará, ao sudoeste do Pará, era como uma ilha abraçada pela maior floresta tropical do planeta — a Amazônia, o que marqueteiros de plantão resolveram chamar de "pulmão do mundo".

---

1 O município de Uruará está localizado no estado do Pará, no km 180 da Rodovia Transamazônica, entre os municípios de Altamira e Itaituba. Surgiu a partir do Plano de Integração Nacional (PIN) e do Projeto de Colonização do INCRA, na década de 1970, quando foi levado para a região um grande número de migrantes provenientes de várias regiões do país. Uruará, palavra de origem indígena, significa "cesto de flores". Com uma área territorial de 10.637 km², seus limites são: ao norte, Prainha e Medicilândia; a leste, Medicilândia e Altamira; ao sul, Altamira; a oeste, Santarém.

Mas, naquelas horas, o que perpassava pelos pulmões de muitos dos quarenta mil moradores de Uruará era um ar pesado. No município, que prosperou com a extração de madeira, plantio de cacau e criação de gado, sobreviver era questão de obediência a um poder invisível imposto pela sede por madeira. É como se a vida tivesse prazo de validade. E geralmente tinha.

Quando os ponteiros do relógio da matriz marcaram duas horas e dez minutos, um enorme clarão iluminou as paredes do Hotel Luso e um estrondo invadiu o principal quarteirão da cidade. Pelas escadas do hotel, guiados pelo fogo que podia transparecer pelas vidraças, homens corriam em direção à porta principal. Pisadas fortes. Armas engatilhadas. Projéteis empurrados para o ferrolho. Tensão. Nas mãos dos policiais federais, o que os bandidos chamam de "Grock" e os homens da Lei chamam de anjo da guarda, as infalíveis Glock 9 mm. Precisas, fiéis.

Juliano é o primeiro a chegar. A cena é dantesca.

— Cara, detonaram a nossa viatura! Puta que pariu!

Em minutos, a viatura da Polícia Federal é consumida pelas labaredas. Lata retorcida, vidro e plásticos derretidos. Tudo vira cinzas. Um galão de gasolina, a poucos metros, indica que o serviço de entrega ainda funciona muito bem nesses labirintos da selva. Incrédulos, com as armas ainda em punho, os policiais assistem ao recado que o mensageiro sem rosto e sem nome acabou de trazer: o nome da operação é apropriado, Arco de Fogo.

- 2 -
Fogo cruzado

RELATÓRIO POLICIAL

Operação Arco de Fogo	Data: 3 de setembro de 2010
Local: BR-163, ponto desconhecido	Hora: 3h
Missão, dia 40	Pág. 15

No retrovisor da L200 há apenas uma massa escura desfocada, que fica para trás na medida em que a distância é superada a pouco mais de cinquenta quilômetros por hora sob um túnel de gigantescas árvores. A chuva começou no fim de tarde e, agora de madrugada, cai pesada e despenca ainda com mais força das copas das árvores, irrigando um lamaçal quase intransponível. Raios explodem como granadas no infinito da selva, instantes únicos em que é possível distinguir o fim das copas das árvores e o início do céu.

Dentro da cabeça do delegado, outra tempestade desaba. Com as mãos ao volante, procurando um caminho para a base em Santarém, sua mente calcula os riscos do que está prestes a acontecer. Não há como voltar. Vidas estão em risco, e o sucesso da operação também.

"A diferença entre os heróis e os tolos é o resultado", é o pensamento que se repete na sua mente.

— Jô, sabe o que Millôr Fernandes dizia sobre heróis?
— Não, chefe.
— "Herói é um homem que não teve tempo de correr." — Riem os dois, embora saibam que estão falando de Macapixi.

Como a frase do humorista veio depois de um considerável silêncio, José sabe que a citação irônica nasceu na preocupação. Henrique continua lutando contra a lama ao volante da caminhonete.

Em meio à Floresta Amazônica tudo está a desfavor e o tempo parece zombar insensivelmente de qualquer vontade, transformando minutos angustiantes em horas e, às vezes, evaporando dias de luta em instantes. E até ali não faltara nem um nem outro.

O volante da picape resiste às mãos do delegado, que segue a viatura do Ibama. Cada toque e a L200 desliza. Quando as rodas da frente aderem ao chão lamacento, as de trás quase giram em falso, batem contra o buraco e o pneu só não rasga por sorte. A missão está próxima do fim e não há tempo para esperar o sol nascer.

O chefe dá sinais de impaciência, olhando para o marcador de combustível que, a esta hora, já não aponta uma perspectiva amigável. Os galões reservas ficaram em Uruará.

— Jô, aqui já deve ter sinal. Ligue para o Alessandro e pergunte a que distância estamos. Faz oito horas que estamos nessa estrada e nada!

José olha para o celular. Há sinal.

— Alessandro? É o Jô. Distância?

Alessandro Andrade, gerente regional do Ibama, na picape à frente, conhece aquela região como poucos, mas não quer falar a verdade porque errou a última entrada e sabe que tem muito chão pela frente. Na floresta, a experiência conta a favor, mas não garante o acerto.

— Diga ao Henrique que estamos quase chegando. É a chuva — mas o agente sabe que enganar o delegado não vai dar certo por muito tempo. — O Nivaldo, aqui, tá dizendo que esse tipo de pergunta em viagem só se faz até os oito anos — e desliga rindo.

— Disse que falta pouco, chefe. Mas quer saber? Faltou convicção.

Um bipe agudo vibra em algum canto da viatura. Henrique tateia, acha e atende o celular. Uma certeza: é cedo demais para tocar.

— É o próprio!... O quê? Cara, não brinca comigo. Não é hora disso.

Do outro lado da linha, Márcio Freitas, agente da Polícia Federal, conta em detalhes.

— Quem botou fogo na viatura, caralho? Como não sabem?

Com os lábios secos e espremidos um contra o outro, o delegado começa a se irritar com as regras do jogo. Eles sabiam.

— Márcio, diga ao pessoal que suspenda a operação. Avise ao Capitão

Hugo. Descubram quem foi. Alguém tem que falar. Aproveite o contingente e vire a cidade de ponta-cabeça.

José já entendeu o suficiente. Dispensa perguntas.

— Tá aí a prova que faltava, chefe.

Henrique varre o rosto da testa ao queixo com a mão e, com o punho cerrado, esmurra várias vezes o volante, soltando um grito de desabafo. O celular perde-se no chão da viatura. Bateria para um lado, tampa para outro e o restante do aparelho vai parar em algum lugar debaixo dos bancos. O delegado respira profundamente e dá sinal de luz à picape da frente.

A chuva dá uma trégua e as duas picapes param em meio à lama e a escuridão.

Alessandro e Henrique descem dos veículos e se encontram entre eles.

— Henrique, se ficarmos parados por dois minutos nessa lama as picapes vão afundar e não saímos mais.

— Eu sei, Alessandro! Sabotaram a operação em Uruará.

— O quê? Como?

— Eu disse a você — a voz é gritada. A chuva recomeça. — Incendiaram a viatura em praça pública.

— Qual viatura? Uma das nossas ou a de vocês?

— Das cinco viaturas, incendiaram só a nossa. Eles sabiam.

Alessandro abaixa a cabeça. Sabe do que o delegado está falando.

— O que vamos fazer? Voltar?

— Nem se quiséssemos. Nossa picape está avariada. Perdemos parte da suspensão há alguns quilômetros; por sorte temos pneu, mas nosso combustível mal chega a Santarém, se é que chega. Agora são quatro horas, temos um tempo antes de Belém e Brasília acordarem. Preciso pensar.

O delegado estava errado. Seu celular vem das mãos de José remontado e tocando. O número indica chamada de Belém. Brasília chamaria a seguir.

As conversas são rápidas e pouco amistosas.

A chuva aumenta, como se tivesse parado apenas para apreciar a angústia dos homens que se aventuram em meio à selva, e é sob a chuva forte e disparos de relâmpagos que as picapes desaparecem como fantasmas engolidos pela escuridão.

- 3 -
Aparecer na televisão

RELATÓRIO POLICIAL

Operação Arco de Fogo	Data: 3 de setembro de 2010
Local: Belém, PA	Hora: 9h
Missão, dia 40	Pág. 19

A mesa de jacarandá que ocupa quase metade do escritório, no terceiro andar do edifício Dolce Vitta, no centro agitado de Belém, está posta ali há pelo menos 40 anos, época em que o Brasil tinha "heróis" armados de motosserras e engajados na nova ordem política do país. Em nome do programa nacionalista "integrar para não entregar", homens do Sul do Brasil ganhavam a credencial para botar a floresta no chão. O Brasil tinha pressa e a Amazônia tinha que sangrar em nome do milagre. Desmatar era preservar o homem. E muita gente ainda quer preservar o que era "bom".

— Meu avô era macho mesmo. Duvido que ele ia afrouxar pra esses urubus de gravata — o tom debochado é uma marca.

O homem sentado à mesa de jacarandá carrega o DNA da Amazônia impresso na cara e nas vísceras. Baixo, com a caixa do corpo arredondada e desproporcional ao tamanho das pernas, não sabe sussurrar. Tudo é no grito e na bala. Jamais esquece o conselho do avô: "caneta boa tem que ter cano longo".

Esta manhã, o homem está nas alturas. Quem é sócio da motosserra sabe jogar quando a lei aperta. Tudo saiu como planejado. Ao telefone, apenas se delicia com sua ordem:

— Preto, me conte aí, meu amigo! E os homens ficaram cagados de medo? Hã? É... Acabou com a bagaça deles? Que beleza!

Do outro lado da linha, Andrada Bueno, conhecido por todos como Preto, faz, passo a passo, o relato enfeitado para o deleite do patrão:

— Foi uns dez *litru di gasulina*, patrão, que *nóis peguemo* lá na *maderera du* Totó Paliteira. E aí, bum! Tudo carvãozinho.

— Bem-feito, Preto. Esses federais têm que se foder mesmo. Por que eles não vão pegar bandido? Vê se eles fazem isso em Brasília? Eles vêm aqui e apavoram o povo trabalhador. E eles vão arrumar emprego pra esse povo? Eles fazem isso pra aparecer na televisão. Mas comigo não! Comigo o buraco é mais embaixo, Preto.

A ligação se encerra e o telefone toca novamente. É a secretária.

— Coronel, o deputado quer falar com o senhor. Posso passar?

— Não! — a voz ecoa pela sala como se fosse um trovão. — Diga a ele, dona Rosana, que eu quero esse código aprovado! Chega de conversa — e a última sílaba é ouvida pela secretária enquanto a mão pesada do chefe já leva o telefone à mesa.

- 4 -
Missão?

RELATÓRIO POLICIAL

Operação Cassino	Data: 2 de março de 2010
Local: Ribeirão Preto, SP	Hora: 5h59min
Missão, dia 730	Pág. 23

A equipe está a postos. Quatro homens de preto, letras douradas nas costas das camisas: Polícia Federal. O chefe da equipe sinaliza para os outros dois: um se abaixa e empunha sua submetralhadora para a parte inferior do portão da casa. Condomínio na Zona Sul de Ribeirão Preto. Na garagem, uma BMW M3 e duas motos Kawasaki. O relógio analógico do chefe indica: faltam quarenta e cinco segundos para as seis da manhã. Um terceiro homem se posiciona fora da visão da câmera de segurança. Tudo tem de sair perfeito.

O dedo indicador do chefe da equipe se aproxima do interfone. Um toque. Dez segundos se passam. Silêncio. O segundo toque.

— *Oi, quem é?* — voz feminina.

— Polícia Federal! Abra a porta, temos um mandado — responde o delegado.

— *Deve haver algum engano, seu moço.*

— Engano nenhum, minha senhora. Abra a porta. É uma ordem.

— *Já vou abrir, já vou abrir. Minha Nossa Senhora!*

O interfone é colocado no gancho. Trinta segundos se passam, tempo suficiente para abrirem a porta. Silêncio. De repente, latidos. Cachorro grande. Todos se olham.

— Eu sabia. Lá vamos nós de novo — reclama Nelson.

Um sinal e a viatura ostensiva aparece. É colocada defronte ao portão.

— Nada de fuga por hoje! Não na minha equipe — o chefe pega o rádio.
— Equipe Alfa Um chamando base Alfa Zero.
"— *Base na escuta, câmbio*".
— Alvo não abriu a porta. Estamos entrando. Câmbio.
"— *Ok, Alfa Um, registrado. Boa sorte. Câmbio*".
Um sinal, e um dos policiais do grupo chuta o portão. Entrada rápida. O cachorro está solto. Um pitbull. Spray de pimenta no bicho. Uma segunda investida. Mais spray. O cachorro corre para dentro do canil. Porta fechada. Barulho de portas batendo. Correria. Uma mulher seminua sai gritando:
— Seus filhos da puta!
A casa é invadida. Um homem passa no final do corredor.
— Polícia Federal! Parado!
Nada. O homem ganha o quintal da casa e pula o muro para a residência ao lado. Dois disparos da pistola do fugitivo, que a joga no corredor.
— Alvo desarmado! Alvo desarmado! — grita um dos policiais.
Um dos policiais corre para a rua e vigia os muros das casas, enquanto o outro corre atrás do alvo. O homem cruza o jardim da casa vizinha. É perseguido. O policial tropeça, cai, mas não desiste.
— Correr da cadeia dá um gás danado! — se levanta e grita — Corre, amigão, corre, porque não gosto de coisa fácil.
O fugitivo pula o segundo muro. Está em uma moto ligada. Sempre há um plano de fuga. Acelera e quebra a cerca viva. Ganhou a rua. Desvia do policial que o espera do lado de fora e acelera. O dia vai ser da caça.
Henrique sai da casa, chega à calçada. A viatura do portão não está mais lá. Alguém mudou o plano.
— Cadê a viatura do portão? — grita o delegado.
A equipe vê seu alvo se afastando a trinta metros, cinquenta metros. O fugitivo olha para trás e vê os homens de preto cada vez menores. Já era. Sorri.
Vai ter gozação na delegacia, mas não hoje. Não com a equipe Alfa Um.
O motoqueiro fugitivo olha para a frente. Surpreso. Uma viatura fecha a rua. A viatura do portão. Ele bate na roda do carro preto e é lançado do outro lado do capô. Fim da corrida. Fim da fuga.

Atordoado, tenta se levantar. Já era. Está algemado. Um segundo policial está sobre ele.

— Polícia Federal! Juarez?

— *Não, no soy Juarez* — diz em um portunhol ofegante.

— Ótimo, não quero o Juarez mesmo. E já que você não é o Juarez, está preso. Levante-se. Você tem o d-i-r-e-i-t-o de permanecer calado, direito de respeito a sua integridade física e moral, direito a um advogado, o direito de comunicar essa prisão a algum familiar e blá-blá-blá-blá-blá.

— *No soy quem procuras! É melhor para ti me soltares* — grita o homem.

— Desculpe. Eu não fui claro: você tem o d-e-v-e-r de ficar calado! Ei, pessoal, hoje o dia é nosso! Alvo na mão.

Comemoram. Alegres? Não, aliviados. A estatística não será afetada: cem por cento.

— Façam a busca na casa. Quero todos os documentos que encontrarem com nomes, endereços, contas bancárias, extratos telefônicos e o de sempre — diz Henrique, o chefe da equipe. — Parabéns, Cláudio! Salvou nossa pele.

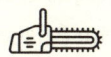

A delegacia está cheia. Cada equipe com seu preso. Toneladas de documentos em sacolas pretas. Familiares, advogados, repórteres fecham a porta da unidade. Querem informações. Na televisão do saguão, a repórter já anuncia:

"— A Polícia Federal deflagrou nesta manhã, dois de março, em Ribeirão Preto, a Operação Cassino, que visa desarticular uma organização criminosa voltada à exploração de máquinas caça-níqueis. Segundo a Polícia Federal, Ribeirão Preto foi utilizada como sede da organização, que chegou a manter na cidade mais de dezoito bingos clandestinos simultaneamente, com alguns deles faturando até trinta mil reais por noite. Estima-se que a organização tenha movimentado vinte milhões de reais. Ao todo, quinze pessoas foram presas..."

— Ei, doutor Henrique, parabéns pela operação! — diz o jovial homem de olhos azuis, que dá um abraço em Henrique.

— Ei, doutor Gabriel, parabéns para nós. Peguei o Juarez. Está aí com o Cláudio. A imprensa está aí fora. Prepare-se.

— A operação é sua, a entrevista é sua!

— O senhor é o chefe! Substituto, mas é o chefe — brinca Henrique.

— Chefe substituto, mas em exercício! — devolve Gabriel. — Na verdade, a hora que der um tempinho, gostaria que subisse à minha sala.

— Vou precisar desse tempinho, então! Preciso verificar os outros alvos, interrogar pessoalmente o Juarez e atender a imprensa.

— À vontade.

— Cláudio, o de sempre — diz Henrique. — Dê as boas-vindas da casa ao nosso *"no soy Juarez"*.

— Deixa comigo...

Cláudio está na Polícia Federal há vinte anos. Prestes a se aposentar, agente federal da melhor estirpe, sempre foi fiel à instituição. Homem com porte físico avantajado, embora extremamente tranquilo e educado. Uma contradição gritante. Dizem que é propaganda enganosa. Pior para os investigados.

A base está em ordem. A operação transcorre como uma sinfonia: dezenove alvos, quinze presos. Agora é esperar as coisas serem registradas, começar a fazer as pessoas falarem e tirar de cada documento os milímetros de informação que possam conter. Os advogados já estão no saguão. Velhos conhecidos. Alguns são os mais distintos cavalheiros e conhecedores das falhas das engrenagens do sistema processual. Outros, verdadeiros abutres. Vão arrancar tudo dos presos. Leia-se: dinheiro! Azar o deles. A primeira punição para um transgressor é deixá-lo ser levado por uma defesa inescrupulosa.

Com a adrenalina baixando, Henrique dirige-se à sala do chefe:

— Do que se trata, Gabriel?

— Ontem recebi uma ligação de São Paulo. Tenho uma notícia que não sei se é boa ou ruim. Missão no Pará, dois meses, Arco de Fogo. Julho a setembro.

Três mil quilômetros ao norte do país.

— Setembro? Você está de brincadeira?

— Não!

— Alguém se voluntariou? O Marcos queria viajar.

— O Marcos vai terminar a Operação Planus e eu vou assumir de vez a unidade de inteligência quando o chefe voltar.

— O japa! O japa não quer ir?

— O Kazuo pediu remoção.

— Sério? O japonês pediu remoção? Quando?

— Ontem.

— A Giovana, então! Isso! A Giovana não quer ir?

— Henrique, a Giovana tá grávida! E mesmo que não estivesse, a matrícula dela é mais antiga que a sua. Vai ter que ser você.

— Gabriel, você sabe por que eu não quero ir. Vai ser meu aniversário de casamento! Os outros dois já passei fora. É o terceiro aniversário de casamento, o terceiro que vou passar fora. A Natasja não vai aceitar isso numa boa.

— Eu sabia que você ia dizer isso. Já argumentei com São Paulo, meu amigo. Sem chance de cancelar.

— Chefe fraco...

— E eu sabia que você ia dizer isso também — diz Gabriel, rindo.

— E?

— Já liguei para o doutor Almeida e ele, pessoalmente, do hospital, tentou quebrar a missão. Não deu.

Arco de Fogo é uma operação permanente da Polícia Federal, e as bases operacionais estão destacadas nos locais mais distantes dos grandes centros urbanos, onde a Amazônia perde a guerra para os homens.

— Meu voo já está marcado?

— Vinte e cinco de julho.

- 5 -
Resex

RELATÓRIO POLICIAL

Operação Arco de Fogo	Data: 31 de março de 2010
Local: Santa Maria do Uruará, PA	Hora: 10h
Missão, equipe precursora	Pág. 29

O barulho das motosserras pode ser ouvido ao longe.

O suor que escorre do rosto dos dois homens e as mãos quase sangrando são os sinais de seis dias exaustivos de trabalho. As pistolas nas cinturas são os sinais do perigo desses lugares.

Mas as toras colossais de sapopembas[2] estendidas não estão nem no começo. Não são as primeiras, mas talvez a oitava ou nona tora que têm que serrar nos últimos dias.

E há pressa.

— Tavares! Quer revezar? — grita Arnaldo, do chão.

Tavares não ouve. Agnaldo faz gestos com os dois braços e Tavares desliga a motosserra. Faz sinal para o outro homem também desligar.

— Quer revezar, homem?

— E eu sou homem de me entregar? Eu vou serrar essas toras nem que seja sozinho! E, se tiver mais dez, serro mais dez! — o sotaque paraibano é inconfundível.

— Eu pago seu jantar em Santarém, rapaz! Deixe de bobeira! A aposta era brincadeira!

---

[2] Árvore típica das matas de várzea da Amazônia, a sumaúma alcança proporções colossais, e suas raízes em forma de "tábuas", conhecidas como sapopembas, criam verdadeiros abrigos. No passado, elas também serviam como meio de comunicação entre os índios através do batuque nas raízes, som que ecoava por longa distância. Desde a década de 1970, a espécie vem sendo derrubada para a produção de madeira compensada, o que sacrificou, principalmente, os exemplares nas margens dos grandes rios amazônicos.

Não adianta. Tavares está cansado, mas o sentimento que o motiva é mais determinação do que orgulho ou aposta.

A cinco metros do chão, em cima da montanha de troncos, ao seu lado, três metros a sua direita, Genoíno também se nega a ceder a motosserra. O trabalho é lento e vai levar mais metade do dia.

Os três são agentes do Ibama, vindos de lugares diversos do Brasil, que se ofereceram para trabalhar na Operação Arco de Fogo.

No chão, os homens da OAF, como se referem à operação, aguardam as toras engenhosamente atravessadas na largura da única via de acesso ao interior da reserva Renascer serem serradas para dar caminho ao comboio.

— Eu já enfrentei muita coisa aqui na Amazônia, mas nunca tinha visto um caminho tão difícil de avançar como o que esse bando de idiotas fez — desabafa Carlos, um dos mais experientes homens do ICMBio[3] na região.

— Quando os assentados trouxeram a notícia, para ser sincero, eu não acreditei muito, mas, depois que eu vi essa estrada trabalhada desse jeito, já estou começando a achar que a coisa é bem pior do que estamos imaginando — afirma Marcelo Torres, delegado federal.

— Quantas valas? Duas? — pergunta Giovane, chefe operacional do Ibama.

— Três! Três valas de cinco por cinco e dois metros de profundidade cada uma — comenta Capitão Hugo, da Força Nacional.

— Eu estou com as costas doendo de tanto puxar terra — reclama Carlos. — Se não fosse o pessoal da comunidade ajudar, a gente estaria lá até agora.

— Sem contar que com esses troncos já são nove ou dez que temos que serrar — diz Hugo. — Mas não adiantaria ter chegado até aqui a pé, sem armamentos, suprimentos e água.

Todos concordam.

---

3 O Instituto Chico Mendes de Conservação da Biodiversidade é uma autarquia em regime especial. Criado em 28 de agosto de 2007 pela Lei 11.516, o ICMBio é vinculado ao Ministério do Meio Ambiente e integra o Sistema Nacional do Meio Ambiente (Sisnama). Cabe ao Instituto executar as ações do Sistema Nacional de Unidades de Conservação, podendo propor, implantar, gerir, proteger, fiscalizar e monitorar as UCs instituídas pela União (fonte: www.icmbio.gov.br).

— Alguém tem que convencer aqueles dois a deixarem as motosserras — diz Agnaldo ao se aproximar do grupo.

— Duvido que alguém consiga — replica Torres.

— E o piloto? O cara voou em triangulação invertida e achou que a gente não ia descobrir? Entre dois pontos de sete quilômetros, ele passou bem no meio deles — comenta Carlos.

— Na verdade, só descobrimos porque eu esqueci, por acaso, o GPS ligado no bolso. Senão... — afirma Giovane.

— Isso é verdade! Mas tá lá preso por causa de cinco mil reais — sentencia Torres.

O sobrevoo de avião não deu resultado, mas o sobrevoo de helicóptero revelou alguns troncos deitados. Pelo ponto marcado no GPS, não deve faltar mais que um ou dois quilômetros à frente.

É visível o cansaço do grupo.

De repente, um disparo. O zunido é inconfundível. Tiro de fuzil. Outro. Mais outro.

— É tiro, pessoal! Se escondam — grita Hugo.

Todos se abrigam atrás das picapes.

Com certeza, o tiro veio do leste, de além dos troncos.

Um disparo atravessa um vão entre os troncos e acerta a caminhonete do ICMBio. O barulho de lata furada soa seco.

Os homens da Força Nacional se posicionam para tentar localizar a origem dos disparos. Os policiais federais fazem o mesmo. Pelas laterais da extensão dos troncos, buscam passagem fora da linha de tiro para poderem revidar.

No meio da selva amazônica, o atirador pode estar em qualquer lugar, mas é certo que está à frente, na linha da estrada. O tiro que resvalou o tronco e acertou a picape denunciou sua direção, mas não sua posição.

Mais um disparo.

— Quinhentos a seiscentos metros! — grita Jorge, atirador de elite da Força Nacional, calculando o barulho que ecoa de forma impressionante na selva.

Não há como revidar. Não há ponto de visão a salvo sem primeiro localizar a posição do atirador.

Entre os homens da lei, o sentimento de impotência é grande, mas a raiva é maior.

— Covarde! — diz Torres, indignado.

Com gestos de mão, Capitão Hugo, agachado no chão e encostado no tronco de sapopemba, ordena a seis de seus homens o avanço pelas laterais dentro da selva. Três pela direita, três pela esquerda. Jorge deve ficar. Os homens somem na mata.

Marcelo Torres determina aos policiais federais que permaneçam junto ao comboio com os homens do Ibama, que também estão armados.

— E aí, Capitão? Vamos ficar parados tomando tiro? — pergunta Torres.

— Não há como revidar, Torres. Vamos aguardar as duas equipes identificarem o posto do atirador para termos cobertura.

— Uma coisa é certa: estamos perto — presume o delegado.

Outro tiro. Mais três. Estilhaços de madeira voam dos troncos.

— Estão querendo nos atrasar — grita Giovane.

— Estão querendo é nos matar — corrige Carlos. — Mas prefiro sua versão, porque antes atrasados do que mortos.

Os tiros cessam. Passam-se dez minutos. Não há segurança para propor um ponto de tiro para Jorge, que aguarda ansiosamente a ordem para usar seu rifle.

É preciso esperar uma rajada curta de três tiros seguida de um assobio dos homens da Força Nacional para saber se neutralizaram o atirador ou se o grupo pode avançar em segurança. São homens bem treinados e escolhidos rigorosamente entre fileiras das Polícias Militares dos estados da federação.

Mais dez minutos.

Capitão Hugo olha no relógio. Calcula o avanço pela mata em setecentos metros. Já era hora de estarem no posto do atirador.

Rajadas de tiro a distância são ouvidas. Aves revoam em um barulho ensurdecedor no alto das copas, mas os tiros não estão vindo em direção ao comboio.

Os homens da Força Nacional entraram em confronto.

As rajadas continuam, seguidas de disparos esparsos.

O assobio.

Jorge não titubeia. Posiciona seu rifle sobre os troncos e varre a mata com a luneta em busca do atirador.

O capitão, os outros dois homens da Força Nacional e os seis policiais federais que permaneceram no comboio escalam os troncos e descem do outro lado. Correm em direção ao barulho dos tiros pelas laterais da estrada estreita usando os troncos das árvores para progredir e se proteger.

Cada árvore, uma parada. Um ponto quase seguro para cada homem. Jorge continua sobre os troncos de sapopemba na cobertura do grupo que avança.

Mais uma rajada seguida de tiros esparsos. Um grito vem do meio da mata. Alguém foi alvejado.

Os homens continuam em direção ao confronto. Aceleram os passos. Os homens do Ibama e do ICMBio estão logo atrás. Ninguém ficou no comboio, ninguém veio à Operação Arco de Fogo para ficar escondido. Pela estrada aberta na selva, avançam seiscentos metros muito mais rápido do que os dois grupos que foram por dentro da mata.

Um tiro acerta o tronco da árvore em que Giovane se protegeu. Um susto e um alívio.

Os tiros não cessam, enquanto os homens continuam buscando o grupo da Força Nacional que está em confronto.

— Sargento! Posição! Dê-nos a posição! Reforço chegando! — grita Hugo.

— Lado direito, Capitão! — vem uma resposta do meio da floresta.

Não é a voz do sargento.

O grupo adentra a mata. Encontram os seis homens da Força Nacional sob a proteção dos troncos das árvores.

— Capitão! O Sargento Gilberto foi atingido! — grita um dos soldados, apontando para o homem sentado um pouco à frente, também protegido atrás de um tronco de árvore.

— Onde está o atirador? — pergunta o capitão abaixado para se proteger.

— Já se foram. Mas podem atirar ainda de onde estão. A uns cinquenta metros ao norte tem um riacho que dá no Rio Pará do Uruará. Vi no mapa. Eram três homens. Eles fugiram em um barco com motor de popa.

Nós tentamos alcançá-los, mas a mata é muito fechada — diz o soldado, ofegante.

O capitão dá um toque de aprovação no ombro do soldado e vai até o sargento:

— Onde você foi atingido, meu amigo?

— Não foi nada, Capitão! Pegou de raspão no braço. Mas o senhor vai querer ver outra coisa — diz o sargento, colocando-se de pé enquanto segura com a mão direita o braço esquerdo alvejado.

— Deixe-me ver seu braço primeiro!

— Não se preocupe, Capitão! Estou bem, foi de raspão. Acompanhe-me, senhor.

O capitão e todos os homens da OAF seguem o sargento por alguns metros dentro da mata e um a um vão parando sem acreditar no que estão vendo.

— Não é possível! Não é possível! — exclama Giovane.

A frase é insistentemente repetida por cada um dos membros da OAF que se depara com aquela cena.

Estão incrédulos.

Carlos ajoelha-se, e com as duas mãos cobrindo o rosto, após um suspiro profundo, abaixa a cabeça.

O piloto preso, as estradas destruídas por escavadeiras e os troncos atravessados que atrasaram a equipe por seis dias. Era isso.

Ainda chocados pela cena, os homens começam a caminhar pelo lamaçal, coberto pelas densas copas das árvores.

É o fim. A sensação é essa.

Existem momentos em que não se sabe exatamente se há algo a comemorar por chegar ou lamentar pelo que se encontra. Este era um deles. A cena é repulsiva para aqueles homens, que assumiram a linha de frente da defesa da Amazônia.

Os homens se entreolham em silêncio, e a incredulidade aumenta à medida que caminham sem ter ideia do que ainda virá pela frente.

Vai-se uma hora de caminhada naqueles pátios. Estavam certos. A maior derrubada de árvores na Amazônia já registrada na história do Brasil está diante de seus olhos.

O cenário de morte é tão chocante quanto o de um campo de batalha após o confronto.

— Vejam! Há mais um pátio adiante! — grita Torres.

E os homens continuam a caminhar. Quanto mais seus pés conseguem superar a lama, mais os olhos se deparam com pátios de troncos gigantescos deitados.

— Como conseguiram esconder isso? — pergunta Torres.

— Veja que fizeram pátios cobertos, de forma que as copas das árvores impedem a leitura do satélite — observa Giovane.

A luz do sol, de fato, pouco penetra naquele lugar, o que aumenta o aspecto sombrio daquela cena de morte.

— Foi por isso que o piloto sobrevoou em triangulação invertida — comenta Carlos.

— Idiota! Por cinco mil reais... — diz Torres.

— Estamos falando aqui de uma fortuna de dezenas de milhões e milhões de reais em madeira — calcula Capitão Hugo.

Estão errados. Não há experiência ou visão matemática capaz de acertar a olho nu o tamanho da destruição.

— Estamos falando de morte, meus amigos. Esses caras... Eu estimo mais de 30 mil metros cúbicos de madeira — aposta Giovane.

— Vou torcer para que você esteja certo. Se for só isso, a Amazônia tá no lucro — afirma Torres.

Estão errados de novo. Todos. E por muito.

Milhares de toras de árvores gigantes deitadas aos pés de outras árvores que lhes servem de cobertura e que demorarão dois meses para serem contadas e medidas.

— Vejam, os caras sabiam o que queriam: ipê, jatobá. Vejam ali também: maçaranduba e angelim! — diz Carlos, apontando para montanhas diferentes de toras.

— Não há máquinas, senhores! Nenhuma! — diz Giovane.

— Retiraram tudo. Foi para isso que nos atrasaram. As malditas máquinas... — observa Torres.

ARCO DE FOGO ▸ **37**

ANOTAÇÕES

ANOTAÇÕES

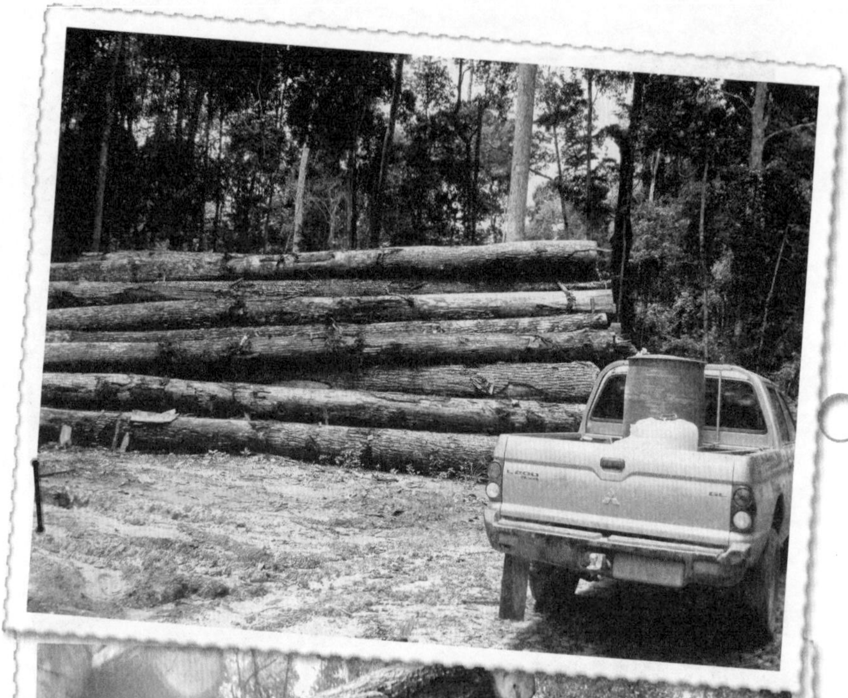

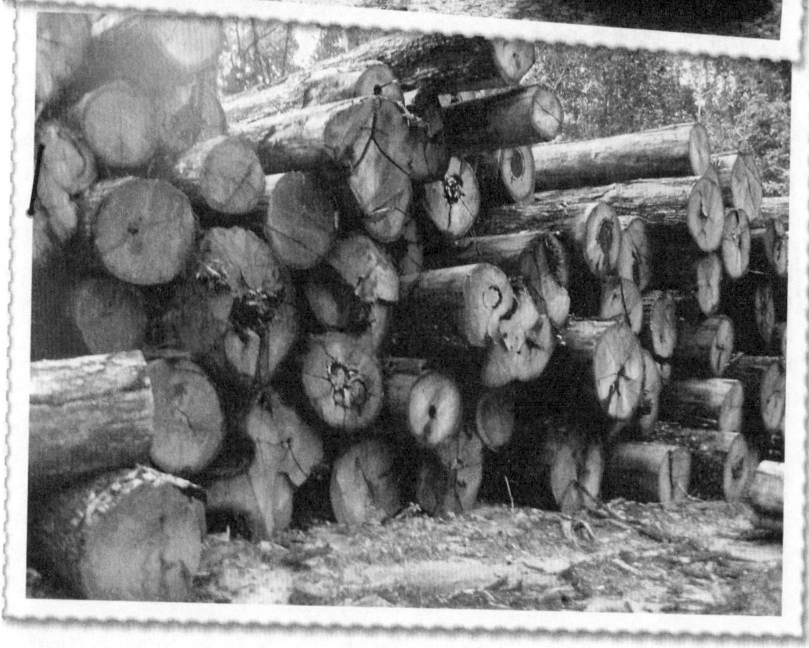

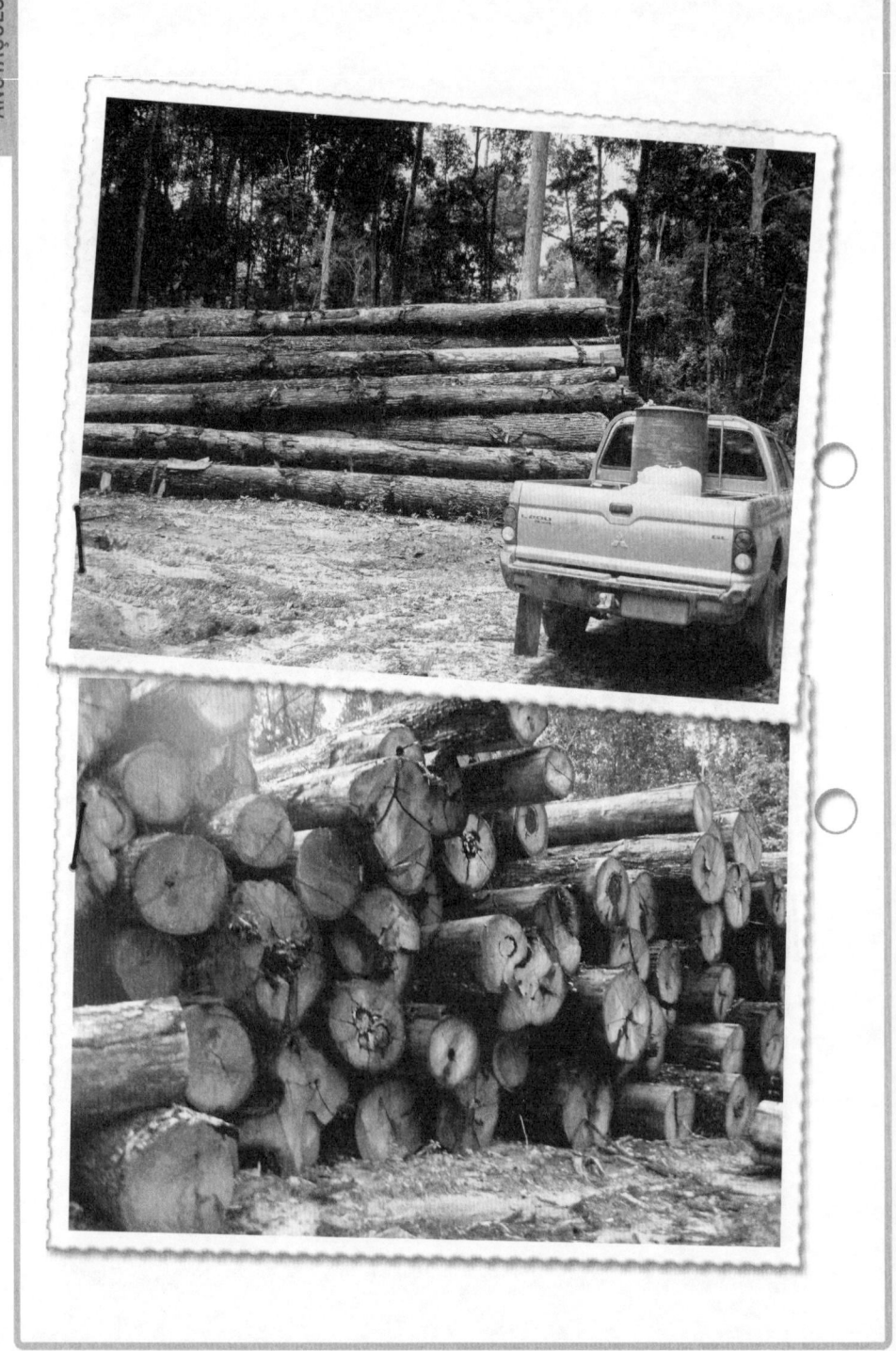

- 6 -
Recepção

RELATÓRIO POLICIAL

Operação Arco de Fogo	Data: 26 de julho de 2010
Local: Santarém, PA	Hora: 5h40
Missão, dia 1	Pág. 39

Tripulação preparada. Começa o procedimento de aterrissagem. O avião inclina alguns graus, gira e mergulha. Gotículas escorrem pela janela do 767, e a selva se projeta como um slide uniforme emoldurado num horizonte esfumaçado. Henrique afrouxa o cinto de segurança e inclina-se para contemplar a região. Está deslumbrado com aquele tapete verde sem fim.

As operações são sempre uma surpresa. Gente conhecida? Como será o coordenador? É sua primeira vez em operação de selva, embora treinamento não lhe falte.

Santarém, no oeste do Pará, só perde para a capital, Belém, em importância econômica e política. Das águas cristalinas do Rio Tapajós, a cidade ganhou mais de cem praias. No saguão do aeroporto Maestro Wilson Fonseca, entre passageiros que correm às esteiras atrás das malas, o delegado logo identifica um integrante de sua equipe. Sem apresentações formais, apenas com troca de olhares todos já sabem quem é quem.

— Missão?

— Missão — resposta curta e direta. — Missão?

— Missão. Ali tem mais um nosso.

— Já o vi. Conhece?

— Não. Prazer, Márcio Freitas, agente, DELEFIN, São Paulo.

— Henrique Pietro, delegado, Ribeirão Preto.

O terceiro se junta aos dois.
— Missão?
— Missão. Henrique, delegado, Ribeirão Preto. Prazer.
— Márcio Freitas, agente, DELEFIN, São Paulo. Prazer.
— José Santos, escrivão, São José dos Campos. O pessoal me chama de Jô, antes que vocês me chamem de Zé.
Riem.
— Vamos ver o que nos aguarda, senhores — diz o delegado.
Os telefones de contato fornecidos pela coordenação não atendem. Ainda é muito cedo, seis horas. Deveria ter uma viatura no aeroporto os aguardando. Cada um faz uma nova tentativa de seus celulares. Sem reposta.
— Bem, sugiro pegarmos um táxi e irmos para a delegacia por conta própria — propõe Henrique.
Não é um trio uniforme. Mas as diferenças fazem o padrão que o serviço exige e a unidade de uma equipe escolhida a dedo para uma das missões que se tornaram, nos últimos anos, vitrine internacional para a Polícia Federal.
Tomam um táxi e se dirigem à delegacia da Polícia Federal em Santarém. Uma casa de dois andares em um bairro misto de residências e comércio.
Não que se esperasse por boas-vindas com banda marcial, mas o plantonista não demonstra entusiasmo:
— Doutor Henrique, o senhor disse, não é? Pois é, doutor, a base da Operação Arco de Fogo funciona no prédio do Ibama. Eu fiz contato com o agente Luís e ele está vindo buscá-los.
— Ok.
O trio se entreolha e não deixa de estranhar a recepção. Mas, enfim, plantonista geralmente é o policial que está ali a contragosto, dele ou de alguém por ele.
— Quem é o chefe da base da Arco de Fogo? — pergunta Henrique.
— Pelo que sei, o chefe é o delegado em missão. Então... deve ser o senhor, suponho.
— O delegado atual encontra-se na base?
— Não sei dizer, doutor.

— Ok. O chefe desta unidade está? — Henrique já está indisposto com o plantonista.

— É a doutora Marina. Ela costuma chegar pontualmente às oito.

Henrique olha para o relógio. São sete horas ainda, embora o calor e o sol façam parecer meio-dia. Senta-se e começa a olhar vagarosamente o lugar. Márcio e José manuseiam seus celulares. É uma bela delegacia. Extremamente limpa, pintura nova, galeria de valores à entrada, com luzes acesas, ar-condicionado, vigilante bem postado, o plantonista, embora sisudo, adequadamente trajado, de gravata, com o distintivo no cinto e a arma ostensivamente coldreada. As plantas, flores, folhagens e a grama do jardim estão muito bem cuidadas, o que é sinal característico de ser uma unidade da Polícia Federal comandada por uma mulher.

Ainda é cedo. O atendimento ao público não foi iniciado.

Henrique continua a vasculhar visualmente o local. Seus olhos passam por cima do balcão e alcançam o pátio de viaturas. Entre elas, uma caminhonete Frontier, com pintura camuflada em dois tons de cinza, Força Nacional, a frente destroçada. Levanta-se e se dirige até o veículo. Não há sinais de ferrugem nas dobras da lataria, o que demonstra um acidente recente. Muita lama e pedaços de madeira no radiador e nos vãos do chassi. Pelo afundamento do motor, Henrique deduz que a batida ocorreu a mais de cem quilômetros por hora. O para-brisa está quebrado e curvado apenas do lado do passageiro e, desagradavelmente, de dentro para fora. A roda dianteira direita está inclinada, o que demonstra que a ponta do eixo também foi afetada. Dentro do veículo, os bancos estão marcados até próximo à altura do encosto de cabeça, como se tivessem sido submergidos em meio líquido sujo, certamente água de rio.

Depois de olhar cada detalhe do veículo, retorna à recepção.

— O que aconteceu com aquela viatura?

— Acidente, um morto — fala o plantonista, sem levantar os olhos das suas anotações. — Foi na Transamazônica, operação Arco de Fogo.

— Federal?

— Força Nacional.

José e Márcio, em um gesto quase reflexo, levantam a cabeça e dirigem os olhos para o veículo. O trio se entreolha novamente.

Um pouco mais ao fundo do estacionamento, uma L200 coberta por uma lona, que Henrique não viu, mas com uma história semelhante.

Nesse momento, defronte à delegacia, estaciona outra L200, preta. Desce um senhor aparentando uns cinquenta anos, pescoço largo, corpo forte, camisa de manga curta desabotoada até o peito. A arma aparece sob a camisa. É policial.

— Bom dia, senhores. Sou Luís. Luís Nogueira, ao seu dispor, agente de Polícia Federal, superintendência do Rio Grande do Norte, missão Arco de Fogo, base Santarém — diz o homem, com voz de anúncio de algum produto muito bom.

A apresentação telegráfica é uma marca dos policiais federais. Entre eles, vale quase como uma biografia completa. Mas Luís é um homem extrovertido.

— Bom dia, senhor Luís. Henrique, delegado federal. Prazer em conhecê-lo. Esse é o José Santos, escrivão, e esse é o Márcio Freitas, agente, todos nós do estado de São Paulo.

— São Paulo, hein? O doutor quer ir à base ou hospedar-se primeiro?

— O delegado que vou substituir está na base?

— Doutor, estamos sem delegado há três semanas. Estávamos esperando o senhor. O delegado anterior pediu para cancelar a missão. Acho que ia disputar as eleições lá na terra dele, e como estamos em julho...

— Já entendi, Luís. Sem problemas. Leve-nos aos hotéis então.

Não adianta ter pressa. Bons ou ruins, dois meses são dois meses.

ARCO DE FOGO ▶ **43**

- 7 -
Super-Homem

RELATÓRIO POLICIAL

Operação Arco de Fogo	Data: 14 de julho de 2010
Local: Transamazônica, PA	Hora: 10h
Missão, equipe precursora	Pág. 45

— Eu não quero morrer! Eu não quero morrer! — grita Francisco, em choque.

— Calma! Calma! Nós somos Federal! Federal não morre! — grita Luís, enquanto tenta soltar, sem sucesso, o cinto que prende Francisco ao banco.

O botão está emperrado, e o peso do corpo de Francisco contra o cinto impede de vez o destravamento. Luís tenta alcançar o canivete na sua bota, mas o impacto do peito contra o volante dificulta-lhe mover o lado direito. Para piorar, seu pé esquerdo está preso no pedal da embreagem.

Enquanto lutam para se soltar dos cintos e do pedal, a água já passa da altura do peito de ambos.

— Eu não vou conhecer meu filho, Luís! — grita Francisco, em tom de desespero, enquanto continua tentando, sem sucesso, soltar o cinto de segurança.

A água lamacenta e escura continua entrando e diminuindo o pouco espaço de ar na cabine da picape, enfiada no fundo do rio e já totalmente coberta pela água.

Luís estava dirigindo a picape em comboio, rumo a Uruará, para retomar as atividades da Arco de Fogo suspensas pela Renascer, quando uma cortina de poeira o impediu de ver mais uma das pontes traiçoeiras da Transamazônica.

Nas estradas de terra da Amazônia, é muito comum, quando uma ponte rui, desviarem a pista para a esquerda ou para a direita e construírem uma nova ponte no desvio, permanecendo a ponte arruinada ao lado.

Quando viu a ponte em ruínas, já era tarde. Luís foi habilidoso em conseguir desviar para a direita, tirando a picape da destruição certa nas estacas que serviam de colunas para a antiga ponte destroçada. Se tivesse desviado para a esquerda, teriam sido prensados nas colunas da nova ponte.

Deram sorte. Mas, na selva, a sorte é um fator que não resiste por muito tempo. Agora, a picape está com a frente no fundo do rio e as portas travadas pelas estacas do lado do motorista e por pedras do lado do carona.

Os mecanismos para baixar os vidros estão emperrados e as saídas, obstruídas. Não é uma opção sair pelas laterais. A grade de proteção de carga no vidro traseiro completa a gaiola mortal em que a cabine se tornou dentro da água.

Com muito esforço e dor no peito pela pancada severa que tomou, Luís consegue puxar o cadarço da bota esquerda e soltar o pé, que ficara preso entre o assoalho e o pedal da picape. Com um grito de dor, afunda a cabeça na água, que já toma quase toda a cabine, e alcança seu canivete na bota direita. Volta e respira com uma dor lancinante no peito. Com as mãos tremendo em razão da dor, abre o canivete e tenta alcançar o cinto de segurança de Francisco. Consegue e corta-o.

Estão soltos, mas presos dentro da cabine. A picape ameaça virar de ponta-cabeça. Será o fim. A água já cobre o queixo de ambos.

Estão em pé, com a cabeça no ponto mais alto da cabine, um dos pés no banco e outro no painel. Francisco está em choque.

— Francisco! — grita Luís. O colega parece não escutar.

A tensão emocional envolvendo a morte iminente, misturada com a certeza de que nunca vai conhecer seu filho, o impedem de raciocinar. A única coisa que ouve é um zunido forte. Seu supercílio direito está rasgado e sangrando. No momento do impacto, bateu com a cabeça no para-brisa.

— Francisco! — grita Luís novamente. — Francisco! Olhe para mim. Olhe para mim, meu amigo.

Luís segura o rosto de Francisco com as duas mãos, buscando sua atenção. O rapaz parece recobrar os sentidos. Ainda está em choque, mas ouve o chamado de Luís.

— Nós não vamos morrer, irmão! Preste atenção: nós não vamos morrer! — grita Luís. — Nós temos que sair pelo para-brisa.

Francisco olha para Luís e acena com a cabeça em movimentos curtos e rápidos, sinalizando que entende o que Luís fala.

— Escute! Ao meu sinal, vamos chutar o para-brisa, certo? Vamos lá. Um, dois, três! Chute!

Chutam juntos. Nada. Não há espaço para mover as pernas, que estão arqueadas e não têm força para empurrar ou impactar o vidro. Os bancos de trás se soltaram e impedem que ambos se movimentem. Com a queda e o impacto no fundo do rio, o capô se deslocou e está travando o para-brisa.

— De novo! Mais forte! Agora! — comanda Luís.

Chutam uma vez mais. O para-brisa não cede. A posição em que estão não ajuda. Luís pega sua Glock e atira dentro da água no vidro. Um, dois, três, quatro, cinco tiros, descarrega sua arma. Francisco também. Dezessete tiros cada. A pressão da água não ajuda.

Francisco não consegue abrir o olho direito. O sangue que escorre o atrapalha.

Chutam o para-brisa. Cede, mas não muito. Chutam de novo. Francisco mergulha na cabine e tenta empurrar o vidro com as mãos. Luís não consegue ajudá-lo por causa da posição em que está o volante, que restringe seu movimento.

Luís tateia, busca alguma coisa que possa ajudá-lo. Encontra uma alça e puxa. É a submetralhadora HK. Toca o ombro de Francisco embaixo d'água e com um gesto de mão, pede para ele encostar-se à porta do carona.

Confirma se o pente está firme, destrava a arma e, submerso, descarrega a poderosa 9mm de um lado ao outro. O vidro trinca completamente, mas não quebra.

Um último suspiro no pouco ar que resta na cabine e a última palavra:

— Chute, Francisco! Chute, meu amigo!

E, em um pontapé de ambos, o para-brisa cai no fundo do rio, levantando ainda mais lama.

Não há mais espaço sem água na cabine. A picape está em noventa graus e começa a tombar. A correnteza está empurrando o veículo. Os dois podem ser esmagados dentro da cabine ou ao sair, mas não há tempo para pensar.

Francisco sai e a correnteza já o empurra para baixo. Há pedras, troncos. Bater a cabeça é morte certa. Segurar na picape pode piorar a situação e virá-la antes de Luís sair. Luís sai com muita dificuldade. Há pouco espaço por causa do capô. A picape está em cento e dez graus. Vai tombar. Ambos tocam o fundo do rio e, levados pela correnteza, se afastam da picape.

A picape tomba. A correnteza arrasta os dois policiais cinquenta metros para além de onde caíram. Com muito esforço e dor, conseguem alcançar a margem. Seguram-se na vegetação e se arrastam para fora do rio.

Sentam-se sobre uma pedra, um ao lado do outro.

Foi por pouco.

Luís descansa a mão direita no ombro de Francisco e lhe dá um chacoalhão.

— Eu falei — sussurra, ofegante e com dor — que federal não morre, meu amigo. Nós somos iguais ao Super-Homem!

Francisco, com os olhos cheios de lágrimas, sangue escorrendo pelo seu rosto e a cabeça ligeiramente inclinada para a frente, olha para Luís, pensa na mulher e no filho e abre um sorriso. Não tem nada a dizer. Não existem palavras que possam expressar a alegria de estar vivo.

A HK está pendurada no corpo de Luís; sua Glock está na cintura. Por puro reflexo, memória muscular talvez, coldreou a arma debaixo da água. Bate a mão na empunhadura e começa a rir. Olha para Francisco e vê que a arma dele também está no coldre. Continua a rir e volta os olhos para o rio que quase os levou.

— Meu amigo, nós fomos bem treinados! Nós fomos muito bem treinados — repete Luís, pensando nas armas no coldre.

Francisco acha que Luís está falando sobre o fato de terem sobrevivido.

— O que aconteceu, Luís? Como a gente foi parar no fundo rio?

— Rapaz, eu deveria ter ficado mais distante do comboio e da cortina de poeira que levantou. Quando vi, não dava mais. Se eu tivesse jogado para a esquerda, a gente teria morrido nas estacas ou sido esmagado pela ponte nova. Foi tanta poeira que acho que nem perceberam nossa falta no fim do comboio.

Francisco olha para Luís e sabe que seu companheiro fez o melhor que pôde. Agradece:

— Obrigado, meu irmão! Se eu mandasse em casa, meu filho iria chamar Luís.

— Rapaz, se você mandasse na sua casa, você realmente ia ser o Super-Homem.

Riem os dois.

A picape, cuja única coisa que ainda dá para ver são os pneus traseiros, vai sendo arrastada até bem em frente onde estão e para encalhada em alguma coisa no fundo do rio.

— Sim, minha filha, você vai com a gente pra casa — diz Luís, olhando para a viatura.

Do alto da ponte, Rodrigo, agente do Ibama, balança os braços e grita:

— Vocês estão bem?

Luís levanta o braço esquerdo e faz um sinal de positivo com a mão, balançando-a no ar. Abaixa o braço e olha para o colega.

— Finalmente perceberam nossa falta. Você está bem, Francisco? Desculpe, irmão.

— Estou, Luís. Estou bem. Você está bem?

— Estou casado há trinta e cinco anos, enfrento uma dessas aqui t-o-d-o café da manhã. Isto aqui é fichinha.

Apoiando-se um no outro, os colegas se ajudam a levantar e caminham em direção à ponte.

— *Bora* que a vida continua. A gente tem muita floresta para manter em pé, e você ainda tem um rebento para criar.

— Para conhecer, Luís. Para conhecer e depois criar.

— Isso! Isso que eu quis dizer. Conhecer, depois criar. E eu tenho minha patroinha pra rever. Por ora, vamos dar um jeito de tirar essa geringonça do rio, porque eu não vou pagar nada desse estrago todo. Vou dar uma lavadinha, encerar e entregar na base. Taí, doutor, novinha em folha!

ANOTAÇÕES

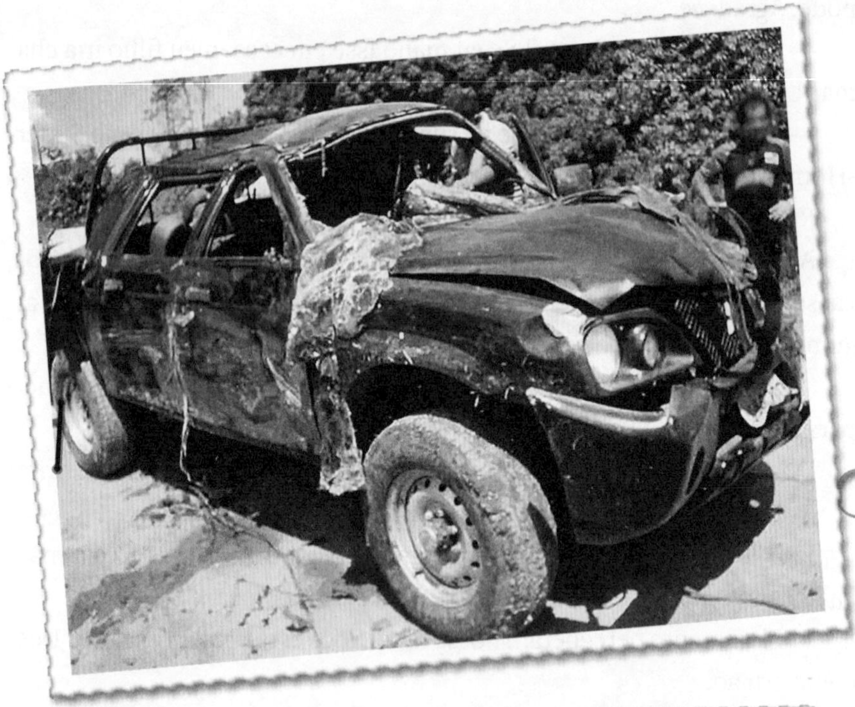

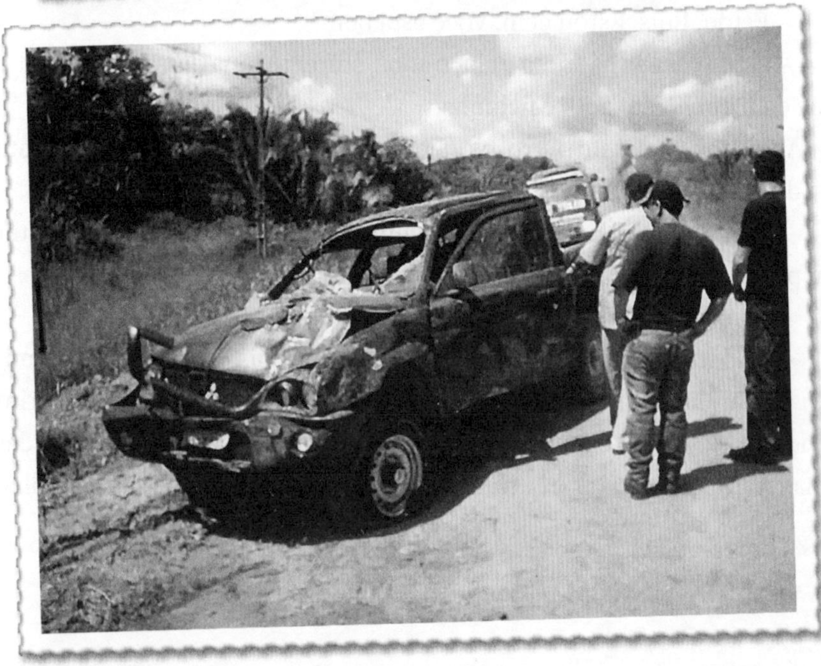

ARCO DE FOGO ▶ 51

- 8 -
Não é derrubar

RELATÓRIO POLICIAL

Operação Arco de Fogo	Data: 26 de julho de 2010
Local: Santarém, PA	Hora: 7h45min
Missão, dia 1	Pág. 53

Durante o trajeto, os integrantes da equipe acompanham o sotaque nordestino de Luís, que, como um típico guia turístico, dirige a viatura e vai apresentando e classificando os poucos hotéis da cidade. Esse é bom, mas é caro; aquele é bom, mas barulhento; aquele outro é caro, mas é ruim; esse é ruim, mas é barato. O melhor deles está ocupado com a equipe que está filmando *Tainá 3*.

— Parece que já conhece todos os hotéis, Luís. Você é daqui? Já trabalhou aqui? — pergunta Henrique.

— Doutor, faz uns nove meses que estou neste lugar. Já não sei se é missão ou lotação. O Juliano, perito do Rio de Janeiro, também. Quarenta e cinco anos e parece um menino, galã de novela. Metrossexual. Está aqui já faz um tempo também. Ele está porque quer. Mas eu encerro daqui a dez dias. Tenho que tirar o cara que está lá em casa, porque minha mulher já diz para todo mundo que é viúva, divorciada, sei lá.

Márcio e José riem e apreciam a orla.

— O plantonista não foi dos mais simpáticos — observa José.

— Rapaz, a base e a delegacia não mantêm uma relação muito amistosa. Durante muito tempo, utilizamos os recursos deles. Doutora Marina, a chefona, não estava muito feliz, não.

— E agora? — pergunta Márcio.

— Agora, Brasília tem mandado verba e a coordenação

paga as despesas. O dinheiro chega daqui uns quinze dias. Até lá é economizar. Mas, conexões aos sistemas têm de ser feitas na delegacia, e às vezes a gente pega papel e material de escritório também. E o senhor, doutor? Que tipo de delegado é?

— Não entendi a pergunta, Luís.

— Aqui, doutor, tem dois tipos de delegados: os que mandam e os que são mandados.

— Faço o que tem que ser feito.

— O senhor me desculpe a pergunta, doutor. Mas sabe como funciona isso aqui?

— Diga.

— O Ibama quer assumir a operação, diz que é deles, e quer que andemos atrás deles de arma em punho. A Força Nacional é formada por policiais militares escolhidos a dedo, cabras machos. Não gostam de receber ordens de qualquer um, principalmente de delegados. A delegacia já quis absorver a base e tratá-la como uma especializada. Os madeireiros querem que a gente desapareça. A população fica meio que dividida. Daí não sobra ninguém para bater palmas para gente. O senhor tá pronto para o que vai enfrentar?

— Luís, pode parar aqui. Vou ficar nesse hotel, já que o das estrelas está ocupado. Veremos, Luís, veremos. O soldado é forjado na batalha.

— Sim, senhor, doutor, na batalha. E isso é o que não falta por aqui. Passo aqui para pegá-lo hoje, amanhã? Quando a gente começa?

— Já começamos, Luís — diz Henrique, enquanto retira sua mala da caçamba. — Já começamos. Às doze e cinquenta venha me buscar. Pessoal, prazer em conhecê-los. Combinem com o Luís o horário que ele deve pegá-los.

— Estaremos lá, chefia — diz Márcio.

Por questões de segurança, hospedaram-se em hotéis diferentes.

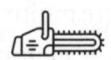

Treze horas.

O que o trio encontra não tem o aspecto ideal de uma base avançada da Polícia Federal. Duas salas instaladas no final do corredor do segundo andar de um prédio antigo, castigado pelo tempo e pela umidade.

Na margem direita do Rio Tapajós, um gigante que nasce no Mato Grosso, corta um pedaço do Pará e se junta ao Amazonas, o prédio do Ibama divide o terreno com um segundo prédio, do ICMBio. Atrás de ambos, um pátio com muita madeira em toras, em vigotas, em pranchas, em placas. Entre elas, tratores gigantescos enferrujados e caminhões. O que mais chama a atenção são os caminhões. Sem grades frontais, para-choques dianteiros ou faróis. Pneus ressolados e velhos. Em sua quase totalidade, carrocerias abertas de madeira. Certamente, veículos apreendidos.

Na entrada da garagem, dezenas de motosserras emparelhadas sob um elevado de concreto. Todas unidas por uma corrente que dá uma volta em cada uma de suas alças.

Duas L200 pretas estacionadas de marcha à ré, ao lado daquela que Luís usou para trazê-los. Já se sabe, viaturas descaracterizadas da Polícia Federal. Do outro lado, meia dúzia de L200 brancas, com guinchos instalados nos para-choques dianteiros. Nas portas, com um fundo quadrado amarelo, os dizeres em cor preta "Ibama — uso exclusivo em serviço".

Outras duas L200 brancas com dizeres "ICMBio — Governo Federal — Uso exclusivo em serviço".

O cheiro das salas é de mofo e o som do teto de madeira não engana: morcegos.

O almoço ainda está na memória, e a mistura com o cheiro não é agradável.

Entre as salas, divisórias. De compensado até a altura de um metro e, dali para cima, vidros. Na porta da sala à esquerda, a primeira de quem vem pelo corredor, uma folha de papel branco colada com o escrito "Delegado". Na outra, "Núcleo de Operações".

Henrique abre a porta do "Delegado" e depara-se com duas mesas. Luís o acompanha de perto com curiosidade para registrar as impressões estampadas em seu rosto. Antigão, diverte-se com os delegados jovens que integram a Polícia Federal, especialmente quando vêm de São Paulo ou de grandes centros urbanos. Para Luís, estão acostumados a muito papel, computador, crimes financeiros, fraudes, corrupção. Não põe muita fé, por assim dizer. A primeira mesa está encostada na parede da porta, com um homem sentado. Cabelo cuidadosamente aparado, penteado para trás, olhos azuis, atlético, calça jeans e camiseta. Deve ser mais velho do que aparenta. Metrossexual não. Ubersexual talvez. Juliano, com certeza.

— Boa tarde. O senhor deve ser o perito carioca, Juliano. Já ouvi bastante sobre você.

— Fique tranquilo. Até hoje não provaram nada! E o Luís é linguarudo, doutor — com um sorriso aberto, estende a mão. — Prazer. O senhor deve ser Henrique. Estávamos aguardando a sua chegada.

— Obrigado, Juliano.

— Essa mesa é sua — aponta o perito para a mesa maior, colocada em diagonal à sala e ocupando um grande espaço.

Sobre ela, um notebook aberto, um telefone e um envelope pardo, com um volume considerável dentro dele. Por fora, os dizeres: "Ao colega depois de mim. Desejo-lhe sorte".

— Doutor, o Marcelo, que esteve aqui antes do Lucas, deixou este envelope lacrado para que a pessoa que o substituísse soubesse o que já aconteceu até agora na base e fosse informado das pendências.

— O delegado Lucas relacrou?

— Na verdade, nem abriu. Ele veio sabendo que sua missão ia ser cancelada. Então...

— Entendo. Bem, podia ser pior, não é?

As bases da Operação Arco de Fogo, em sua grande maioria, estão instaladas dentro da selva. É comum os policiais dormirem em barracas e cozinharem em fogões improvisados para poderem cumprir seu papel. Ser designado para a base em Santarém é como esperar ser designado para um albergue e encontrar um hotel cinco estrelas.

Pelo vidro, Henrique vê mais dois policiais federais. Desconhecidos também. Ronaldo, perito de Manaus, e Felipe, agente de Roraima. Levantam-se e vêm cumprimentá-lo.

— Ronaldo, perito, Manaus.

— Prazer, Felipe, Roraima. Vamos pôr fogo em tudo?

Felipe já foi delegado da Polícia Civil em Roraima. Desistiu da carreira e preferiu ser agente da Polícia Federal. Disse que trabalhava demais. Na verdade, cansou de esmurrar ponta de faca. Leia-se, estupros e menores traficantes.

— É para isso que estamos aqui, Felipe.

Juliano acrescenta:

— Doutor, temos mais um homem. Ele está dando apoio armado ao helicóptero do Ibama na região de Uruará. É o Francisco Soares, papi[4].

— De onde ele é?

— Da Paraíba. O filho nasceu faz uma semana e ele ainda não o viu.

— Longe de casa nos melhores momentos... Polícia Federal — diz o delegado.

— É isso aí, Polícia Federal — dizem quase juntos os outros policiais.

Henrique se aproxima do mapa do estado do Pará, fixado na parede atrás da mesa que vai usar, e vê uma área demarcada por uma linha vermelha. No mapa há destaque com marcadores para Santarém, Curuatinga, Uruará e uma reserva extrativista. É a área de alcance da base.

— Uruará está a que distância? — pergunta Henrique.

— Estamos falando de helicóptero, avião, lancha ou picape? — pergunta Juliano.

— Digamos que estou falando de estrada.

— Estrada aqui é uma metáfora — ironiza Luís. — A Força Nacional já perdeu um, e o Francisco e eu quase rodamos também. Como as estradas ainda estão alagadas, com sorte, Uruará está a umas sete horas de viagem. Quatrocentos quilômetros ao sul. Com azar, está há uns dois dias. Se usar o helicóptero, uma hora.

— E pertence a esta base? Está mais próxima de Altamira, se estou vendo direito nesse mapa, e temos uma delegacia em Altamira.

— É nossa, doutor. Uruará é nossa — complementa Juliano. — Deixamos combinado de revezar a cada dez dias um dos homens da base Santarém com o trabalho em Uruará. O Francisco está com uma viatura nossa lá. O senhor tem algo contra o revezamento?

— Nada, senhores — diz Henrique, enquanto continua olhando a pequena distância entre Altamira e Uruará. — Minha única estranheza nesse

---

[4] "Papi" é o termo que os policiais federais usam para se referir a quem ocupa o cargo de papiloscopista.

caso é o fato de um policial federal estar trabalhando sozinho. Precisamos rever isso. Qual a função dele lá?

— Só proteção aos sobrevoos com uma HK — diz Felipe.

— Vamos fazer o seguinte, senhores. Por ora, preciso ler o que há dentro desse envelope. Confesso que estou um pouco preocupado com esse "Desejo-lhe sorte". Fiquem à vontade por hoje. Amanhã, vamos traçar um plano de trabalho.

Roraima, Rio Grande do Norte, Rio de Janeiro, São Paulo, Amazonas. Só na Academia Nacional de Polícia, em Brasília, Henrique havia ouvido tantos sotaques regionais num espaço de tempo tão pequeno. Outra característica da Polícia Federal e de suas operações.

Oito policiais federais. Seis estados. Quatro viaturas. Muita munição. Uma coisa é certa: daria para derrubar qualquer coisa.

Mas a missão ali não é derrubar; é manter em pé.

ARCO DE FOGO ▶ 59

ANOTAÇÕES

- 9 -
O recado está dado

RELATÓRIO POLICIAL

Operação Arco de Fogo	Data: 16 de julho de 2010
Local: Uruará, PA	Hora: 21h
Missão, equipe precursora	Pág. 61

— Bota fogo em tudo! Vamos cercar o hotel e quebrar as janelas, levar o pessoal e dizer que estão acabando com a economia da região! Vamos usar faixas, cartazes! — incita o homem sentado ao centro da mesa.

A discussão esquenta.

— Sou contra! — diz outro, presente no auditório.

— É! Eu também! É melhor a gente não enfrentar a Polícia Federal. Isso aí vai dar errado — alguém receia.

— Vocês são frouxos? Isso aqui não é para homem frouxo, não! — replica o coordenador da reunião.

Cada um com as suas armas.

— Da última vez que a governadora veio aqui, ela prometeu que ia falar com o governo federal para a Arco de Fogo sair daqui e dias depois eles foram embora. A gente não precisou de confronto! — rebate outro no auditório.

— Mas eu dirijo um sindicato de frouxos? É isso? Se até o governo tá do nosso lado, do que vocês têm medo? Tem até o novo código tramitando pra afrouxar as restrições de corte! A gente já conseguiu pôr até anistia no texto! Está tudo lá! A questão é que eles voltaram hoje!

— O governo não está do nosso lado, não! Só diz que está! — retruca outro.

O bate-boca aumenta.

— O que eu sei é que a saída não teve nada a ver com a visita da governadora. Eles saíram por causa daquela reserva e agora voltaram com esse policial federal que eles levam de metralhadora pra cima e pra baixo — diz um dos presentes.

— Reserva o caramba! Isso foi a desculpa honrosa que acharam para sair daqui com o rabo entre as pernas! Eu tenho a palavra de dois deputados e mais a palavra da governadora que veio aqui pessoalmente! E depois que essa cambada saiu daqui vocês ficam achando que é por causa da Renascer? É por isso que estamos nessa merda!

Um segundo homem da mesa propõe que seja aberta a votação.

— Uruará é um lugar de pessoas de bem, de famílias decentes. Estou sendo prejudicado, mas me recuso a colocar minha família em situação de confronto — diz outro homem.

Antenor Jamil, que preside a reunião, é dono de uma madeireira. Já foi multado em mais de trezentos mil reais pelo Ibama por dados falsos no SISFLORA e por movimentação de madeira ilegal. Recentemente assumiu de vez o sindicato dos madeireiros dos municípios de Placas e Uruará:

— Vejam, companheiros, eu quero saber se esses *polícias* estavam aqui quando a gente chegou e não tinha nada. Se esses moleques do Ibama, que já aplicaram mais de quarenta milhões de reais em multa em vocês, vieram aqui quando não tinha luz, água encanada! Nós, sim! Nós construímos isso aqui! Nós, com nosso sangue e suor! Sem hospital, sem médico, todo mundo sabe o que tivemos que fazer para cuidar dos nossos filhos, das nossas mulheres. Agora que temos uma cidade no meio da Amazônia, eles vêm aqui e vão querer dizer o que a gente deve fazer? Vejam se eles entram em Macapixi! Entram nada! Ficam voando de helicóptero pra tudo que é lado aí, gastando nosso dinheiro!

A conversa de Jamil não convence todo mundo na reunião. Suas palavras incitam o enfrentamento, mas ainda não há consenso. No fundo do salão, um homem observa tudo sem abrir a boca.

— Em Altamira, quando eles estavam lá, a pressão da população foi grande! — argumenta outro homem. — Outros lugares também.

As portas e as janelas fechadas, apesar do ar abafado, garantem o sigilo da assembleia.

— É o seguinte: ou nós expulsamos esse povo daqui ou vamos acabar falindo. Esses assentados não têm o que comer. A gente corta uma árvore aqui, uma ali, empresta nossas máquinas, nosso pessoal, paga pelo trabalho, paga um dinheirinho cada árvore! Todo mundo sai ganhando! O corte é seletivo. Não somos nós que estamos acabando com a Amazônia, não! Não, gente! Nós estamos ajudando a manter isto aqui! Daqui a pouco vai ter gente passando fome, bandidagem e o caralho.

As palavras vão sendo absorvidas. Jamil sabe que deve esperar um pouco mais para votar. Alguns madeireiros influentes ainda estão reticentes.

— Eu, senhores, até acho que é melhor se adequar à lei. Minha família ajudou a construir isso aqui também, vivo da madeira, fui multado, estava errado mesmo, mas eu acredito que a extração tem que ser feita em sistema de rodízio, encarecer o produto se necessário, senão vamos acabar com tudo — diz o homem de cabelos grisalhos ao fundo do auditório.

Segue o burburinho. Uns apoiam a fala do homem. Outros são contra. São trinta e seis empreendimentos madeireiros na região, e dez deles já foram multados em milhares de reais. Nem todos estão presentes.

— Só tem um jeito de se livrar dessas multas! É acelerando um pouco os pátios e esquentando mais madeira! Eles estão nos forçando a isso! Senão, vou ter que fechar — desabafa um dos madeireiros.

— É isso mesmo! Eles estão nos forçando a cortar mais madeira!

Jamil observa o movimento crescer.

— Eu garanto a vocês que temos apoio do governo do estado, e os nossos representantes na região estão levando nossas queixas a Brasília! É ano eleitoral! O Jota Gil é candidato a deputado federal, o Totó Paliteira também é, o pessoal do partido tá com a gente. Os senhores acham que eu ia dizer isso aqui em público se eu não tivesse respaldo? — argumenta Jamil.

Não há consenso. Alguns entendem que a fiscalização pode trazer o crescimento e a exploração racional da madeira; outros, que a lei é muito restritiva e não está de acordo com a recuperação natural da floresta.

Em uma coisa estão todos de acordo: quanto mais madeira, mais dinheiro.

Alguns políticos se aproveitam da insatisfação da população e levantam bandeiras contra a fiscalização e o controle da Amazônia em nome de defender a sobrevivência. A Amazônia não está em boas mãos.

Nesse momento, o homem ao fundo do salão se levanta e bate sua bota firme no chão de madeira. É Andrada Bueno. O som da pisada ecoa pelo auditório. Ninguém se mexe. Até mesmo Jamil fica em silêncio.

Todos o conhecem. Morador na região há décadas, não é madeireiro, nem extrativista, tampouco colono, assentado ou qualquer coisa que o valha, mas todos sabem para quem trabalha. Preto, como é conhecido, não é garoto de recado. É ele o homem que executa as ordens do seu patrão, um dos maiores interessados na extração de madeira do local e exportador para a Europa.

— Cansei dessa *babosera*, dessa cambada *di frouxo qui ocêis é*!

Todos abaixam a cabeça.

— O *prano é simpres! Nóis* não *vamo enfrentá* Ibama, *Pulícia Federar* e nem Força *Nacionar*, não. *Nóis* não! *Us impregadu d'ocêis* é que *vai*! Pra cada *murta* que *ocêis levá é pra dispidi* um *impregadu*.

A cada palavra, ele olha bem na cara de cada um dos presentes.

— Não tem saída. Temos que demitir gente — diz um dos presentes.

— Mas meu pessoal está comigo há dez anos! Eu conheço a família de todos, homens trabalhadores, gente boa e honesta da nossa querida Uruará. Não posso dispensar assim um pai de família! — reage o homem de cabelos grisalhos.

— *Arrá*! Quem *num quisé num faiz*! Mas *num vai tê* proteção *nus recursu* contra as *murta*, nem *adevogado* aqui não! *Tá dadu u recadu*!

Andrada Bueno não veio para discutir, veio para dar o recado como as coisas vão ser feitas. Dá uma última olhada nos homens presentes na reunião e vira-se em direção à saída. Um homem abre a porta para que ele possa passar e a fecha em seguida.

A discussão recomeça em tom mais baixo e aos poucos ferve de novo. A verdade é que a maioria ainda não foi multada e acredita que não o será, e, dessa vez, pouca gente está disposta a enfrentar as autoridades.

— Tem que mudar a lei! — grita um.

— É, tem que aprovar logo o novo código florestal! Aí tá tudo resolvido — argumenta outro.

Jamil retoma:

— Bem, senhores! O código está no Congresso, e tem muita gente nossa trabalhando para ele ser melhorado para nós e aprovado. O que eu quero saber é hoje! O que vamos fazer hoje! Vamos enfrentar esse povinho da Arco de Fogo ou não?

ANOTAÇÕES

O POVO DA AMAZÔNIA
TAMBÉM É GENTE!
PRELAZIA SOME COM 5 MIL
METROS CUBICOS DE MADEIRAS
ROBERTO SCARPARI ONDE ESTÁ OS
5 MIL METROS CUBICOS DE MADEIRAS
DOADA A PRELAZIA DO XINGU?
ONDE ESTÃO AS
POLÍTICAS PÚBLICAS
PARA A AMAZÔNIA?
EM 1970 ÉRAMOS HERÓIS
HOJE BANDIDOS.

ONDE ESTÃO AS
OLÍTICAS PÚBLICAS
ARA A AMAZÔNIA?
VOCES ESTÃO
OUBANDO NOSSA
IGNIDADE!
O POVO DA

- 10 -
Mil é mais fácil que uma

RELATÓRIO POLICIAL

Operação Arco de Fogo	Data: 26 de julho de 2010
Local: Santarém, PA	Hora: 14h
Missão, dia 1	Pág. 67

Henrique abre o envelope e encontra um relatório de cento e quarenta e oito páginas.

O relatório assinado pelo delegado federal Marcelo Torres detalha os instrumentos da base, as conexões, e-mails, contatos em Brasília e Belém. Informa senhas de acesso a programas, sistemas, bancos de dados e indica onde foram guardadas as informações sigilosas criptografadas.

Na sala ao lado, o pessoal ri das gozações e conversas sobre conhecidos em comum, conta histórias sobre alguma investigação e sobre os personagens sempre pitorescos que, de lados diferentes da lei, rondam o mundo policial.

Um dos parágrafos intrigantes do relatório diz:

> "Nossa sala não se encontra em ambiente controlado, especialmente no período noturno, razão pela qual as informações sobre o que se descobriu até o momento estão armazenadas em pasta de rascunho no webmail da base. Não há informações no HD. Não há conexão intra. Acessos a dados de inteligência são feitos na delegacia. Não há garantias de compartimentação e há indícios de sua quebra. Aconselha-se que os computadores, embora portáteis, permaneçam no local para evitar risco ao portador".

José, como todo bom mineiro, permanece com um sorriso no rosto, os braços cruzados, o cotovelo direito apoiado em um dos braços da cadeira em que sentara. A sala do Núcleo de Operações é composta por uma mesa de reuniões pequena, ao centro, com oito cadeiras à sua volta.

Do lado esquerdo, próximo à janela, uma mesa de computador com um notebook e uma impressora. Outra mesa ao lado guarda diversos autos de inquéritos policiais e uma pilha de documentos. José, escrivão experiente, sabe que ali será sua central de atividades.

Luís é efusivo; de pé, fala o que já viu na Arco de Fogo, gesticulando com braços e mãos. Conta sua aventura com a L200 submarina. Vira pouco o pescoço, sempre girando todo o corpo quando vai olhar para os lados.

Atrás dele, um armário de madeira completa a mobília, com duas portas, entreaberto o suficiente para se ver que guarda material operacional.

Márcio, jovem e com compleição física grande, fala com o típico sotaque paulistano, contrastando com Juliano, que puxava o "s" no seu carioquês.

"O importante é sempre descobrir o fluxo da madeira, que muda constantemente de lugar, conforme esgotamento ou repressão. As apreensões de serrarias móveis causam grande prejuízo aos criminosos. Caso haja descontinuidade no mapeamento, há risco de demorar-se excessivamente na localização da nova fonte. As demandas podem vir de análise espacial por satélite ou de investigações da base. A extração atual, provavelmente, está migrando para a região do Curuatinga".

O relatório prossegue com detalhes técnicos sobre guias, autorizações, órgãos, leis e alguns nomes.

— Mas eu, senhores, eu vou ver minha patroinha em dez dias — gaba-se Luís.

— Que é isso, Luís? Acabamos de chegar! Temos dois meses pela frente e você fica falando que vai embora, que vai ver a patroa — interpela Márcio.

— Às vezes ela nem quer que você volte — completa Juliano. — Eu, se fosse sua mulher, não ia querer.

— Oras, homem! Vira essa boca pra lá. Estou casado há trinta e cinco anos com minha patroinha.

— Luís, trinta e cinco anos? Acredite, ela não quer que você volte — diz José.

"É mais fácil plantar mil árvores do que impedir que uma seja derrubada. A hipocrisia do reflorestamento por empresas do mundo todo é um engodo mercantil".

Dezoito horas.

— Doutor! — é Ronaldo à porta da sala. — Estamos indo. Amanhã estaremos aqui.

— Até amanhã, senhores. Vou checar alguns e-mails e relatórios para estabelecermos nosso plano de trabalho.

Todos vão saindo. Apesar de ser segunda-feira, é dia de conhecer a cidade, saber o que ela tem a oferecer nas horas de folga.

Juliano deixa o grupo sair, tranca a porta do Núcleo de Operações e entra na sala onde Henrique trabalha no notebook. Puxa a cadeira e se senta defronte à mesa.

— Olá, Juliano. Não vai descansar?

— Opa, se vou. Aqui está a chave desta sala. Também tenho uma cópia, porque meu material está naquela mesa. Se você quiser, posso mudar para a outra sala.

— Absolutamente.

— Estou vendo a aliança. Há quanto tempo?

— Em setembro faz três anos, e o mais engraçado é que é o terceiro aniversário de casamento que passo em serviço. O ano passado estava na África do Sul. Dois anos antes, Bolívia. E agora...

— É disso que a Polícia Federal é feita, meu amigo. Não se veem filhos, mulher... E aí? Vamos pra cima deles?

— Deles?

— Desmatadores.

— É, estou vendo aqui. Preservar a Amazônia não é tão fácil como separar o lixo reciclável.

— Se fosse fácil, não precisava da PF. *Tamo* nessa. Tem aí no relatório a história da Renascer?

— Tem um capítulo especial sobre ela aqui. Tem muitas fotos. Estou impressionado com a destruição e com o fato de terem conseguido retirar o maquinário.

— Se puder, dê um pulo lá e confira. É assombroso. Ainda está tudo lá. O governo não consegue dar destino a tanta madeira. Vou indo. Só queria lhe pedir um favor.

— Se estiver ao meu alcance.

— Estou aqui faz nove meses fazendo perícias. É o meu trabalho, sem dúvida. Mas queria ir a campo, investigar, começar os casos do zero, entende? Comprometo-me a não atrasar os exames de que precisar.

— Por mim, já está feito.

— Só mais uma coisa.

— Diga.

— Minha missão está para terminar, mas quero renovar.

— Feito. Não conheço muita gente que tenha animação para vir para o meio da Amazônia trabalhar na Arco de Fogo. Mas, se você está disposto, vou encaminhar um e-mail para a coordenação-geral para pedir sua prorrogação. Seu chefe no Rio concorda?

— Lá eu estou na equipe de plantão. Não faço falta nem diferença. Aqui é diferente. Aqui a adrenalina não abaixa.

— Está certo. Vou pedir a prorrogação. Até amanhã, Juliano.

— Até.

> "A ruína do desmatamento está na estrutura e não no produto, já que a fonte é vista como inesgotável, embora, em verdade, irá acabar. Por ora, poucos têm consciência disso. Desses poucos, exclua qualquer um que viva de sua extração."

Juliano vai embora, e Henrique permanece na sala por mais seis horas. O capítulo *Renascer* era absolutamente incrível.

> "Vidas de homens e de árvores se confundem. Ativistas estão morrendo, a Amazônia também. A sociedade é conivente com ambos os crimes. Hoje é uma questão de prioridade. Amanhã, talvez, de harmonia. Boa sorte. Assinado Marcelo Torres, Delegado da Polícia Federal."

ARCO DE FOGO ▸ 71

ANOTAÇÕES

- 11 -
Avise a todos

RELATÓRIO POLICIAL

Operação Arco de Fogo	Data: 27 de julho de 2010
Local: Santarém, PA	Hora: 8h
Missão, dia 2	Pág. 73

— Senhores, ontem li o relatório do Marcelo Torres e o material da coordenação e verifiquei que essas três semanas de inatividade custaram muito caro à base. Faremos o seguinte: já que o Luís vai nos deixar em breve e, junto com o Juliano, são os que estão há mais tempo aqui e melhor conhecem a área, vão sair hoje para mostrar os acessos à região do Curuatinga ao Márcio e ao Ronaldo. Nesse primeiro momento, vamos concentrar energia nessa área — Henrique aponta para o mapa. — O Jô fica aqui na base comigo para catalogar documentos, inquéritos, verificar prazos e estabelecer conclusões, ainda hoje. Vamos retomar as investigações. O Felipe vai contatar nosso papi em Uruará para saber se está tudo bem com ele, se precisa de apoio. Antes de iniciarem, façam uma relação com nome completo, matrícula, telefone da unidade de origem e celulares que estejam usando aqui e na origem, data de início da missão, data de término e se pretendem renovar. Uma coisa mais: tudo, tudo o que estiver irregular, não aliviem. Não cruzamos o Brasil para deixar nada para trás.

Enquanto Henrique fala, José saca uma folha de papel e caneta e anota seus dados, repassando-a aos demais.

— No final do dia, os senhores deverão apresentar relatório de atividades operacionais. Amanhã, essa locomotiva tem que estar a pleno vapor. Antes que eu esqueça, Felipe, gostaria que me apresentasse ao gerente do Ibama, ao gerente do ICMBio, ao comandante local da Força Nacional e à delegacia da Polícia Federal. Não tive a oportunidade de conhecer a chefia. Perguntas?

— Chefe, não vai rolar — diz Felipe. — O pessoal do Ibama e do ICMBio está de férias. Só retornam na próxima semana, incluindo os chefes. O único que está respondendo pelo Ibama é um substituto chamado Adriano Carvalho, e talvez seja possível contatar o Capitão Hugo, da Força Nacional.

— Vamos conhecê-los, então.

Toda batalha bem travada tem de ser planejada, mas planejar e organizar leva tempo, e tempo é o que a Amazônia não dispõe contra a sede destruidora do homem.

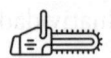

No volante da L200, que joga lama e água para cima em uma das principais estradas da região, a BR-163, Luís, apesar de ser "das antigas", com incontáveis operações no currículo, ainda conserva a intrepidez da primeira missão.

Márcio, o mais jovem do grupo, observa e absorve informações. Deseja sair dali com a certeza do dever cumprido. Juliano, bem-humorado, sempre com uma boa história envolvendo mulheres na ponta da língua, não esconde o prazer de ser confundido com seu ídolo Richard Gere.

— Aí ela falou pra mim: "A gente podia fazer 'Uma linda mulher'! Que tal, Richard?". E eu perguntei "E quem vai ser a 'Linda mulher'?" — e solta uma gargalhada.

Juliano delicia-se ao contar a história da baixinha de minissaia, batom vermelho e peitos generosos que conheceu na lanchonete.

— É claro que eu não abracei a missão "Duro de encarar".

— Uma semana mais aqui na mata e você vai ver: ela vira a Brooke Shields — brinca Luís, com seu vaticínio fatídico e sua paixão por cinema.

Ronaldo é reservado e se diverte com a adolescência tardia de Juliano.

Estão na estrada que dá acesso à região do Curuatinga. Já passaram a represa e o cruzamento do Ponto Oito.

As risadas cessam na hora. Em direção ao carro da Federal vêm dois caminhões carregados de madeira beneficiada. Os caminhões estão sem para-choques, grades e placas. Um Volkswagen e um Ford. Não podem estar regulares.

— Olha aí, olha aí, olha aí — diz Juliano, rápido.

Luís mete o pé no freio e atravessa a caminhonete na estrada, bloqueando a passagem dos caminhões. De pistola em punho, os policias enquadram e Luís manda os motoristas descerem:

— Mãos na cabeça! Desce, vai. Agora!

Os motoristas obedecem.

— Cadê as guias?

— Não tem guia, não — fala o motorista do primeiro caminhão.

— E o seu caminhão, cadê a guia?

O segundo motorista somente balança negativamente a cabeça.

— De onde vocês estão vindo? Do Curuatinga?

Os dois ficam em silêncio.

— A madeira tá cortada e não tem madeireira licenciada desse lado. O que tem aí pra frente? Induspam ilegal ou motosserra?

Nenhum dos dois responde.

— Já que os senhores estão tão colaborativos assim, vamos levar esses caminhões para Santarém e lá o delegado resolve o seu destino — anuncia Luís. — Vocês dirigem na frente e nós vamos atrás. Se um dos senhores tentar qualquer gracinha, vai se surpreender com a gente. Tô avisando. Juliano, Márcio, peguem os documentos dentro das boleias.

O segundo motorista alerta:

— Meu caminhão não atravessa a represa.

Para chegar até onde está, a equipe já rodou mais de setenta quilômetros na estrada de terra, atravessou uma represa por dentro e chegou ao limite do trafegável naquela época do ano. Estão bem perto da região do Curuatinga. Para voltar com os caminhões, não há como passar pela represa. É necessário atravessar o rio pela balsa.

— Por quê, companheiro? — questiona Ronaldo. — Por que não atravessa?

— A carga tá alta e não passa na balsa também. A carga inclinou no atoleiro — diz o motorista.

Márcio e Juliano voltam com as placas e documentos dos veículos nas mãos.

— Já vi caminhões mais inteiros que esses nos desmanches lá de São Paulo — comenta Márcio.

— Eles tiram o para-choque para aumentar o ângulo de ataque. Ficar mais alto, entendem? É para vencer os atoleiros — explica Luís.

— Até que estão bonitos esses aí. Vocês vão ver piores — informa Juliano. — Esse negócio de madeira inclinada a gente vê lá na balsa.

— Então, vamos lá. Sem gracinhas os dois falantes aí. Decidimos essa questão da balsa quando chegarmos lá — encerra Luís.

Os dois motoristas entram nos caminhões e a equipe volta para a viatura, desbloqueando a passagem. Os dois caminhões passam, a viatura se posiciona atrás e os escolta.

São três da tarde.

— Por que não fomos um em cada caminhão? — questiona Márcio.

— Jamais, jamais! — adverte Luís. — Para não ter os veículos apreendidos, esses caras jogam o caminhão na ribanceira, sabotam. Se sabem que serão presos, pulam do caminhão em movimento e entram na mata. A Arco de Fogo já perdeu gente assim no Mato Grosso.

— E o que os impede de fazerem isso agora? Digo, sabotar os caminhões.

— Pago o almoço de vocês até o dia de eu ir embora se o da frente não sabotar o dele — aposta Luís.

Luís estava certo. Três quilômetros depois, no Ponto Oito da BR-163, os caminhões encostam.

— Olha que mala, rapaz — comenta Luís. — Tá estacionando perto do boteco. Tá com fome a menina. Corram antes que eles pulem dos caminhões e se escondam na mata.

A equipe já está lá. Não dá tempo nem mesmo de os motoristas abrirem a porta. No Ponto Oito há um restaurante e um cruzamento da estrada lamacenta com um travessão. Floresta densa. Muitos caminhões parados. Uma borracharia e pouco mais de quinze homens sentados, observando a cena com as caras fechadas, de nenhum ou de poucos amigos.

Juliano é o primeiro a perguntar:

— O que foi, companheiro? Tá com fome? Quem mandou parar? Ainda temos quase setenta quilômetros até a base. Tá querendo riscar a gente aqui?

— Não dá, não, senhor. Meu caminhão tá com pane elétrica.

— Pane elétrica o caramba. Coincidência parar aqui. Liga esse caminhão e vamos embora.

— Liga não, senhor. Pode fazer o que for.

Ronaldo sobe no caminhão e tenta dar a partida. Nada. O caminhão está morto.

— Perderam o almoço, pessoal — fala Luís, com um sorriso pelo acerto do prognóstico, enquanto Ronaldo insiste em tentar a partida. — Esquece. Ele deve ter um dispositivo dentro do caminhão ou encostou os fios do painel. A bateria entra em curto. Já era.

— Ei, vocês dois — grita Márcio para os motoristas —, sentem aqui onde eu possa vê-los.

— Agora se danou tudo. Um caminhão quebrado, outro com a carga inclinada, a represa à frente, a tarde acabando, a noite chegando logo e esse monte de "amigos" à nossa volta — analisa Juliano.

— Sabotou, acabou. Vamos largar esses caminhões aqui e vamos embora — propõe Luís. — O Ibama apreende e entrega pros motoristas como depositários. Não tem como levar esses caminhões para a base. Se ficarmos aqui, corremos o risco de não amanhecer, nem nós nem a carga. Acreditem, já vi esse filme e sei que não vale a pena.

Juliano, Márcio e Ronaldo são contra. O delegado já disse que não é para aliviar.

— Seguinte, vamos ligar para o Henrique e ver se ele traz apoio do Ibama, Força Nacional, mecânico, sei lá — é a sugestão de Juliano. — Se não der, sugerimos a ele abortar a apreensão. Nós perdemos, eles vencem. Um a zero.

— Dois a zero — diz Márcio. — São dois caminhões.

— Três a zero — corrige Ronaldo. — Tem muita madeira aí também.

— Três a zero na primeira patrulha? Não dá — finaliza Juliano.

Henrique contempla o Rio Tapajós. Não consegue enxergar a outra margem. É muita água. Nunca teve uma boa relação com água. Ingressar na Polícia Federal exigiu um esforço sobre-humano para superar as provas do exame físico em meio líquido, e seu receio sempre foi que tivesse que enfrentar uma missão em algum lugar com muita água. É esse o caso.

"*Vou ser um peso para alguém? E se tiver de salvar um colega?*" — pensa consigo.

O homem é perseguido pelos seus medos, e eles, em geral, são muito mais rápidos do que aquele que foge deles.

Para ele aquilo não é um rio.

"*Como pode haver rios em que não enxergamos a outra margem?*".

Pensa em outro nome para aquilo.

Mesmo com as janelas e portas sempre fechadas, um odor pesado invade as salas, tornando o ar carregado e nauseante. No céu, um congestionamento de aves negras aguardando para o banquete do fim de tarde: peixes e tripas que os pescadores abandonam depois do dia de pesca e feira.

Os urubus loteiam postes e torres ao longo da orla como flanelinhas brigando pelo ponto. Henrique ainda não se acostumou com aquela cena, embora tivesse passado o dia todo a contemplá-la.

Um dia improdutivo. Já localizou os fóruns e os ministérios, mas não conseguiu falar com alguém. Férias. Normal, considerando que se trata da última semana de julho. No Ibama, Alessandro, gerente regional, e Giovane, chefe operacional, também estão de férias, Felipe já disse. No comando do Ibama, o jovem substituto Adriano Carvalho. Vinte e cinco anos no máximo. Família e estudos no Paraná. Foi a aprovação no concurso para ingresso no Ibama que o trouxe para o norte do país.

José manuseia cuidadosamente os papéis na outra sala. Separa, cataloga, autua, junta, organiza. Dentro de cada inquérito policial, um volume gigantesco de informações que terão que ser analisadas nas próximas semanas e repassadas a Brasília.

O telefone quebra os poucos minutos de contemplação de Henrique. É Luís, de um orelhão, comunicando que está com dois caminhões de madeira apreendidos. Quer ajuda ou autorização para abandonar a carga.

A consulta ao Ibama é desanimadora.

— Apreende tudo e deixe lá, depois a gente recolhe. É assim que a gente faz — sugere Adriano.

— E, quando você vai recolher, a madeira ainda está lá? — pergunta o delegado, incrédulo.

— Nunca — admite o agente do Ibama, aparentemente conformado com o "faz de conta".

— Veja, Adriano, na boa, não trabalho assim. Eu vou buscar essa madeira e os caminhões. Preciso de alguém do Ibama, porque, se eu não conseguir trazer, quero pelo menos a especificação técnica e a medição da madeira.

— Esses caminhões não são fáceis de dirigir, e o caminho do local onde estão até aqui deve estar cheio de atoleiros — adverte Adriano.

— Vamos trazer — decide o delegado.

Adriano, contrariado, sugere mais uma vez deixar para o dia seguinte. São quatro da tarde, e caminhões têm aos montes por aí. Mas está decidido: o delegado quer os caminhões na base.

— Só tem um problema. O motorista do Ibama está de férias, e ele é o único que tem conhecimento de mecânica para ver se dá para consertar o caminhão — afirma Adriano.

As coisas não estão fáceis. A transição da equipe da Polícia Federal foi antecipada. A Arco de Fogo é uma força-tarefa coordenada pela Polícia Federal com o apoio do Ibama e da Força Nacional. Resta a Força Nacional.

— Prazer, Henrique, delegado federal. Sou o novo coordenador local da base Santarém.

— Prazer, doutor Henrique. Capitão Hugo Maia Cavalcante, Força Nacional, Polícia Militar de Pernambuco.

— Estive aqui de manhã, mas não pudemos nos conhecer.

— Eu soube. Estava chegando a Santarém. Terminei minha missão aqui há uma semana, mas me designaram novamente. Voltei hoje. Em que posso ajudá-lo?

— Capitão, minha equipe estava fazendo o reconhecimento de área do

Curuatinga e deparou-se com dois caminhões. Estamos com problemas para trazê-los e não posso deixá-los lá.

— Os caminhões ou os policiais?

— Ambos.

— Doutor, hoje não posso apoiar. Sei do nosso papel aqui, mas meus homens acabaram de ser dispensados por terem completado a missão ou por encerrarem o turno. Estão voltando para casa. Hoje é dia de trânsito. Amanhã, às seis horas, chega uma nova equipe. O senhor e sua equipe também devem ter acabado de chegar. Tenho quatro homens, mas esse é o efetivo mínimo que tenho de manter nesse local em razão do armamento que guardamos aqui. A maior parte está na Renascer.

O capitão parece honesto nas suas palavras, e a verdade é que é um período de transição, de renovação de efetivo, tanto na Polícia Federal quanto na Força Nacional. O Ibama está concluindo férias de pessoal, já que sua equipe está lotada na região.

De volta à base, é necessário decidir: trazer os caminhões e a madeira ou retirar o pessoal do meio da mata enquanto há luz. O relógio marca dezessete horas.

— Doutor — diz Adriano —, existe uma solução. Aqui há o 8º Batalhão de Construção do Exército. Eles têm maquinário e mecânicos. Na pior das hipóteses, têm pessoal para fazer a segurança da madeira até amanhã. O senhor vai ter uma carta na manga se oferecer a doação da madeira apreendida administrativamente a eles. Eles a utilizam nas construções.

A ideia parece a solução ideal, mas antes não tivesse sido dada.

José, Felipe, Adriano e Henrique se dirigem à base militar.

Na guarita, a identificação:

— Boa tarde, Polícia Federal. Preciso falar com alguém que autorize apoio a uma diligência federal.

— O senhor vai ter de falar com o oficial de dia. Abram a cancela — fala em voz alta a sentinela e se põe ao volante de um veículo militar, com um aceno para que o sigam.

A viatura entra na base e acompanha o jipe do Exército. Dirigem até um conjunto de depósitos e máquinas, onde são atendidos pelo tenente.

— O senhor vai ter que falar com o capitão — diz o tenente ao delegado, já se virando para o soldado que os trouxe até ali. — Avise por telefone, soldado. Vou levá-los até o capitão.

A casa do capitão fica do outro lado da rodovia, na vila dos oficiais.

— Não é trabalho do Exército, não interferimos. Em todo o caso, o senhor pode falar com o coronel. Ele tem poder para autorizar.

Henrique volta para a viatura e se põe a caminho da residência do coronel.

— Tem alguém acima do coronel aqui? — pergunta Henrique, em voz baixa ao pessoal dentro da viatura. — Porque, se tiver, a gente podia ir direto! Sei lá, tipo o presidente...

Todos riem.

O coronel é um homem de uns sessenta anos ou mais. De porte atlético e andar firme. Reservadamente, como compete aos oficiais do Exército, longe dos demais, participam da conversa apenas o coronel, o capitão, o delegado e Adriano.

— Coronel, sei que o Exército não interfere, mas, caso nos ajude, o senhor pode ficar com a madeira. Faremos apenas a apreensão administrativa, pelo Ibama, e a doação não precisará de autorização judicial. Só não quero deixar meus homens lá ou abandonar a carga.

— Vejo que um de nós está mal informado — diz o coronel.

— Como!? — espanta-se o delegado.

— Estamos em ano eleitoral — continua o coronel — e em ano de pleito civil o Ibama é proibido de doar madeira ou quaisquer bens apreendidos. Já passamos por isso.

Henrique olha para Adriano com os olhos espremidos. Adriano apenas abaixa a cabeça. Henrique pensa rapidamente se Adriano estava contando com a ignorância do coronel, se não sabia o que estava falando ou se não foi responsável o suficiente para informar-lhe desse senão. Henrique olha para o chão, não sabendo se está irritado ou constrangido. Constrangido, com certeza.

Levanta os olhos, encara o coronel e lhe estende a mão, no que é correspondido.

— Coronel, peço desculpas por incomodá-lo em sua base. Tenha certeza de que eu fui informado apenas parcialmente. Agradeço a atenção.

Foi uma honra conhecê-lo, senhor — solta a mão do coronel e sai, dando os primeiros passos para trás, para não lhe dar as costas, e só então se vira em direção à viatura.

Adriano esboça dizer algo a Henrique, que o repele com um rápido movimento da mão esquerda no ar. Não interessa o que tem a dizer. O importante é que um tempo precioso de luz do dia foi perdido.

Henrique já está entrando no carro, a uns dez metros do local do diálogo, quando o coronel fala, em voz firme e alta:

— Vou ajudá-lo, delegado! Não é missão do Exército, mas conheço um homem quando olho nos olhos dele. Vou emprestar mecânicos para vocês. No entanto, eles vão como civis e voluntariamente. Desarmados.

O coronel conhece a região e sabe dos riscos da empreitada a que o delegado está se propondo. Não quer o Exército desnecessariamente envolvido em troca de tiros.

O comunicado chega à Seção de Engenharia e Mecânica. Três soldados se voluntariam, mas não têm roupas civis. São meninos, franzinos. Não fosse o fato de serem soldados, seriam facilmente confundidos com estudantes do nível médio. Ou menos!

Dezoito horas marca o relógio. Não há mais sol. Talvez tivesse sido mais sábio desistir, é o que Henrique pensa. Mas a verdade é que nunca desistiu de algo na Polícia Federal ou na vida. Perder no começo da batalha esmorece o espírito.

Nesse momento, toca o celular. É Juliano:

— Henrique, estou na base. Vim buscar vocês para levá-los até o local em que o pessoal está. Onde vocês estão?

— Juliano, preciso de roupas de civis para três rapazes. Magros. Manequim pequeno. Estamos na base militar.

— Deixa comigo.

Em trinta minutos, Juliano está na base militar. Era caminho. Entrega roupas aos meninos e eles partem. Uma hora e meia depois, em meio a lama e escuridão, estão todos no Ponto Oito.

Seria fácil demais se não fosse o detalhe de estarem no meio da Amazônia. E ali as dificuldades não acabam.

— E aí, Luís, Ronaldo, Márcio! Tudo bem?

— Mais ou menos — avisa Márcio. — Logo que escureceu, os motoristas fugiram. Entraram na mata. Não atiramos e não corremos atrás. Estávamos em três em ambiente hostil e preferimos não nos separar. Estavam algemados.

— Ok, senhores, fizeram bem. Mais uma razão para levarmos estes caminhões e esta madeira para Santarém. É o seguinte, agora é questão de honra. Apreendemos os caminhões e não vamos abandoná-los. Estes caminhões vão para a base.

Henrique olha em volta. Homens sentados em bancos improvisados de pneus e latas. Pouca luz. Do outro lado, pouco mais de cinco caminhões encostados em uma casinha de madeira, com um rapaz sentado à porta.

Os meninos do Exército mostram uma disciplina invejável. Já estão dentro do caminhão sabotado e até debaixo dele. Verificam o outro. Em questão de minutos, retiram a bateria do primeiro caminhão, trazem a do outro e a substituem. Dão a partida e o caminhão está vivo novamente. Enquanto o motor funciona, retiram a bateria e retornam para o segundo. Funciona. Ambos os caminhões, em vinte minutos, estão ligados. Em minutos também consertam a fiação da primeira bateria e a recolocam no caminhão, aguardando que recarregue. Mas ainda faltam motoristas e aprumar a carga do segundo caminhão.

Henrique se aproxima do grupo de homens que assiste impassível ao quadro. Nenhum está disposto a dirigir os caminhões até a base, nenhum está disposto a ajudar a arrumar a carga, nem mesmo pela gorda gorjeta oferecida pelo delegado, até porque eles, certamente, vivem da mesma atividade.

Henrique se dirige ao homem sentado próximo aos caminhões estacionados.

— Que caminhões são esses?
— Conserto.
— Cadê os motoristas?
— Deixaram aí e voltam quando dá.
— Entendo. Me dê a chave de um — Henrique pretende empurrar a carga inclinada com a traseira de um dos caminhões basculantes, colocando-a no lugar.

— Levaram.
— Entendo. Seu nome?
— Gilson.
— Quer dizer, Gilson, que deixaram esses caminhões, foram embora, levaram as chaves e não se sabe quando voltam?
— O senhor é bom de ouvido.

Henrique, em um gesto rápido, pula no pescoço do homem, espremendo-o contra a parede, e a poucos centímetros do rosto de Gilson avisa:

— Você não me conhece, rapaz. Estamos chegando hoje e vocês não vão nos derrotar. Avise a todos que acabou essa historinha de abandonar caminhão. Custe o que custar, isso é passado!

Henrique solta o homem, que cai no chão segurando o pescoço como se quisesse confirmar se seu pomo ainda estava lá. O delegado se afasta dando os primeiros passos para trás e então lhe dá as costas. Ao coronel, por respeito; a este, por cautela. Poucos metros à frente, o delegado se reúne com sua equipe entre os caminhões e as viaturas. É preciso achar dois motoristas, e dos bons. Os caminhões não têm embreagem nem freio confiável. É preciso dirigir no tempo do giro.

— É o seguinte, senhores. Não vamos começar esta missão abandonando cargas ilegais com dois fugitivos no histórico. Isso nos desmoralizaria. Vamos levar com motorista ou sem motorista.

Todos apoiam. Vão levar. Ninguém quer começar a missão derrotado. Precisam de motoristas.

— Eu dirijo — diz um dos soldados, que até agora não tinha pronunciado uma palavra.

— Tem certeza?

O aceno de cabeça é suficiente. Têm um, falta outro. Um plano de contingência é elaborado. Um caminhão será levado à base com os três soldados, Adriano e dois policiais. Os outros cinco, armados, guardarão o segundo caminhão até o dia seguinte, quando os outros retornarão com um motorista contratado em Santarém.

Ir ou ficar não será uma missão fácil. Ir significa arriscar a vida em uma emboscada em meio à mata, levando tiros de onde quer que seja, sem saber em que direção revidar. Ser um alvo iluminado para homens escondidos na escuridão, com apenas dois policiais. Ficar significa arriscar ser alvo de uma ação armada para recuperar o segundo caminhão.

Não se sabe de quem são os veículos, a madeira e o interesse de quem se está arruinando. Mas a equipe está resoluta.

Está decidido. Henrique e José vão levar o primeiro caminhão. Cinco permanecerão com o segundo.

Com dificuldade, o soldado encontra a primeira marcha. O caminhão dá um tranco e morre. Há dúvidas se a bateria funcionará em uma segunda partida. Funciona. Aos pulos, o caminhão acha o caminho. Henrique entra na boleia e se senta ao lado dos dois soldados. Meninos homens. Gigantes pelo que estão fazendo. Os homens começam a jornada dentro de um caminhão sem garantias. Atrás, toneladas de madeira arrancadas ilegalmente da Amazônia.

Aos poucos, os policiais que ficaram veem o primeiro caminhão sumir na escuridão, acompanhado da L200 dirigida por José e ocupada por Adriano e pelo terceiro soldado.

Henrique, de vez em quando, ilumina a floresta à margem da estrada com uma lanterna enquanto segura a arma com a mão direita.

Pingos. Começa a chover. Desaba o céu. Não falta mais nada.

Pouca visibilidade, caminhão carregado, estrada de lama, pneus estragados. Talvez tivesse sido certo deixar os caminhões. É arriscado demais. Henrique busca reforçar em sua mente o acerto da decisão. "Fortes na linha avançada", diz o hino. "Filho teu não foge à luta". São policiais, soldados. Não vão deixar os criminosos se locupletarem com uma carga de madeira ilegal. Qualquer movimento na selva é alvo da lanterna e mira da pistola.

As subidas fazem o Ford escorregar. Exigem maior rotação do motor, trocas de marcha, erros de engate e parada. O ronco é impressionante. A cada nova partida, a certeza do desgaste da bateria já avariada e a dúvida sobre o quanto ela ainda aguenta. Nova partida, busca de marchas e o caminho penoso continua. É admirável como o soldado fixa o olho na estrada, sem reclamar, sem relatar problemas. O avanço é lento.

Vencer os atoleiros é o mais difícil.

Chegam à balsa. São três da manhã. O caminhão é estacionado a cinquenta metros do leito do rio, já que existe um declive acentuado de lama e é preciso encostar primeiro a balsa, que a essa hora descansa no meio do rio.

A balsa não passa de um tablado gigante de madeira feito sobre cascos de barcos desmontados, puxada por uma chalana amarrada a ela por cordas.

Os operadores estão dormindo e a chuva não dá trégua. Henrique grita, chama pelos "de casa". Ninguém atende, mesmo após alguma insistência. Henrique saca sua arma, faz um disparo em direção à margem do rio e chama pelos "de casa" novamente. Um homem grande aparece na porta do barco com uma espingarda e avisa que não passa ninguém durante a madrugada.

— Polícia Federal, meu amigo. Ou passamos nós agora ou não passa mais ninguém.

O homem obedece ao chamado, mas avisa do perigo. Está chovendo, o caminhão está carregado, o rio está rápido e a rampa de saída tornou-se uma cachoeira de lama, muito pior que a de entrada. Henrique completa o quadro:

— Amigo, some a isso tudo o fato de que o nosso caminhão está sem marcha e com o freio avariado, mas nós vamos passar.

É necessário passar. A outra equipe depende disso.

É um jogo arriscado. A balsa encosta. O caminhão desce desajeitado mesmo com as rodas travadas. O soldado solta as rodas, de vez em quando, para ter controle da direção. A carga de madeira range contra a cabine.

— Devagar! Devagar! — grita o balseiro.

As rodas da frente acham a rampa da balsa. A chuva não cessa.

— Acelera! Acelera!

O motorista obedece e o caminhão passa da lama para o tablado da balsa. O soldado é habilidoso.

— Pra frente! Pra frente! Aí, aí, chega!

Lá está o caminhão sobre a balsa. A carga cedeu, está inclinada. Um pouco para a frente, um pouco para trás, e assim vai comandando o balseiro o jogo de equilíbrio enquanto ela se afasta da margem. Um solavanco da balsa. O caminhão começa a ir para a frente, o motorista tenta segurar.

Não consegue. Os freios estão fracos. São caminhões toreiros, feitos para enfrentar lama, e freio é o que menos importa. O caminhão passa do ponto, a balsa inclina perigosamente na dianteira. Sem freio, o motorista procura a marcha à ré. Primeira tentativa. Não acha, o caminhão desce um pouco mais, a proa está na linha da água. Mais uma tentativa. Encontra. O caminhão solta muita fumaça e começa a subir. A balsa se equilibra. A popa desce.

Com a inclinação da carga, uma das cordas arrebenta e chicoteia o ar, passando bem perto de Henrique, que se curva quando o zunido resvala em sua cabeça.

Minutos angustiantes. A margem de chegada, no pouco que a luz da balsa deixa ver, parece se afastar, fugir, não chega.

— Para trás! Para trás! — grita o operador.

José e Adriano assistem impotentes da margem ao vulto escondido pela escuridão e pela chuva.

Dá pra sentir a vibração da correnteza, mas a balsa encosta do outro lado. Não acabou. É preciso subir a rampa de lama.

O soldado procura a primeira marcha. O caminhão pula e sai devagar. Morre o motor. Nova partida. O soldado acelera. O caminhão se põe em movimento. Henrique e os demais pulam no caminhão em movimento. Não pode parar, tem que subir de uma vez. Funciona por alguns metros. Pesado, com as rodas travadas, o caminhão começa a escorregar violentamente na cachoeira de lama. As rodas giram em falso e ele escorrega em direção à balsa. O soldado esterça as rodas para buscar um pedaço de chão firme. Acelera. O caminhão, desfigurado pela falta do para-choque e grade, parece um gigante deformado tentando não ser tragado pelo rio.

O balseiro já retirou a balsa da margem. Se o caminhão descer mais, vai sozinho para o fundo do rio. É incrível como chove. Estão cansados.

A marcha escapa e o caminhão está a poucos metros do rio.

— Pulem, pulem! O bujão vai secar — grita o motorista.

Henrique salta do caminhão e pega uma pedra, lançando-a na roda da frente. Um dos soldados está com um pedaço de árvore nas mãos, fincando-o entre as rodas do truck. O caminhão escorrega mais uns metros e para.

Encontrada a primeira marcha, o caminhão grita com toda a sua força e puxa seu peso para cima. O soldado puxa o pedaço de árvore. Henrique sofre para retirar a pedra. O caminhão pula, o motorista erra a marcha, segura o freio. Desliza de novo. A frente escorrega como um pêndulo. Do lado de fora, dúvidas se a pedra e o pedaço de árvore devem voltar. Novo ronco do motor. O motorista encaixa a marcha e o caminhão, embora com força brutal, se move lentamente. Como um mamute, o caminhão vai lutando contra a lama. As rodas giram em falso, mas o veículo ganha mais uns metros. Falta muito. Não vai subir. Uma vez mais escorrega. O soldado não desiste. Acelera e, com um último rugido do motor, o caminhão começa a vencer a lama.

Devagar, com um barulho ensurdecedor, as rodas girando mais rápido do que o ritmo em que o caminhão escorrega, o soldadinho vence e põe o mamute no alto do aclive. Alívio. Henrique vibra, dá um tapa na porta do caminhão e grita:

— Já tem nome essa porra! Vai chamar Drago! E Drago vai comigo para Ribeirão Preto! É um monstro! — Dá vários tapas na porta do caminhão e aponta os dois indicadores com os braços esticados para o motorista. — Você é o cara!

O balseiro balança negativamente a cabeça e ri. Os dois soldados riem pela primeira vez! Henrique olha para os dois e grita:

— Ah! Vocês são gente também — enquanto gira o braço direito no ar.
— *Bora* que tem outro para buscar!

A picape passa sem problemas. Henrique está com um corte nas mãos, está sangrando.

Ainda falta muito porque o ritmo do pequeno comboio é lento. Três horas depois, às seis da manhã, a equipe chega à base. Parte da batalha está vencida. Um a zero para a OAF.

José deixa os valentes soldados na base militar. Eles riem, agradecem pela noite. Parece que se divertiram.

Henrique está à procura de um motorista. Retorna à base da Força Nacional porque conta com a nova equipe do Capitão Hugo. O delegado relata o fato e o capitão se dispõe a ir ele próprio com a nova equipe. Tem um motorista.

Doze horas depois, às nove da noite, a segunda equipe chega à base, com um relato insólito. Percebendo que os policiais não se moveriam enquanto aquele caminhão não fosse levado e o caminho ficaria bloqueado para os demais caminhões, que não deveriam ser poucos, os próprios observadores carrancudos de outrora se tornaram solícitos ajudantes no aprumo da carga. Não choveu durante o dia e a equipe tinha um segundo caminhão em melhores condições, sem contar a luz do dia para sair da selva. Estão exaustos e extremamente satisfeitos com o trabalho. Não há forças para comemorar, embora tenham a sensação de dever cumprido.

Dois caminhões, dois a zero. Com a carga, três a zero.

O recado está dado: a nova equipe não se deixará abater.

O arco está começando a ser tensionado.

ANOTAÇÕES

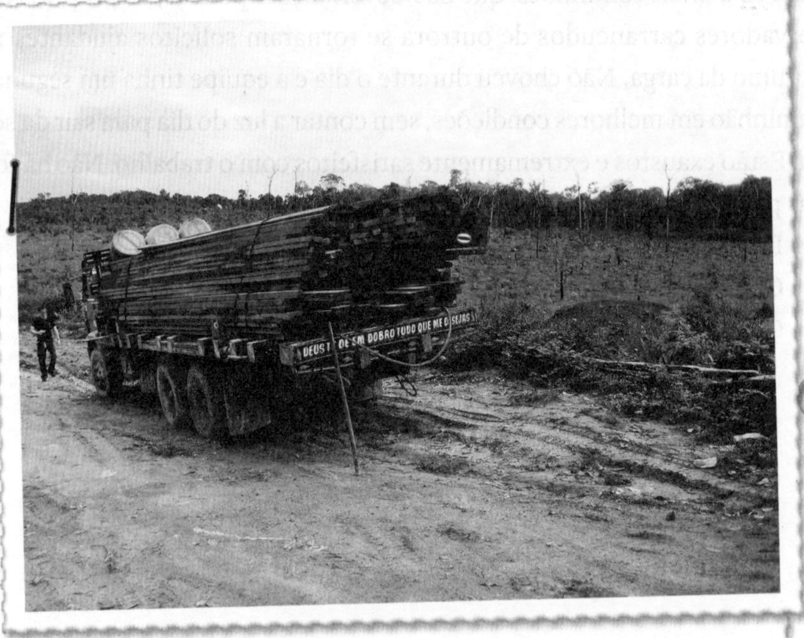

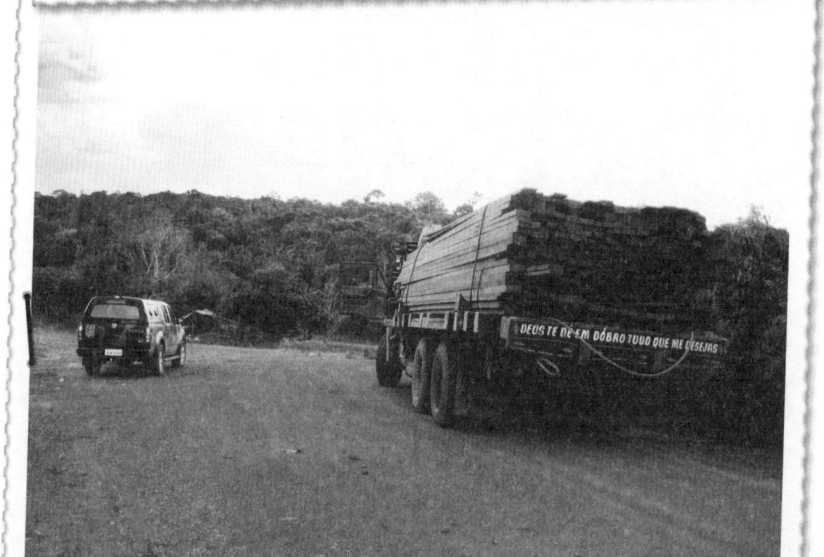

- 12 -
A cada dia o seu mal

RELATÓRIO POLICIAL

Operação Arco de Fogo	Data: 30 de julho de 2010
Local: Santarém, PA	Hora: 11h
Missão, dia 5	Pág. 91

Está decidido. Nenhuma carga ou caminhão ficará para trás. Onde quer que seja apreendido o produto ilegal, a equipe o arrastará selva afora até a base.

Sentados à mesa da sala do Núcleo de Operações, após um dia de descanso, todos escutam atentos o relato de Juliano:

— O cara da borracharia chegou para mim e disse *"em quanto tempo vocês acham que virá ajuda para arrumar essa carga?"*, e eu disse *"Acho que vamos ter que ficar aqui uma semana"*. O homem fez uma cara de desespero — caem na gargalhada.

— Até o Ronaldo, que estava perto nessa hora, acreditou no Juliano — emenda Márcio.

— Vou falar a verdade: deitei na cama e desmaiei — completa Luís, que não se mostra tão empolgado quanto os demais.

— É a idade, Luís — brinca Juliano. — Ou está tristonho porque já vai embora?

Luís dá de ombros.

— Quando vi os soldadinhos que o coronel nos forneceu, pensei que fosse alguma pegadinha, do tipo "tá brincando, esses meninos são estagiários" — observa José.

— Uma coisa é certa: fizemos o que tinha que ser feito — diz Henrique.

Toca o telefone. José atende, conversa com alguém, tapa o fone com a mão esquerda e fala:

— Chefe, tem um advogado querendo falar com o senhor.

— Deve ser o tal de Fagner Nonato. Ele veio várias vezes nas semanas anteriores querendo falar com o delegado, mas a gente sempre falava para ele voltar na semana seguinte ou ir até a delegacia. Já deve saber que o senhor chegou — informa Luís.

— É esse mesmo o nome dele — fala José, ainda tapando o fone.

— Peça para subir, Jô.

José repassa o recado.

Em instantes, o advogado se apresenta na sala do delegado. Apesar do calor insuportável das onze horas, o homem está elegantemente trajado de terno e gravata. Não há sinais de suor. Rapaz de estatura baixa, moreno, talvez uns trinta e cinco anos, não mais que isso. Um pouco acima do peso, talvez.

— Bom dia, doutor... — diz o delegado, estendendo-lhe a mão e aguardando que completasse sua frase.

— Fagner Nonato.

— Bom dia, doutor Fagner Nonato. Henrique Pietro, delegado. Sinta-se à vontade, sente-se. Em que posso ajudá-lo?

— Doutor Henrique, vou ser breve. Tenho vindo aqui há semanas, mas não encontro delegado. Já fui à delegacia, mas disseram que era assunto que tinha que ser resolvido aqui. Tenho esta ordem judicial — apresenta um ofício judicial e um mandado — para reaver um caminhão apreendido pela Polícia Federal. Meu cliente está há semanas sem trabalhar porque a Polícia Federal não se digna a cumprir a ordem judicial. O juiz não está muito satisfeito, eu menos ainda e a família do meu cliente nem se fala.

— Posso ver a ordem, doutor? — o delegado lê atentamente o mandado e o ofício. — É uma ordem da justiça estadual, doutor? Estranho. A nossa atuação é federal.

O advogado dá de ombros:

— E o senhor é o quê, doutor? Ministro, para discutir competência?

Henrique não se importa com a ironia do advogado. Levanta os olhos e pede, com um gesto de mão, através do vidro, para que o escrivão venha até sua sala. Continua lendo o mandado em silêncio: "Não é crime..."[5].

---

[5] "Art. 50-A. Desmatar, explorar economicamente ou degradar floresta, plantada ou nativa, em terras de domínio público ou devolutas, sem autorização do órgão competente:

Levanta a cabeça e se dirige ao escrivão:

— Jô, esse é o doutor Fagner — cumprimentam-se com acenos de cabeça e um balbucio — e ele tem esta ordem judicial estadual. Procure os autos do inquérito para que eu possa conferir a apreensão.

Antes que o escrivão pegue o mandado, o advogado abre a pasta e retira outros dois mandados dela:

— Aliás, doutor, entre ontem e anteontem o senhor apreendeu dois caminhões, um Volkswagen e um Ford, que eu já até vi no pátio quando subi, e eu tenho outras duas ordens judiciais para que eles sejam restituídos também.

Delegado e escrivão não acreditam no que estão ouvindo. O advogado tem um sorriso sutil estampado no rosto. Até mesmo os policiais na sala ao lado pararam de conversar. Luís levanta a sobrancelha direita e baixa a esquerda, expressando seu conhecimento das coisas e justificando sua pouca surpresa e empolgação de minutos atrás e seu voto vencido quando disse que queria deixar os caminhões no Ponto Oito. Há nove meses que vê inúmeras ordens judiciais chegarem para devolver caminhões.

Juliano se levanta, troca olhares com Henrique pelo vidro que separa as salas e passa pelo corredor, levando Ronaldo com ele.

Superado o espanto, Henrique recobra seu sentido policial:

— Que ótimo, doutor! Os motoristas dos caminhões fugiram, então acredito que, nessa rápida manifestação que fez em juízo, o senhor os tenha identificado, até para que eu possa devolver a quem de direito. Isso vai me poupar muita investigação.

— Na verdade, não sei quem eram os homens que dirigiam esses caminhões e que os senhores deixaram fugir, mas sei quem são os verdadeiros proprietários deles: meus clientes. Esses caminhões foram furtados. Isso acontece por aqui.

— Entendo — diz o delegado, com ar de pouca fé. — O senhor tem a prova do furto, um registro policial, por exemplo?

— Veja, doutor, tenho sim, mas não preciso apresentá-los ao senhor,

---

Pena – reclusão de 2 (dois) a 4 (quatro) anos e multa.
§ 1º Não é crime a conduta praticada quando necessária à subsistência imediata pessoal do agente ou de sua família" (Lei n. 9.605/98).

uma vez que já o fiz em juízo. Acredito que ao senhor caiba apenas cumprir a ordem judicial e devolver os caminhões.

— O senhor conseguiu a restituição sem nem mesmo apresentar os documentos de apreensão em juízo?

O advogado não esconde sua satisfação e sequer responde à pergunta. É um xeque-mate no delegado.

— Desculpe, doutor. O senhor tem toda razão — o tom áspero da conversa é quase palpável. — O senhor poderia apenas me dizer quando foram lavrados os registros policiais de furto?

— Hoje, antes de eu representar pela restituição — o sorriso do advogado já é quase indiscreto.

José, sem perceber, está amassando o mandado em sua mão, mas entende o olhar do delegado que lhe determina com um aceno de cabeça e movimento de sobrancelha que prossiga no necessário à restituição.

Os dois caminhões são os troféus da equipe e os dois primeiros rastros de investigação tirados do zero. Há trinta e oito inquéritos policiais na base, mas esse é o primeiro que a equipe vai instaurar por sua própria iniciativa.

Henrique retoma o diálogo. O jogo ainda não acabou:

— Li os mandados e não vi ordem para devolver a madeira, então acredito que vamos ter um problema. Como descarregar essa metragem cúbica toda de madeira? Estamos ocupados, não podemos fazê-lo hoje. Minha equipe está cansada.

— Doutor, o senhor é de onde?

— De Brasília — responde Henrique, secamente.

Nenhum policial em missão gosta que perguntem de onde é, de onde veio, quem é sua família ou qualquer outra coisa pessoal quando quem pergunta não é policial.

— Entendo. Então, estou aqui desde criança, sou de Belterra. Meus clientes trouxeram um trator para retirar a madeira. Estamos acostumados.

Henrique se lembra do relatório de Torres: "A ruína do desmatamento está na estrutura e não no produto". Por que se preocupariam com a madeira? A floresta está cheia dela. Eles precisam apenas da estrutura para retirá-la de lá, caminhões, tratores, serras, motosserras.

— Bem, doutor, espero que seus clientes estejam aí embaixo, porque os policiais vão conferir se não são os mesmos homens que fugiram anteontem. Apenas precaução.

— Desnecessário. Meus clientes não vieram porque eu tenho poderes para receber os veículos.

— Vai dirigi-los, doutor? — pergunta José, retornando à sala com os autos do inquérito debaixo do braço esquerdo.

— Eu trouxe motoristas que trabalham para mim — diz o advogado com olhar de desdém. — Meu escritório é especializado nesses abusos do Estado.

— Vejo que o senhor é um homem preparado — diz o delegado. — Peço apenas que aguarde o escrivão lavrar os termos de restituição. Fique à vontade, já retorno.

Henrique se retira. Andou com vagar pelo extenso corredor do segundo andar. Olha o ferimento na mão. Está extremamente irritado. Desce a escada e vai até o pátio. Seu andar é pesado. Foi um feito arrancar aqueles caminhões da selva. Arriscaram-se tanto para terminar em uma manobra judicial tão infame. E por que justiça estadual?

Avista Juliano e Ronaldo perto dos caminhões.

Sua mente busca uma saída, uma forma de ruir a estrutura. Morrer apreendendo para depois devolver. Não pretende passar sua missão fazendo isso. Apreender e deixar lá com os próprios infratores não era opção. Seria melhor não gastar dinheiro público com isso. Sempre pregou que para cada problema há uma quantidade infinita de soluções. Acredita nisso. Apreender caminhões não é o objetivo principal, mas é um dos meios de dificultar o fluxo entre a extração ilegal e o comércio do produto. Ele não vai deixar qualquer pessoa ganhar dinheiro com madeira ilegal.

Seu pensamento vai longe. Lembra-se de casa, da mulher, que sempre aceitou, resignada, sua profissão. Noites de sono interrompidas com o telefone tocando, sempre com alguma urgência a ser resolvida, alguém a ser socorrido, viagens urgentes, operações secretas que jamais teve coragem de contar do que se tratava. Perseguições e risco à vida que são retratados em uma resposta aceita por ambos como um pacto de sobrevivência: "meu dia foi ótimo, e o seu?".

Aos poucos seu rosto vai abandonando as marcas da indignação. É uma luta. Ganhou o primeiro *round*, foi nocauteado no segundo. Faz parte do jogo. Continua a caminhar pelo pátio do Ibama entre madeira, tratores e caminhões. Percebe que há menos caminhões do que no dia em que chegou.

Avista o vigilante do pátio:

— Olá, cadê os três caminhões que estavam aqui anteontem?

— O senhor Adriano acabou de entregar um. Tinha um monte de gente com ordem do juiz para pegar os caminhões. Estavam só esperando ele voltar do mato. Ontem mesmo vieram pegar dois.

Mais à frente, um funcionário do Ibama, usando uma camiseta verde, entrega um caminhão a um homem. Henrique se aproxima, apresenta-se e pede para ver o mandado judicial.

Esse é diferente dos apresentados pelo advogado. É da justiça federal. Pensa por uns instantes, olha novamente para o mandado e o devolve ao funcionário.

"*Justiça estadual, justiça federal...*" — compara mentalmente.

Pensa nos mandados de restituição apresentados pelo advogado. Já viu essa história. Esfrega os olhos com o polegar e o indicador da mão esquerda e respira fundo. O golpe duríssimo na equipe tem que ser assimilado. É necessário mostrar liderança, não deixar a equipe desmotivar. Volta para sua sala.

José e o advogado o aguardam para a assinatura dos termos. Henrique assina todos e os entrega ao advogado. Sabe que o verá novamente. Com um sorriso no rosto, estende a mão para se despedir:

— Doutor Fagner, foi um grande prazer conhecê-lo. O senhor é rápido. Faria sucesso lá em Belo Horizonte.

— Por que Belo Horizonte, doutor? O senhor disse que era de Brasília.

— Brasília? É verdade, estive muito tempo lá. Até falo que sou de lá, mas eu sou de Belo Horizonte.

O advogado não entende muito bem o que Henrique disse, mas sai extremamente feliz por sua atuação. Veio ao bunker da Polícia Federal e saiu com o espólio em plena luz do dia. Sua satisfação não é pouca.

José desce junto com o advogado para acompanhar a retirada da madeira e a entrega dos caminhões. Em seguida, há uma reunião no Núcleo de Operações:

— Luís, Luís, devia ter me avisado — começa Henrique, com um sorriso, apontando o dedo indicador para Luís. — E que cara é essa, pessoal? Vamos trabalhar. Felipe, verifique quando o pessoal do Ibama volta das férias. Vamos ter mudanças por aqui.

Juliano e Ronaldo retornam à sala do Núcleo de Operações.

— Juliano, coletou dados dos caminhões? — pergunta Henrique.

— Cem por cento.

— Então, senhores, vamos lá. Juliano prepare o laudo. Luís, vá com Márcio à delegacia, inclusive da polícia civil, e pesquise os dados dos caminhões: proprietários, histórico de emprego deles, histórico de propriedade dos caminhões. Peçam para o Adriano pesquisar o histórico de autuações no Ibama. Tudo, tudo, tudo o que puder levantar. Digam ao Jô, quando voltar, para conseguir uma cópia na Justiça dos autos das ações de restituições referentes aos mandados. Ronaldo, você é especialista em informática, certo?

— Sim.

— Vamos dar um upgrade nessa base. Eu já usei em outras operações a conexão remota com a intranet da Polícia Federal. Veja com o pessoal de TI em Belém ou em Brasília se a rede daqui suporta. Se suportar, tente estabelecer nessa base uma conexão e cadastre a todos nós. Vamos cortar nossa dependência de acesso externo pela delegacia. *Bora*, senhores! *Bora* que nosso trabalho tá começando. Felipe, tá de pé sua proposta?

— Positivo.

— Então pode partir hoje para Uruará. Não é para render o Francisco, é para permanecer lá com ele até segunda ordem. Policial não trabalha sozinho. Se ele quiser voltar, mandamos outro para substituí-lo.

ANOTAÇÕES

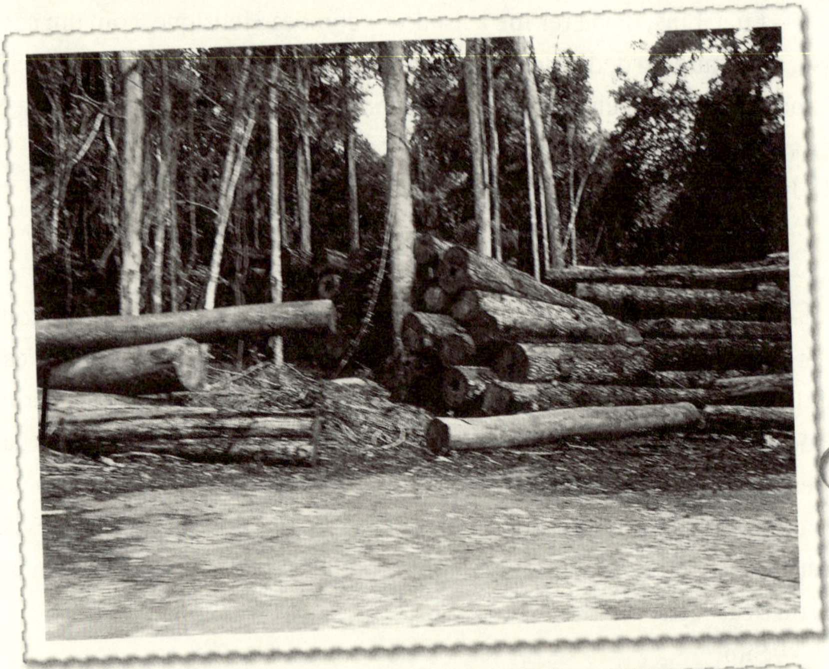

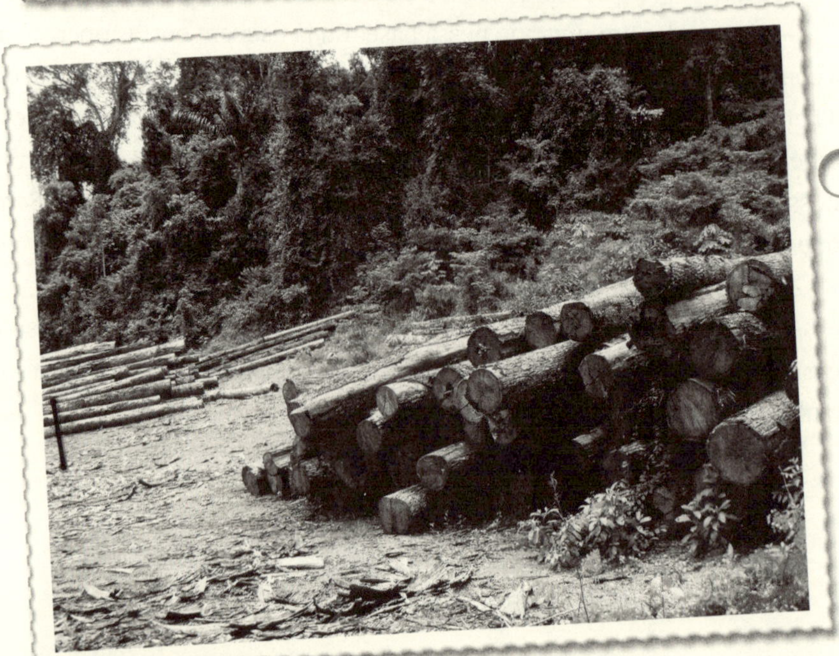

- 13 -
Matador de federal

RELATÓRIO POLICIAL

Operação Arco de Fogo	Data: 2 de agosto de 2010
Local: Santarém, PA	Hora: 14h
Missão, dia 8	Pág. 99

Alessandro Andrade, gerente regional do Ibama em Santarém, acabou de retornar de férias. Está atarefado com centenas de requerimentos que lotam sua mesa. Férias no serviço público são um castigo antes do início e depois do fim. Antes, jogam sobre o servidor tudo o que não pode esperar sua volta. Depois, tudo o que não foi feito na sua ausência.

Giovane, chefe operacional, voltou no mesmo dia. Negro, alto, tem a aparência de um jogador de basquete. Com a família no Rio de Janeiro, cumpre em Santarém uma de suas missões mais longas. É pouco querido pelos madeireiros da região. Duro na caneta, fiscaliza com rigor os planos de manejo, as madeireiras e os sistemas de informação. Espalha multas como quem semeia arroz.

Já foram informados sobre uma reunião com o novo delegado às quinze horas. Têm uma hora até lá.

A equipe de policiais federais está mais animada depois da reunião na semana que se encerrou. Estão prontos para buscar mais dois caminhões na selva, se necessário. Ainda que não tenham rodas, pneus ou motor, serão trazidos à base.

Henrique despacha os inquéritos e começa a ouvir pessoas que os policiais intimaram na sexta-feira. Mesmo em tempos de ciberespaço e googles da vida, de vigilância eletrônica e digital, nenhuma fonte de informação é mais valiosa do que pessoas. Pessoas sabem, pessoas falam. Falam por medo, por culpa, por intriga, por vingança e pelo prazer de mostrar que só elas sabem o que os outros querem saber.

Na sala do Núcleo de Operações, Luís se debruça sobre um mapa, com os aparelhos GPS recebendo dados extraídos da tela do notebook com pontos marcados por satélites, apontando para os outros policiais os possíveis locais de onde os caminhões podem estar retirando madeira na região do Curuatinga.

Todos os dias, a base recebe dados da coordenação baseada em Brasília. Leituras de satélites indicam progressões de campos abertos na floresta nas proximidades, comparam polígonos de extração autorizados com créditos constantes no SISFLORA e SIMLAM, e cada um desses dados é repassado às equipes nas diversas bases da OAF distribuídas estrategicamente na Amazônia para que possam ir direto aos criminosos.

Os caminhões são um grande trunfo para a investigação. Eles têm donos, vêm de algum lugar e vão para algum lugar. São elos preciosos para se chegar a quem desmata e a quem recebe a madeira, sem contar a apreensão do produto e a quebra do seu mecanismo de fluxo.

Mas a cereja do bolo são as prisões e as apreensões de serrarias móveis e tratores. Equipamentos caros, móveis e com capacidade extraordinária de destruição. Apreendê-los é causar dano aos desmatadores.

A equipe vai sair para diversas incursões.

Toca o telefone. Henrique atende:

— Diga para subir — responde e desliga.

Acena para José e pede que atenda ao policial civil que está procurando os federais da OAF. Continua lendo e despachando. Vê, através do vidro, o policial civil passar pelo corredor e conversar ali mesmo com José, a quem entrega um papel. Acena pelo vidro para Henrique e se despede.

José entra na sala de Henrique:

— *Houston, we have a problem*.

— Diga.

— Chefia, o policial disse que ontem interceptaram uma ligação telefônica de um investigado deles citando um ex-condenado, dois homicídios, dizendo que vai matar um federal se apreenderem o caminhão dele. A história dos nossos dois caminhões deve estar rendendo.

— Dê-me esse papel, Jô.

O papel contém a transcrição de uma ligação, os dados do telefone que originou a chamada e o nome de seu titular. Não encaminharam a gravação. Cita um terceiro, possível autor da ameaça, que a polícia civil identificou apenas pelo nome, mas não o endereço.

— Jô, pegue o Márcio e o Luís, vá até a nossa delegacia, pesquisem quem é esse cara, achem-no e tragam-no aqui. Vou me reunir com o pessoal do Ibama e interrogar esse matador de federal logo em seguida.

Saem os três. Henrique balança sua cabeça de um lado para o outro:

— Não me falta mais nada.

Em seu e-mail, a coordenação-geral pede informações sobre a requisição do Delegado Federal Lucas Reis, nos poucos dias em que esteve na base, de reforço de policiais para Uruará.

— Eu também quero saber o porquê desse reforço — fala Henrique, em voz baixa, fechando a tela do notebook.

Quinze horas.

Após as apresentações, a reunião começa descontraída e, aos poucos, com os homens que compõem a linha de frente da repressão ao desmatamento em Santarém, vai mudando o tom. Capitão Hugo está presente, também Tiago Camargo, do ICMBio. Em pouco tempo, as dificuldades, restrições, estratégias e resultados vão sendo cuidadosamente analisados.

Ibama e Força Nacional não estão satisfeitos com os resultados dos últimos meses. O ICMBio ainda não sabe o que fazer com a madeira estocada na Renascer.

Henrique ouve atentamente.

Dezenas de apreensões administrativas resultaram em restituições. Muitas multas estão sendo questionadas na justiça.

Alessandro e Giovane explicam que apreensões de máquinas e madeira são anuladas na justiça sob o argumento de que o Estado não pode retirar bens do cidadão para obrigá-lo a pagar multas e que apreensões isoladas de alguns equipamentos estão apenas direcionando o poder do Estado de repressão ao desmatamento para pequenos agricultores.

Os argumentos jurídicos compilados sistematicamente pelo Ibama apontam que as multas devem ser inscritas na dívida ativa e cobradas por via judicial.

— A apreensão não é para gerar multas. É por causa das irregularidades! — argumenta Alessandro.

Capitão Hugo expõe seus pontos operacionais negativos e o número reduzido de homens que tem para dividir entre o trabalho de Santarém e Renascer. Como bom representante da classe militar, acredita que deve haver concentração de esforços aqui ou lá.

— O governo federal precisa decidir o que fazer com toda aquela madeira. Vigiar a reserva e impedir que a madeira seja furtada tem consumido quase todo o meu efetivo — expõe o capitão.

— O ICMBio e o Ibama também estão perdendo homens na Renascer. Tornou-se um problema a destinação da madeira. Temos uma chalana no porto da madeireira Urutau com seis homens nossos — afirma Tiago.

— A região do Curuatinga, o que representa para nossa base? — pergunta Henrique.

— Não existem planos de manejo florestal sustentável aprovados naquela região, ou seja, qualquer madeira que saia do Curuatinga é fruto de crime ambiental — esclarece Giovane. — Eles usam as vias fluviais para escoar madeira dali. É muito difícil acessar a região por via terrestre.

— Estou sabendo — diz Henrique. — O que sabemos sobre Uruará, Alessandro?

— É nosso ponto crítico atualmente. A localização às margens da Rodovia Transamazônica e a meia distância entre as rodovias BR-163 e BR-158, que são as principais vias de ligação entre o estado do Pará e o Centro-Sul do país, favorecem o escoamento de madeira ilegal direto da Amazônia para o restante do país — responde Alessandro.

— Sem contar a existência na região de extensas áreas de florestas com indefinição fundiária, devolutas e outras transformadas em projetos de assentamento pelo INCRA — acrescenta Giovane.

— Tem mais. Com a Arco de Fogo reprimindo o desmatamento no

entorno de Santarém e com o fim da extração massiva ilegal da Renascer, grande parte das atividades ilegais migrou para a região de Placas e Uruará — completa Alessandro.

— No trabalho que está sendo feito pela equipe do Rodrigo — expõe Giovane —, com o apoio de vocês, já constatamos que a quase totalidade dos empreendimentos tem madeira estocada em quantidades visivelmente muito superiores ao saldo do SISFLORA.

— E de onde está saindo essa madeira? — pergunta o delegado.

— Grande parte não está sendo extraída dos planos de manejo. Está saindo dos assentamentos sob negociação criminosa ou sob ameaça de morte — diz Giovane.

— Veja, Henrique — interrompe Capitão Hugo —, existe uma confusão generalizada. Além do trabalho da Arco de Fogo sobre crimes ambientais, ali o Ministério Público e o Poder Judiciário pedem nossa presença como forma de representar o Estado, ou seja, fazer as vezes de órgãos de segurança pública.

— Começamos uma ação especial em 11 de março deste ano lá, mas a Renascer se impôs como prioridade — afirma Giovane.

— Somando o último mês e o período anterior a março, temos mais de quarenta e três milhões de reais em penalidades aplicadas e mais de quatro mil metros cúbicos de madeira ilegal apreendida, fora o embargo de mais de doze mil hectares, fechamento de madeireiras ilegais, serrarias fantasma bloqueadas no sistema e outros absurdos sem fim — diz Alessandro.

— A pressão local foi tanta que a própria governadora do estado esteve lá justamente quando estávamos saindo para a Renascer. Daí já viu! Saiu na mídia local que a governadora tinha nos expulsado — informa Giovane.

— É uma guerra, e a propaganda é a alma do negócio — afirma Alessandro. — Eles vendem a ideia de que a governadora está do lado deles.

— E está? — pergunta Henrique.

— Melhor não falarmos sobre isso. Não muda nada, estando ou não estando — responde Alessandro.

— Eu soube que houve notícias caluniosas sobre os integrantes da OAF — afirma Henrique.

— Nem me fale disso — interrompe Capitão Hugo. — Prostituição com menores, bebedeira com som alto em locais públicos, corrupção, saiu de tudo.

— Recebi um relatório detalhado sobre tudo o que já foi feito, mas não constam grandes observações sobre Uruará — observa Henrique.

— Quem assinou o relatório? — pergunta Alessandro.

— Marcelo Torres — responde Henrique.

— É isso! O Marcelo ia começar a trabalhar em Uruará quando paramos tudo para apurar a Renascer. Foi embora no final de junho, ainda cuidando da Renascer. Quando o delegado Lucas Reis chegou aqui, na primeira semana de julho, estávamos começando a preparar o planejamento para voltar a Uruará, e ele queria reforço. Em 15 de julho, quando voltamos a Uruará, ele já não estava mais aqui — explica Giovane.

— Entendo — diz o delegado.

A reunião prossegue por mais uma hora. Henrique ouve atentamente as informações fornecidas pelo Ibama, ICMBio e Força Nacional e começa a preparar seu planejamento. O entusiasmo do delegado leva os participantes a duvidarem de que esteja realmente entendendo a seriedade das restrições operacionais.

Não conhecem Henrique. De origem humilde, sempre viu nos desafios uma grande oportunidade.

— Senhores, temos o que precisamos. Vou apresentar um plano de ação para meus quase dois meses aqui. Ouçam com atenção.

E, na meia hora que segue, de forma simples, Henrique apresenta as soluções que seriam aplicadas para tornar a ação conjunta bem-sucedida.

Teoria e selva não casam muito bem. É pagar para ver. Há uma guerra, e perder batalhas não é uma opção para a Polícia Federal. É necessário vencer o sistema para depois vencer o desmatamento.

— Senhores, vamos por partes — finaliza o delegado. — Tenho duas prioridades em andamento. Uma delas é o Curuatinga, com esse fluxo de madeira em caminhões que não conseguimos reter, mas tenham isso por resolvido.

Os participantes riem.

— Pago para ver — diz Giovane.

— Eu também — acompanha Alessandro.
— Não precisam perder dinheiro, senhores — continua o delegado. — Os caminhões apreendidos ficarão apreendidos. Os senhores verão.
— Desculpe, Henrique — interrompe Alessandro —, mas o Marcelo Torres estava quase sendo preso quando resolveu não cumprir uma ordem judicial de restituição.
— Confiem em mim. Segundo ponto: tenho que terminar as investigações da Renascer. Li o inquérito esta manhã e vi que falta ouvir pessoas sobre quem foi o responsável por aquele Armagedom. Resolvidos esses pontos, sentamos e voltamos a falar sobre Uruará.

O helicóptero acaba de pousar na base, voltando de Uruará. É o reforço de que precisavam para vencer os atoleiros do Curuatinga, confirmar as informações dos satélites e localizar os pontos de onde a madeira está saindo nas proximidades de Santarém.

Dezessete horas.
Finda a reunião, todos deixam a sala do delegado. Entram os policiais federais escoltando o tal matador de federal.
— Sente-se aí, amigo — manda o delegado.
Sentar não foi bem um ato de vontade, mas algo que as mãos dos policiais federais no seu ombro o obrigaram a fazer. De frente para o delegado, o rapaz tem atrás de si os três policiais de braços cruzados, caras amarradas e olhos fixos nele.
Ronaldo e Juliano se levantam na sala ao lado para ver e ouvir a explicação do rapaz.
Moreno, alto, braços grossos, pesando bem mais de cem quilos, parece ser o tipo de homem que é melhor não ser contrariado. Márcio ficou pequeno ao lado do rapaz. Em sua camiseta branca, uma estampa religiosa do céu se abrindo, com Cristo de braços abertos sobre um homem e uma mulher e os dizeres "Casamento é sagrado — Assim, já não são dois, mas sim uma só carne. Portanto, o que Deus uniu, não o separe o homem". No dedo anelar da mão direita, uma aliança.

— Mateus, capítulo dezenove, versículo seis. Estou certo, senhor Antônio Hermelino Chagas?

O homem olha para a própria camiseta com ar de surpresa e satisfação.

— Vejo que o doutor conhece a palavra do Senhor.

— Conheço um pouco — diz Henrique, que cresceu no seio de uma família tradicionalmente evangélica. Testemunha de Jeová até os dezoito anos, pertence à terceira geração de líderes religiosos. Foi educado para ser um. Apaixonou-se, abandonou religião, círculo social, tudo, menos o conhecimento que adquiriu. — Vejo que o senhor preza o casamento e, portanto, deve ser contra o adultério.

— Sim, muito. Tudo na santidade e paz de Cristo.

— Muito bem — diz o delegado. — E o senhor sabe o que diz o livro de Tiago, capítulo dois, versículo onze?

— Não me lembro.

— Refresco sua memória: "Ora, se não cometes adultério, mas és homicida, te tornaste um transgressor da lei". E, pelo que estamos sabendo aqui, o senhor está muito próximo de transgredir a lei, já que está planejando matar um policial federal.

— Paz de Cristo, Nosso Senhor! Louvado seja Deus! Doutor, não sei de onde veio essa calúnia! Já paguei aos homens os erros que cometi quando mundano. Agora sou um homem renovado em Cristo.

O delegado olha Antônio nos olhos, demonstrando que não se afetou pelo seu apelo cristão.

— Entendo — diz Henrique, sem expressar qualquer reação.

— Paz de Cristo! Tão querendo armar pra mim. Já me chamaram para muita coisa errada depois que saí da cadeia, mas não sou mais disso — diz o homem, em tom de súplica.

— Você tem caminhão, Antônio?

— Tenho sim, doutor!

— Trabalha para quem? Como ganha a vida?

— Eu faço carretos.

— Puxa madeira?

— O que aparecer, doutor. O que Deus põe na mão da gente não pode ser negado. Paz de Cristo!

— O senhor está transportando madeira ilegal, sem guia, retirada fora dos planos de manejo?

— Deus me livre, doutor. Não ponho o pé fora do caminho do Senhor e nem dos homens. Paz de Cristo!

— Então, por que o senhor está querendo matar um federal? Só nessa sala já tem sete. Quer escolher um?

— Nosso Deus, pelo amor de Cristo! Jamais, jamais, nunca, doutor. Eu digo, doutor, estão armando para mim. Isso não é coisa de Deus.

— Armando ou não, eu vou ser direto. Sei seu nome, sei seu endereço, sei a placa do seu caminhão. Se um federal espirrar, a culpa é sua; se um federal tropeçar na calçada, a culpa é sua; se um federal for picado por um pernilongo nessa selva, a culpa é sua. Estamos entendidos?

— Paz de Cristo, doutor. Eu não faço mal para ninguém. O doutor está convidado para ir ao culto que eu frequento. Toda terça, quinta e sábado, a gente presta louvor ao Senhor. Paz de Cristo, paz de Cristo.

— É o seguinte: daqui pra frente, vamos seguir seus passos durante um bom tempo. Se tiver uma prancha, uma tabuazinha sem nota na carroceria do seu caminhão, sua conversa vai ser comigo, fora que o senhor vai prestar contas a Cristo também! Entendido?

O homem mantém as mãos unidas pelos dedos cruzados e espremidas entre as pernas, demonstrando um nervosismo desconcertante.

— Jô, fotografe o cavalheiro. De frente, de lado, de pé, sentado, de costas — determina o delegado.

José pega a máquina fotográfica e sinaliza para o homem se levantar e se colocar próximo à parede, o que é entendido e atendido. Enquanto José fotografa Antônio, o delegado continua a falar:

— Aviso que, de hoje em diante, o leiteiro que entregar leite na sua casa vai ser um federal disfarçado, o frentista do posto que abastecer seu carro vai ser um federal, o carteiro vai ser um federal, o pedinte de esmola da esquina, o gari e quem mais o senhor vir e não souber quem é, acredite, é um federal! Estamos entendidos ou não?

— Paz de Cristo, doutor — diz, pela enésima vez, enquanto José tranquilamente tira uma dezena de fotos e faz sinal para o homem se virar. —

É até bom que o senhor mande alguém acompanhar minha vida, porque assim o senhor vai ver que agora eu vivo na paz de Cristo.

— Exatamente. Inclusive, vou receber um relatório diário da sua vida. Se o senhor sair da linha, eu vou ser um trem desgovernado e vou sair da linha para acertarmos nossas contas. O senhor pode ir.

Embora maior que os policiais, o rapaz parece um coelho acuado. Sai se espremendo entre os homens da lei, que não se movem um milímetro para lhe dar passagem. Caminha rapidamente pelo corredor, olhando várias vezes para trás, e antes que despareça na escada, ouve o ultimato de Luís:

— Relatório, rapaz! Relatório diário da sua vida! O delegado vai saber tudo.

Fecham a porta e começam a rir.

— Senhores, posso estar errado, mas acho que devemos esquecer esse rapaz — sentencia o delegado.

— Já vi homem frouxo, mas esse aí... — analisa Juliano.

— Cara, quando vi o homem, pensei: é matador. Depois, na viatura, pensei em deixá-lo no caminho — fala Márcio.

Henrique ri e concorda que o homem deve ser deixado para lá.

Nem sempre o instinto policial funciona.

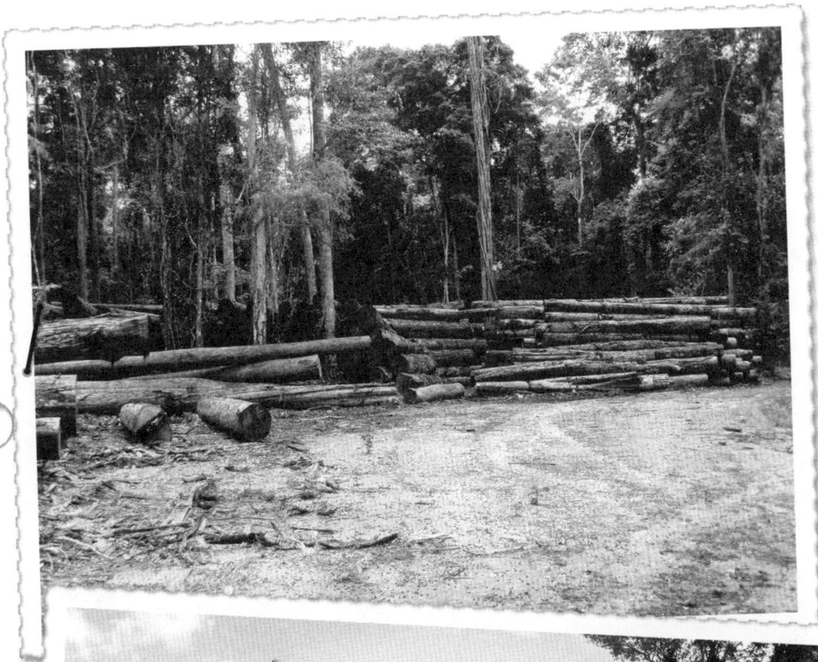

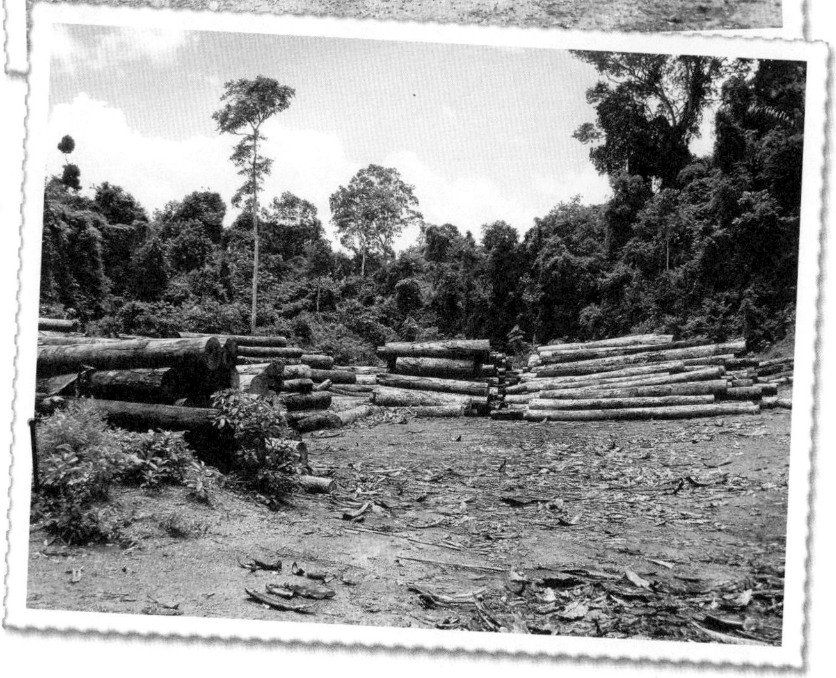

- 14 -
Passione

RELATÓRIO POLICIAL

Operação Arco de Fogo	Data: 2 de agosto de 2010
Local: Santarém, PA	Hora: 21h30min
Missão, dia 8	Pág. 111

Uma revelação que deixaria o Brasil surpreso: Totó, papel de Tony Ramos, é filho de Bete Gouvêa, a matriarca de uma família tradicional interpretada por Fernanda Montenegro. São os capítulos emocionantes de Passione.

Os homens de terno e gravata na sala vibram com a revelação, menos Altamiro, sua mulher e seus dois filhos. Amarrados e com fuzis apontados para suas cabeças, as crianças deitadas no chão, o capítulo final de suas vidas pode estar sendo escrito.

Dentro da casa, no controle da situação, os nove homens de terno se revezam numa tortura silenciosa.

O telefone toca.

O homem que parece ser o líder do grupo encosta o telefone no ouvido. É o irmão de Altamiro. Tapa o microfone e sussurra para Altamiro:

— Nós fomos legais com você até agora. Não seja tolo.

Encosta o telefone no rosto de Altamiro e sinaliza negativamente com a cabeça.

"— Alô! Alô! Altamiro!"

— Alô! Lúcio?

"— Você tá com a TV ligada? Rapaz, ganhei a aposta..."

Altamiro, um pouco alterado, responde:

— ... cê tá de brincadeira Lúcio! Eu já vi!

"— Tá nervoso! Não aguenta perder!"

— Lúcio, tá bom, você ganhou. Se Deus quiser, a gente se fala amanhã.

O homem devolve o telefone ao gancho e, com a mão esquerda na altura do queixo, faz um sinal de positivo. Com um movimento lento de cabeça, aprova a conduta de Altamiro.

As horas vão passando.

Os homens trocam poucas palavras entre si.

O relógio marca seis horas.

A segunda parte do plano entra em execução.

Seis homens partem em dois carros com Altamiro. Três ficam na casa com sua família. No caminho, mais quatro homens em um terceiro carro se juntam ao bando.

Altamiro teme por sua família. Sabe que esses homens não têm nada a perder. São profissionais. Estão no controle. Por essas bandas, sempre estão.

São oito horas. Henrique acorda com uma ligação. Do outro lado da linha, a chefe da Delegacia de Polícia Federal em Santarém, delegada federal Marina, descreve os fatos ocorridos a poucos metros de onde Henrique está hospedado.

A vida ali tem outro ritmo.

— Doutora Marina, me dê dez minutos, por favor... Sim, eu sei. Dez minutos! Eu sei! — termina Henrique, com um tom um pouco mais áspero.

Henrique desliga o telefone. Liga a televisão. A notícia está nos telejornais.

As estradas estão fechadas.

A equipe não está preparada para o confronto, e o risco agora é certo.

Henrique liga para José. Ele também já viu as notícias.

— Jô, convoque a todos para reunião em meia hora.

Não tem como negar o pedido da delegada, mas também não tem poderes para concordar.

Nova ligação. A delegada precisa de uma resposta.

— Doutora Marina? Entendo a situação... Isso vai praticamente derrubar meus planos, mas minha equipe não pode correr esse risco. A senhora entende isso?

Enquanto fala ao telefone, o barulho de sirenes é constante na rua. Na televisão, as imagens das câmeras de segurança não deixam dúvidas: o plano foi preparado com cuidado.

— Se a senhora tiver autorização da coordenação regional ou nacional, eu assino embaixo... O avião é do ICMBio... As lanchas são do Ibama. Sim, entendo... Acredito que até o helicóptero esteja disponível por contrato do Ibama.

Henrique desliga o telefone.

Aumenta o volume da televisão:

"... renderam a família do gerente em sua residência e com ela permaneceram até hoje pela manhã; segundo os funcionários do banco, os criminosos estavam vestidos de terno e cada um tinha uma valise de couro e uma arma longa. A polícia já analisou as imagens e afirma que eram fuzis. Em quarenta minutos, os criminosos levaram, segundo o banco, aproximadamente duzentos mil reais, mas pelo que apuramos, acredita-se que ultrapasse dois milhões...".

O telefone toca.

Pela ousadia dos ladrões, Henrique já sabe o que vai ouvir:

— Henrique falando... Sim, entendo... Discordo e se necessário posso mandar um e-mail agora, embora eu entenda que a senhora não vá precisar... Estamos acertados... À disposição... Passarei a ordem.

Desliga o telefone.

Assalto ao banco Banpará.

A base vai ficar sem o helicóptero, o avião, lanchas e apoio da Força Nacional. Sem data de reposição.

Hora de recalcular a rota.

Henrique se recusa a empenhar sua equipe. Estão munidos de pistolas e submetralhadoras. Não estão prontos para enfrentar confrontos com fuzis do outro lado. Fuzil se enfrenta com fuzil. Não há fuzil na base. A delegada concorda e fica com os recursos aéreos, marítimos e homens da Força Nacional.

— Curuatinga, Curuatinga... — repete Henrique, olhando para o espelho.

Será necessário atravessar o lamaçal de carro ou a pé e viajar centenas de quilômetros pela Transamazônica.

Agora, com um agravante: um bando de criminosos escondidos na mata e armados até os dentes com fuzis.

ARCO DE FOGO ▶ 115

ANOTAÇÕES

- 15 -
Gratas

RELATÓRIO POLICIAL

Operação Arco de Fogo	Data: 3 de agosto de 2010
Local: Santarém, PA	Hora: 16h
Missão, dia 9	Pág. 117

—E ncoste, Luís. É aqui — diz Márcio.
— Quero só ver se é um dos motoristas...
A casa tem boa aparência, com portão basculante de uns cinco metros de comprimento e calçada de pedra. O muro é alto e a copa de uma árvore que ultrapassa sua altura deixa antever que a residência está separada dele por um jardim.

Ao toque da campainha, um homem sai no portão lateral. Forte, um metro e setenta de altura, cinquenta anos aproximadamente, cabelos crespos, pele queimada de sol e um bigode que lhe cobre os lábios.

— Boa tarde, companheiro! Márcio, Polícia Federal — apresenta-se o policial, com seu distintivo na mão. — Este é meu parceiro, Luís.

— Tarde, senhores — diz o homem em tom pouco simpático. — Em que posso ajudar?

— O senhor deve ser Antenor Lima Reis, certo?

— Sou eu mesmo.

— O senhor é o proprietário de um caminhão Volkswagen 24-250.

— Já fui. Faz tempo. Vendi para um rapaz de Placas, chamado Gustavo.

— Gustavo de quê? — pergunta Luís.

— Não me lembro.

— Tem uma cópia do CRV? — continua Márcio.

— Tenho não. Era financiado. Fiz um acordo com o rapaz, que me deu uma caminhonete pelo que eu já havia pago e assumiu o restante das parcelas.

— Tem algum documento, um contratinho, um telefone? — pergunta Luís.

O homem confirma e entra na casa para buscar. Alguns minutos depois, volta com a cópia de um contrato, confirmando o negócio.

— Taí, Gustavo Cabral de Almeida — diz o homem.

— Ótimo. Explique uma coisa: se você vendeu para ele, por que tem uma ação sua proposta pelo advogado Fagner Nonato na semana passada para reaver o caminhão? — pressiona Márcio.

— O Gustavo esteve aqui na sexta-feira passada, bem cedo. Falou que o caminhão tinha sido apreendido pela Polícia Federal e que iria pedir na justiça para lhe devolverem. Eu assinei uma procuração, que o Gustavo trouxe para esse advogado pedir o caminhão dele de volta. Isso sempre acontece. Quando era meu esse caminhão, já tinha sido apreendido uma vez pelo Ibama. Com essa de vocês, já são duas.

— Estamos sabendo. Você faz o quê?

— Faço nada não. Estou parado. Sofri um acidente há uns dias.

— Você transporta madeira?

— Já transportei. Não consigo mais dirigir caminhão. Tenho problema nas costas.

— Onde encontro o Gustavo?

— Já falei, ele é de Placas, mas durante a semana fica aqui em Santarém. A essa hora, ele costuma tomar cerveja lá no Lagostada. É certo de encontrar ele lá.

— Como o Gustavo é? Para eu saber quando o vir.

— Não tem erro. É um cara alto, de cabelo louro, e tem um olho verde e outro azul.

— Certo. Essa intimação é para você — diz Márcio, apresentando um mandado para Antenor. — Você vai ser ouvido pelo delegado. Vou levar esse contrato. Depois, quando você for ouvido, a gente lhe devolve. Algum problema?

O homem concorda, empurrando o lábio inferior contra o superior e balançando a cabeça negativamente. Luís e Márcio entram na picape e se dirigem ao Lagostada, um bar conhecido da cidade por servir peixes e frutos do rio Amazonas, onde muitos encerram seu dia de trabalho.

— Luís, esse Gustavo Cabral de Almeida é o dono do outro caminhão, o Ford Cargo 2628.

— Quando ele disse o nome eu saquei na hora, mas não deixei ele perceber porque queria ver até onde ele estava colaborando. Esses caras não têm vergonha, estão acostumados.

— A pena é pequena, sempre tem um laranja para assumir e, por fim, quer saber? Também acho que não dão a mínima.

— O Adriano já tinha consultado os autos de infração do Ibama e me confirmou que o Volkswagen do Antenor foi autuado no ano passado, e adivinhe...

— Sendo dirigido pelo Gustavo!

— Não, sendo dirigido pelo nosso amigo Antenor "costas com problemas"!

— Não tem jeito, não! Como diz um amigo meu lá do Rio Grande do Norte: isso aqui pode fechar, não escapa ninguém.

— A capivara desses caras, quando não encontrar nenhum registro, tem que sair "ainda não foi pego".

Em vinte minutos, os policiais chegam ao Lagostada. É um lugar aberto para a calçada, com balcão nos fundos, cadeiras e mesas de plástico vermelho, com marca de cerveja estampada em cada uma delas. O bar está cheio, mas um homem com olhos de cores diferentes não é difícil de encontrar. Os policiais se dividem e vão passando entre as mesas como se estivessem procurando um lugar para sentar. Há um homem louro sentado na última mesa perto do balcão.

Márcio faz um aceno de cabeça para Luís e aponta, com a mão próxima ao peito em movimentos curtos, o homem procurado. Luís se aproxima de Márcio procurando a mesa de Gustavo.

— Ali, Luís. Aquele no canto do bar, sentado com uma morena — sussurra Márcio.

— Já vi. Deixe comigo. Eu passo a lenha nesse cabra.

Os dois se aproximam da mesa e Luís se apresenta:

— Tarde, companheiro! Luís, Polícia Federal. Esse grandão aqui é o Márcio, meu colega.

— Estou ocupado aqui com a moça — responde o homem, desviando o olhar dos policiais, abraçando a morena que está ao seu lado e beijando seu pescoço.

— Não vamos nos demorar — continua Luís, puxando a cadeira ao lado do homem e se sentando.

Márcio faz o mesmo na outra cadeira.

— Epa! Não, não, não! Vocês podem ser o papa, eu não convidei vocês pra sentar — reage o homem, fazendo um gesto de protesto com a mão direita.

— Como eu disse, não pretendemos nos demorar aqui. Nossa prosa é pouca. Salvo engano, seu nome é Gustavo, e, tenho certeza, você sabe por que estamos aqui.

— Desculpem! Você não é o papa, não é o presidente, não é a governadora, então eu não tenho a menor ideia do que vocês estão fazendo aqui, senhores.

— Ford Cargo 2628E! Diz alguma coisa? E Volkswagen 24-250? Refrescou a memória?

Gustavo muda a expressão. Os policiais foram rápidos em encontrá-lo. Sabe que eles não vão desistir da conversa e já teve caminhões apreendidos em outras oportunidades pelo Ibama. É melhor conversar.

— Certo, senhores! Vai lá, meu amor — pedindo para que sua companhia se levante. — Daqui a pouco você volta e traz uma cervejinha gelada pro papai. Vai — e se volta para Luís. — Muito bem, vocês têm minha atenção. O que querem saber?

— Conte-nos sobre os caminhões e a madeira.

— O Volkswagen eu comprei de um tal de Antenor. Dei uma caminhonete Hilux para ele e assumi as parcelas. O Ford, como os senhores já devem saber, é meu. Também está financiado, mas é meu. Pronto. É isso?

— Quem eram os motoristas que fugiram?

— Dois toreiros que contratei.

— Então não teve furto! Nomes...

— Um eu conheço por Baiano e o outro é o Zé Batata. De vez em quando eu os contrato para puxar madeira para mim. Tudo legal, tudo legal! Dessa vez é que deu errado.

— Tudo legal? Esse Ford já foi autuado quatro vezes pelo Ibama por transporte de madeira sem guia. Inclusive, tem uma notificação para você entregá-lo ao Ibama. O 24-250 já tinha sido autuado com o Antenor. Cadê os caminhões?

Márcio não dá uma palavra. Está com o olhar fixo no homem, o que o deixa extremamente desconfortável. É proposital. Luís, de brincalhão e extrovertido, escondeu todo o seu bom humor. É agente dos bons.

— Levei para Medicilândia ontem.

— E a madeira? De onde vinha e para onde ia?

— Vocês querem me complicar.

— Se quiséssemos complicar, você estaria preso. Fale da madeira.

— Rapaz, esse negócio não vai dar certo.

— Tenho certeza que você prefere a companhia da morena ali à nossa. Meu colega e eu queremos ir embora logo. Você está perdendo tempo. Fale logo — pressiona Luís.

Gustavo está reticente.

— Veja como é simples, Gustavo — insiste Luís. — Se você não nos ajudar, nós vamos vir aqui todo dia beber uma cerveja com você, vamos na sua casa, vamos abordar você na rua, vamos nos encontrar em cada lugar que você estiver, dar um tapinha nas suas costas e rir como se fôssemos velhos conhecidos. Não demora um dia para todo mundo na cidade falar que você é amigo de policiais. Vai ficar bom para você? Esse assalto ao banco por aí... daqui a pouco prende um, prende outro e vão achar que você é amigo de policial e deu alguma letra. Vamos, homem, fale logo.

— Essa madeira era do Brucutu. Esse cara é perigoso.

— Perigoso é manga com leite. Qual é o nome dele?

— Eu só sei isso. Todo mundo chama ele de Brucutu.

— De onde ele é? Daqui ou de lá?

— Ele tem parada não. Tem uma namorada aqui, a dona do Jequitibá.

— De onde esse Brucutu tira madeira?

— Ele tem serras...

— Serrarias móveis?

— Duas. Corta nos assentamentos, nas reservas, no Curuatinga; onde der, ele corta. Com a queda da Renascer e com esse sairé que vocês fizeram no Curuatinga, ele tá cortando na região de Uruará.

— Para quem você entregaria a madeira?

— Os motoristas iam receber o endereço de entrega no Ponto Oito. É assim que funciona. Só sabem quando estão chegando a Santarém. Pode ser madeireira, cliente final ou até outro caminhão parado em algum ponto. Se a entrega for pro Tocantins, Mato Grosso, São Paulo, eles trocam de caminhão e esquentam com guia deles lá. Caminhão toreiro não aguenta a viagem.

— O Brucutu entrega madeira para quais madeireiras?

— Senhores, eu já falei demais. O que interessa aos senhores é o que tem a ver com meus dois caminhões. Você e o estátua aí — aponta para Márcio — já sabem bastante. Eu prefiro que a morena volte e vocês dois vão embora.

— Como você contata o Brucutu? Tem telefone?

Gustavo balança a cabeça positivamente e pega seu celular.

— É esse o número — diz Gustavo, enquanto mostra o display do aparelho para Luís.

— Tem outro?

— Só tem esse e ele só atende à noite.

— Por hoje está bom. Você vai ser ouvido pelo delegado. Esse mandado é para você — diz Luís, retirando o mandado do bolso da camisa e entregando-o a Gustavo. — Leve os dois motoristas e traga o Ford para ser entregue ao Ibama. Você está no lucro com o Volkswagen. Se não comparecer ou não trouxer o caminhão, o Brucutu vai saber dessa nossa conversa.

Gustavo faz um aceno com a cabeça de desaprovação, mas sabe que era a melhor forma de se livrar dos federais. Se não tivesse colaborado, passaria dias tendo encontros involuntários com eles, e isso poderia dar a entender que estaria colaborando com a Polícia Federal, o que poderia custar-lhe bem mais caro.

Os policiais levantam e, com um aceno e piscar de olho acompanhado de um estalo de lábios, Luís convida a moça que está no balcão a voltar para sua cadeira ao lado de Gustavo.

Antes de saírem, na primeira mesa próxima à calçada, um rosto familiar.

— Luís, olhe a sua esquerda — sussurra Márcio.

— *Rapaiz!* O matador de federal!

Luís não perde a oportunidade. Nunca perde. Passa ao lado da mesa de Antônio Hermelino.

— Ô matador, por hoje já o acompanhamos demais. Vamos descansar um pouco. Continue na linha — fala, Luís, de passagem sem dar tempo ao homem de esboçar qualquer frase.

Antônio fica sem reação.

Luís e Márcio entram na picape e seguem direto para o Jequitibá, no extremo sul da cidade.

— Viu a cara do matador? — pergunta Luís, com sua típica gargalhada, enquanto bate a mão várias vezes no volante e balança o corpo de entusiasmo.

— Boa, essa foi boa! — diz Márcio, em meio a risadas. — Esse vai andar na linha mesmo!

— *Bora* para o Jequitibá!

— *Bora*.

Luís conhece o estabelecimento. Não é a primeira vez que uma investigação o leva ao Jequitibá, mas ele deixa a surpresa para Márcio. Cruzam a cidade em quinze minutos.

A fachada do local é um muro grande de cor marrom até a altura de um metro, e azul dali para cima, com letreiros em neon. Apesar do tamanho do muro, tem apenas um pequeno portão no canto esquerdo. É um prostíbulo.

— Luís, tem certeza que esse é o Jequitibá?

— É o que está escrito, não é?

Márcio sorri e balança a cabeça. Apertam a campainha. Aparece uma jovem, com um vestido preto florido decotado, que deixa entrever seus seios.

— Lulu! Não estamos funcionando. Ainda! Mas você e seu amigo bonitão são sempre bem-vindos — responde a moça.

— Lulu? — estranha Márcio.
— Tudo bem, Estrelinha? Como vão as meninas do papai?
— Estamos bem, e a Madame vai ficar feliz em vê-lo. E esse bonitão, como chama? — pergunta a moça, enquanto os leva por um salão com luzes penduradas no teto com bandeirinhas coloridas e cortinas vermelhas floridas nas janelas.

O ambiente está escuro e há um palco ao fundo. Passam pelo salão e atravessam uma porta com cortina de conchinhas. Madame Bibelô, como é conhecida a dona da casa, está sentada em uma cadeira, enquanto duas jovens passam esmalte em suas unhas.

— Lulu!? Há quanto tempo, menino!
— Faz tempo, Bibelô. Mas minha visita é rápida.
— Não me diga que você quer outra menina minha.

Márcio cobre a boca com a mão para disfarçar seu sorriso diante do inesperado Luís que acaba de conhecer.

— Não, Bibelô. Na verdade, eu quero você.
— O quê? Você está muito saliente hoje — diz Bibelô, com uma gargalhada única. — Bibelô não é para qualquer um! E você sabe que eu tenho um bom advogado.
— Tenho certeza que sim, Bibelozinha. Está tarde e eu preciso saber quem é Brucutu. Disseram que é seu namorado.
— Namorado, não! Bibelô não é de ninguém. Bibelô é de Bibelô. O Brucutu é meu passatempo.
— Não tenho dúvidas disso também, Madame, mas eu só preciso do nome dele.

Márcio não se contém. O Luís, que só fala na patroinha, conversando com a dona de um prostíbulo como se fossem velhos amigos de infância.

— Eu tenho o nome dele. Tenho tudo de todo mundo, e não entrego ninguém. Mas, em você eu confio — enquanto fala com Luís, Bibelô dá uma ordem a uma das meninas que lhe passa esmalte. — Jenifer, vá lá buscar meu caderninho.

A moça se levanta e abre a gaveta de uma cômoda, retirando um caderno com espiral de metal e o entregando a Bibelô.

— Deixe-me ver aqui. Brucutu, Brucutu — enquanto folheia o caderno. — Aqui! Brucutu. O nome dele é Paulo Henrique dos Santos. Quer o CPF ou RG?

Luís abre um sorriso.

— Bibelô, você é uma graça. Tem o telefone dele aí? Só para confirmar.

— Tenho tudo, Lulu — diz Bibelô, soltando outra gargalhada.

Luís anota todos os dados, beija a mão de Bibelô e sai. Já é tarde. No caminho de volta para a base, dentro da viatura, Márcio não se contém:

— Lulu? Bibelô? Ai, minha patroinha daqui, minha patroinha dali, casado há trinta e cinco anos, vou ver minha patroinha, e taí se assanhando com as putas da cidade!

Luís abre um sorriso e olha para Márcio sem falar nada.

— Desembucha, homem! Quantas vezes por semana você vem aqui? Não ia contar histórias do local para a gente?

— Márcio, Márcio! Meu jovem policial federal, você tem que aprender muito aqui com o papai.

— Estou vendo.

— Não é nada do que você está pensando. Há quatro meses, logo antes da Renascer, nós estávamos investigando o estoque das madeireiras. Encontramos duas empresas gigantes em crédito de madeira abastecendo Santarém, muita madeira mesmo. Os sócios? Duas mulheres. Adivinhe...

— Bibelô e mais outra.

— Quase! Duas garotas do Jequitibá que, obviamente, não tinham onde cair mortas. As meninas estavam desesperadas porque não tinham acesso a nada por causa das restrições e por constarem como donas de duas madeireiras gigantes. INSS, seguro-desemprego, bolsa família, crédito estudantil. As meninas estavam condenadas e responderiam a uma ação penal. O Torres investigou uma empresa que constava como sócia da madeireira e das meninas. Outra empresa de fachada composta por sócios de fachada. Tudo laranja. A gente veio correndo atrás das sócias na época, com mandados de prisão e, surpresa, batemos no Jequitibá. O Torres não prendeu as meninas, e, com as provas do inquérito, a Bibelô arrumou um advogado aí, cliente da casa, e as meninas foram excluídas do quadro societário e não foram presas ou denunciadas. Ficaram gratas à Polícia Federal.

— Gratas?

— Sim, gratas. E é isso. Tem fonte de informação melhor que a da zona?

— Lulu, Lulu! Seu danadinho! Eu já estava achando que você era um menino assanhadinho.

— Vire essa boca para lá, rapaz! Eu tenho minha patroinha e sou casado há trinta e cinco anos. E não se engane, meu amigo!

— Com o quê?

— A esta hora, a Bibelô já ligou para o Brucutu para falar que estamos atrás dele. Pode apostar.

— Salva ninguém, não.

— Salva nada!

Os dois caem na gargalhada.

ANOTAÇÕES

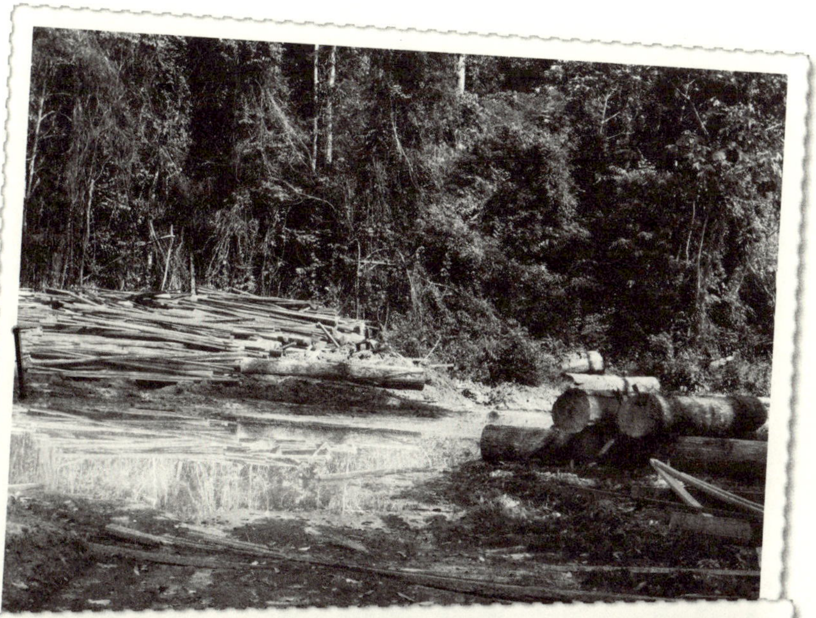

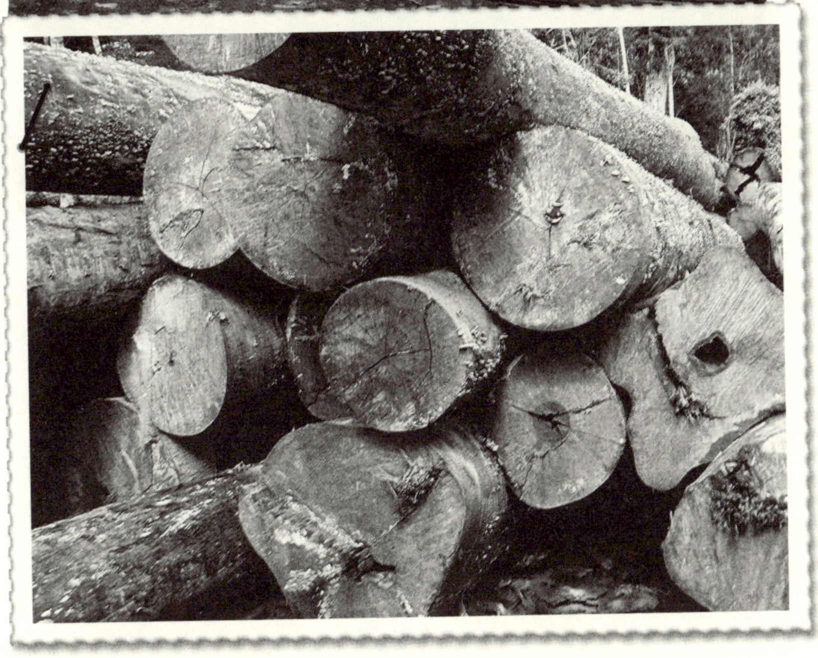

- 16 -
Puxar a Polícia Federal

RELATÓRIO POLICIAL

Operação Arco de Fogo	Data: 4 de agosto de 2010
Local: Santarém/Região do Curuatinga	Hora: 14h
Missão, dia 10	Pág. 129

— Jô, você leu o relatório do Luís sobre os caminhões e esse tal de Brucutu? — pergunta Henrique, enquanto analisa os inquéritos que vão se multiplicando a cada ilegalidade constatada.

— Li — responde José. — Será que não conseguimos a busca e apreensão? Só para ter o gostinho de trazê-los de volta?

— Perda de tempo, não vamos achá-los. Tenho certeza de que não estão em Medicilândia e podem estar em qualquer lugar carregados de madeira neste momento. Vou indiciar o Gustavo Cabral de Almeida e ver se nosso pessoal consegue achar esse tal de Brucutu.

— E essa ordem de entrega do Ibama que passou em branco?

— Falta de comunicação. Mas foi uma boa lição.

— Só tem mais trinta e oito inquéritos como esse — ironiza José.

— O que descobriu nas pesquisas das empresas que lhe passei ontem?

— Segundo o Ibama, duas foram excluídas do SISFLORA por serem fantasmas, e sobre outras duas há fortes suspeitas também. Três foram multadas e a outra está sob análise. Quatro caminhões apreendidos pelo Ibama em junho e julho estão registrados em nome da Giro Madeiras, que é uma das empresas fantasma. Todos estão financiados. A Giro gerou diversas guias florestais, provavelmente para esquentar transporte e estoque de madeira em algum pátio. Não temos laudos dos caminhões porque foram devolvidos antes da nossa chegada. Podem ser adulterados ou clonados.

— Vamos juntar essas informações aos autos e pedir bloqueio e busca e apreensão desses caminhões. Relacione os nomes dos sócios das empresas excluídas do SISFLORA e entregue para o Luís intimar. Vi nos inquéritos que seis pessoas constantes como sócios de empresas eram laranjas, duas delas garotas de programa.

— É um labirinto, chefe!

— Estamos aqui para decifrá-lo. O pessoal saiu hoje cedo?

— Oito horas. O mais empolgado é sempre o Juliano.

Enquanto delegado e escrivão montam as peças dos quebra-cabeças nos autos dos inquéritos, o restante da equipe tenta atravessar os atoleiros do Curuatinga.

— Será que passa?

— Melhor checar.

Márcio desce e caminha pelas margens da estrada de lama vendo pontos em que os pneus da picape poderiam ter tração suficiente para atravessar. Mesmo na margem, seus pés afundam uns vinte centímetros na lama.

Giovane desce da outra picape do Ibama, na qual veio com Adriano.

— Já passei por piores — diz Giovane.

— Vamos tentar? — pergunta Márcio.

— Não viemos até aqui para perder para um atoleiro. Vou passar primeiro. Vou tentar à direita — propõe Giovane.

— A lama é toda sua, meu amigo. Sinta-se em casa.

Giovane assume a direção, enquanto Adriano fica do lado de fora para orientá-lo.

A picape começa a atravessar o longo trecho coberto por água. As duas rodas do lado direito estão sobre a margem direita da estrada e ainda assim não dá para ver a lateral do pneu. Não há mais espaço para evitar o centro do atoleiro. A picape começa a inclinar à esquerda. Está em cinquenta graus, e a água está na altura da porta do motorista. Algum caminhão passou por ali e deixou um sulco profundo.

Não dá para ver o eixo das rodas esquerdas. Se inclinar mais, vai tombar. É impossível divisar onde a água começa e onde termina. Está tudo alagado.

O pneu traseiro derrapa e joga lama e água para todo lado. Giovane acelera devagar para não afundar ainda mais, mas a picape para.

— Não vai passar! — grita Juliano.

Giovane engata a marcha à ré.

O pneu gira em falso. A briga é boa. Giovane esterça a roda, buscando um novo ponto de tração. A picape começa a dançar e a traseira escorrega definitivamente para dentro do lamaçal. Giovane engata a primeira reduzida e acelera devagar. A picape joga lama para todos os lados e afunda um pouco mais. O chassi da picape aderiu à lama.

Juliano, Márcio e Adriano olham o esforço de Giovane para vencer o atoleiro.

— Já era, Giovane! — grita Adriano.

Giovane não desiste. Engata a ré e acelera rápido. A picape dança e se movimenta para trás. As rodas da frente estão cobertas de lama. Engata a primeira e acelera. A picape começa a deslizar e a traseira balança de um lado para o outro.

— Eu vou passar, eu vou passar! — Giovane está determinado.

A picape se movimenta meio metro e para. As rodas giram em falso. Definitivamente, está atolada. Giovane abaixa o vidro, põe a cabeça para fora e grita:

— Cabo de aço! Vamos passar no cabo de aço.

Adriano se põe na frente da picape, com água e lama até a altura dos joelhos, e solta o cabo do guincho, esticando-o até a árvore mais longe do atoleiro a uns oito metros.

Giovane liga o guincho e acelera a picape lentamente. O laço do cabo na árvore se fecha. A árvore range. O cabo está completamente tensionado. Se romper, é morte na certa. Se a árvore não for bem escolhida ou forte o suficiente, a morte também chegará rápido.

A picape começa a se mover lentamente. A lama é como uma cola que segura as rodas. A picape, aos poucos, vai sendo içada do lamaçal movediço. O trabalho é lento e cuidadoso, mas dá certo.

A picape vence o atoleiro. Passa. É o segundo atoleiro do dia.

A picape da Polícia Federal não tem guincho. Ou passa sozinha ou vai ter que ser guinchada.

Márcio assume a direção. Juliano vai orientá-lo.

— Vou fazer diferente. O Giovane tentou a direita e não conseguiu. Vou tentar passar pela margem esquerda.

— Boa sorte — diz Juliano enquanto acena com um positivo com a mão esquerda.

A picape começa bem, mas não supera cinco metros do atoleiro. As rodas começam a girar em falso.

— Quer que eu puxe a Polícia Federal, Márcio? — grita Giovane com as duas mãos em volta da boca.

— Nem pensar, meu amigo! — responde Márcio.

Márcio esterça a roda para o lado da margem e engata a ré. Recua dois metros. Acelera tudo de uma vez e a picape começa a dançar na lama também. Juliano é o primeiro a receber um jato de lama que o cobre por inteiro. Todos riem.

— Filho de uma puta!

Márcio vê a cena pelo retrovisor e ri enquanto acelera ainda mais a picape. Não parou ainda e avança alguns metros. Não pode tirar o pé do acelerador agora. A picape vai escorregando de lado para o meio do atoleiro. Se cair no sulco, terá que ser guinchada. O traçado não permite esterçar mais a roda para recuperar a lateral. Mas a picape continua avançando. As rodas giram em falso. Há cheiro de borracha queimada.

Acerta o lado do atoleiro para passar e lentamente a picape sai do outro lado sem ser puxada.

Juliano dá um grito e um soco no ar. Giovane e Adriano batem palmas. É a alegria de quem está disposto a trabalhar.

Márcio ri e grita:

— Aqui não! Aqui não, jacaré! Polícia Federal, Giovane! Ninguém puxa a Polícia Federal não!

Giovane ri. Ainda faltam vinte quilômetros até o ponto plotado pelo satélite no coração do Curuatinga.

— Só tenho uma notícia desagradável — afirma Giovane.

— Fale, mestre — diz Juliano, coberto de lama.

— O nosso guincho está com problemas. Um terceiro atoleiro desse nível e a gente não passa.

— Ah, passa! Nem que for empurrando, mas vamos passar — afirma Márcio, ainda empolgado por sua façanha.

Todos entram nas picapes e continuam a prosseguir dentro da Amazônia em busca de locais de extração ilegal de madeira. A picape do Ibama vai à frente justamente por causa do guincho, mas não sabem se podem confiar nele mais uma vez.

Rodam mais alguns quilômetros quando Giovane para.

São onze horas.

Desce da picape com a arma empunhada apontando com a mão esquerda para fora da estrada. Adriano está com ele.

Márcio e Juliano também descem com as armas em punho e se aproximam de Giovane.

— Estão escutando? — pergunta Giovane.

Márcio e Juliano ouvem o barulho. É uma serra. Pelo barulho, uma serra grande.

— Induspam! — sussurra Juliano, espantado.

Giovane acena positivamente com a cabeça.

Estão tentando descobrir de onde vem o barulho. Juliano aponta para a direita. Giovane discorda, Márcio e Adriano também. Está à esquerda com certeza.

Adentram a mata com cuidado. Estão certos. O barulho está à esquerda da estrada.

— Você está ficando velho, Juliano — sussurra Márcio. — Não está ouvindo direito.

Juliano ri e balança a cabeça negativamente.

Conforme caminham, o barulho aumenta. Márcio faz um sinal para pararem e aponta a sua direita.

É uma brocagem. Estão começando. São seis homens trabalhando.

Dois caminhões, um trator gigante com garras para carregar toras e uma serraria móvel. Já tem muita madeira cortada. Devem estar aqui há dois ou três dias.

Juliano aponta. Há um homem armado. Os outros não têm armas. Márcio observa o homem armado usando uma corda e a posição da arma na cintura. É destro, com certeza. Aponta para si e com gestos afirma que vai enquadrar o homem armado. O restante da equipe deve cuidar dos demais.

Balança a cabeça positivamente, segura a pistola com a mão direita e levanta o dedo indicador da mão esquerda para iniciar a contagem. Um, dois, três. De assalto, surpreendem os cortadores.

— Polícia Federal! Todo mundo com as mãos para o alto — grita Márcio, com toda a força da sua voz.

— Todo mundo com as mãos para cima — grita Juliano.

Todos param. Só o barulho da serra circular continua.

— Nem pensar, companheiro, em pegar esse revólver — comanda Márcio. — Com a mão esquerda, somente com o dedo indicador e polegar, jogue sua arma no chão. E bem devagar.

Está a cinco metros do homem. O homem obedece, e o revólver está no chão.

— Afaste-se! Vamos, afaste-se — continua Márcio.

E o homem lentamente vai andando para trás. Juliano se aproxima, pega o revólver no chão e o coloca na cintura.

— Todo mundo junto aqui no centro — grita Giovane.

Os homens obedecem. Adriano desliga a serra gigante, que está serrando uma tora gigantesca de maçaranduba.

— Qual o seu nome, companheiro? — pergunta Márcio ao homem que estava armado.

— César.

— César do quê?

— César de Almeida.

— Então, César de Almeida, tem mais alguém na mata?

— Tem não, senhor! Somos só nós aqui.

— Não acredito nisso não! Quem é o chefão aqui?

— Eu sou o dono da serra. Os caminhões são dos meninos aí e o trator é emprestado.

— Emprestado de quem?

— Sei não, senhor.

— Conversa mole! — fala Giovane.

— Tem mais arma aqui? — pergunta Juliano.

— Tem não, senhor.

— Rapaz, isso aqui não é brincadeira! Tem arma ou não? — insiste Juliano.

— Já falei. Tem não! Era só esse revólver.

— Certo.

Estão a cento e trinta quilômetros da base. Não há sinal de celular. Não há como arrastar todo o maquinário até Santarém. Não há como levar seis presos. Os atoleiros são intransponíveis.

Giovane plota o ponto de extração no GPS. Confere. É brocagem nova, não consta dos pontos de extração detectados pelo satélite e marcados pela manhã.

A equipe se reúne e decide.

Os homens serão identificados, o maquinário destruído[6].

Giovane liga o trator e o coloca em ponto morto. Adriano abre a tampa do motor e destrava o pino do óleo, deixando-o escorrer sobre um tambor cortado. Juliano sobe com um balde de óleo retirado de um dos caminhões misturado com areia até a boca de alimentação de fluido do motor. Giovane acelera em rotação máxima e trava o acelerador com um pedaço de toco de árvore. Juliano derruba o balde de areia e óleo recuperado do tambor pelo cano e esvazia o líquido de arrefecimento. O trator funciona por algum tempo, começa a falhar, estoura e solta uma fumaça branca pelo escapamento. O estrondo é ensurdecedor. O motor travou. Há fumaça para todos os lados. É uma máquina inútil agora. Para se certificar de que

---

6 "Art. 25. Verificada a infração, serão apreendidos seus produtos e instrumentos, lavrando-se os respectivos autos.
(...)
§ 5º Os instrumentos utilizados na prática da infração serão vendidos, **garantida a sua descaracterização** por meio da reciclagem" (Lei n. 9.605/98).

o conserto não valerá a pena, Juliano joga, pelo escapamento, água e cimento que encontrou no acampamento clandestino.

Os caminhões também serão inutilizados. Areia nos cabeçotes. Os pneus dos veículos são cortados com uma motosserra. Todos. São máquinas inúteis também ou caras demais para reparar. Não serão retirados do lugar até que se possa recolhê-los.

A serra circular é a última a ser destruída.

Todas as peças de ferro encontradas pelo local são amarradas na esteira fixa. A serra é ligada e começa seu caminho em direção à autodestruição. Estão todos protegidos atrás do trator, cujo motor ainda está quente e soltando fumaça.

Não há erro. A serra encontra as peças de ferro e se rompe com a resistência. Voam pedaços de ferro. Um curto-circuito, um pouco de combustível nos fios, uma chama e a serra está empenada e o seu motor inutilizado.

Os homens são fotografados e suas digitais colhidas. Responderão a inquérito policial. A madeira é identificada e medida.

A primeira serraria móvel ilegal da incursão é derrubada. Um câncer a menos no meio do pulmão do mundo.

O trabalho continua, e há um ponto de desmatamento marcado pelo satélite quilômetros à frente a ser alcançado. Os cortadores ilegais são dispensados. Os homens da lei voltam para suas picapes e seguem sua jornada ao coração do Curuatinga, onde haverá muito trabalho para os próximos dias. Dormirão em barracas.

ARCO DE FOGO ▶ 137

ANOTAÇÕES

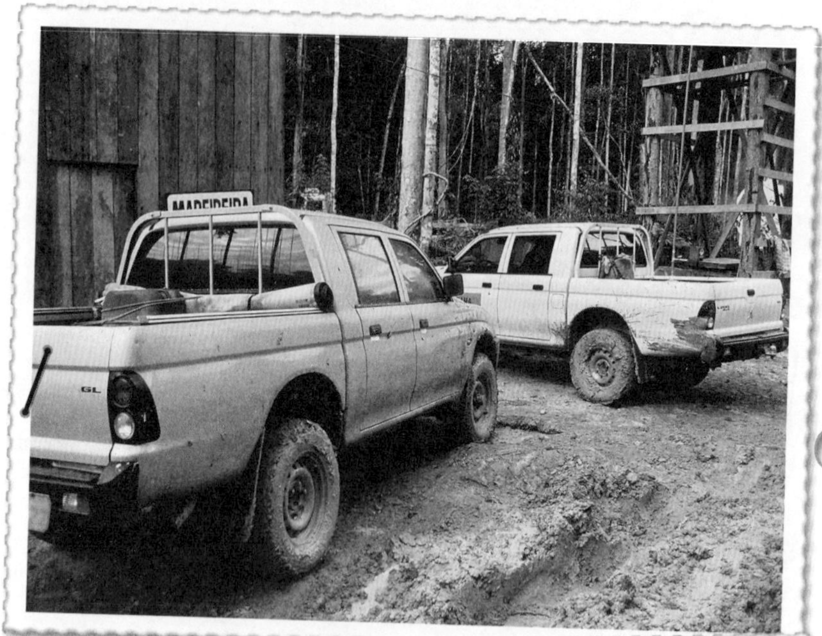
GL

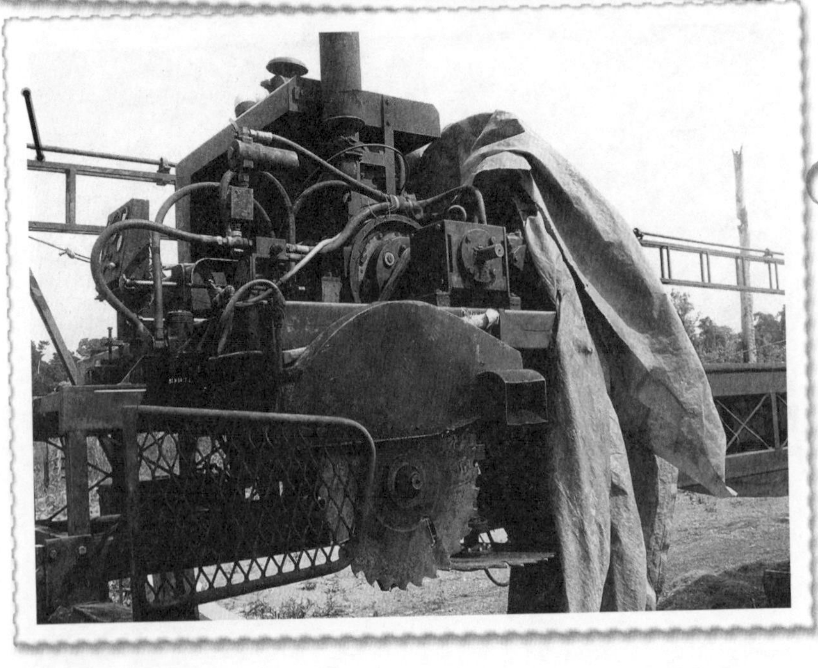

ANOTAÇÕES

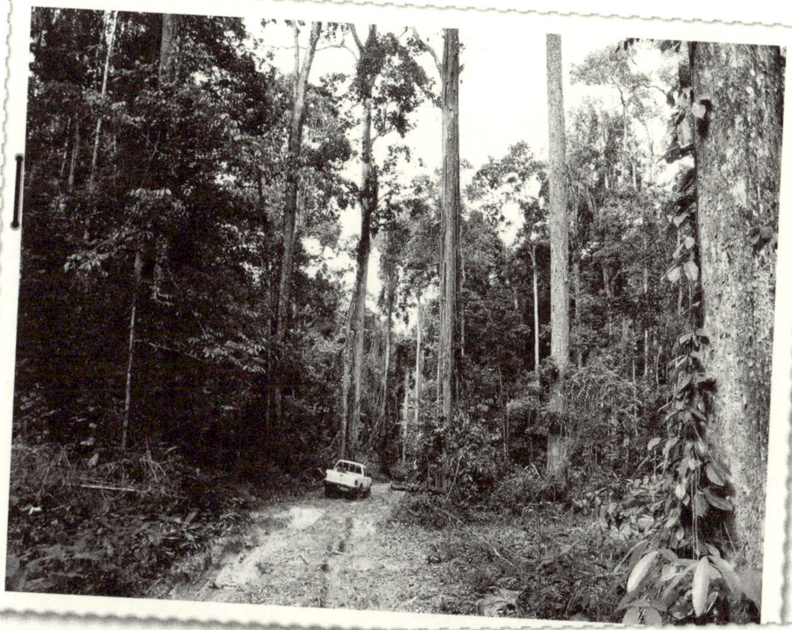

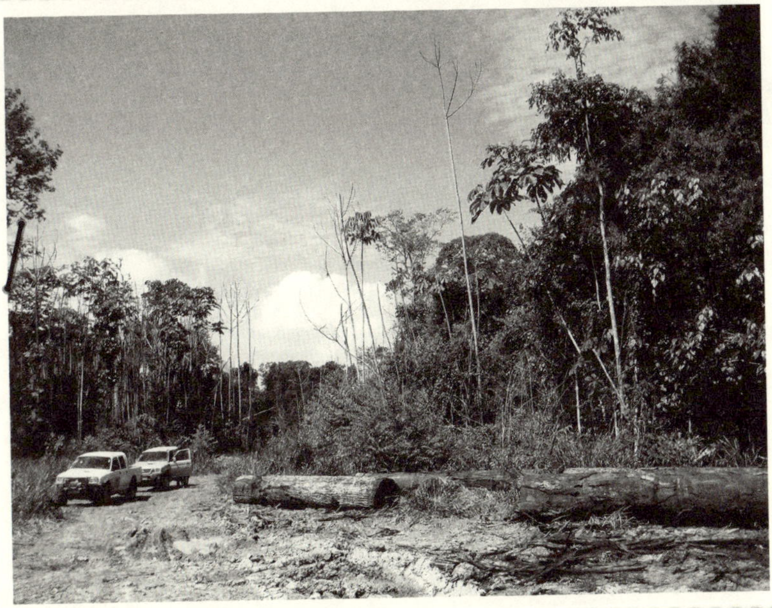

- 17 -
Ir além

RELATÓRIO POLICIAL

Operação Arco de Fogo	Data: 9 de agosto de 2010
Local: Santarém, PA	Hora: 7h30min
Missão, dia 15	Pág. 141

Vinheta no ar. A câmera gira pela redação em sentido anti-horário, passa por um globo suspenso e fecha no apresentador, que dispara a principal notícia do dia:

"— Bom dia! Representantes de quase 200 ONGs protestaram ontem, em Brasília, contra a aprovação do texto pela Comissão de Meio Ambiente do Senado do Projeto do Código Florestal. O Comitê Brasil em Defesa das Florestas alega que o texto, como foi aprovado, incentiva novos desmatamentos, porque reduz a área de proteção, sem estabelecer um limite para o tempo do desmatamento para a Amazônia e os manguezais".

As florestas estão em pauta nos principais veículos.

No mesmo dia, um dos jornais mais influentes do país, estampa na primeira página: *Queimadas no Brasil aumentaram 85% em 2010, informa Inpe*. O satélite NOAA-15 denuncia, lá do alto, um imenso território ardendo em chamas, como uma pintura de Vittore Carpaccio, o veneziano que deu nome ao filé cortado em finíssimas fatias e de um vermelho intenso que só ele sabia tirar nas telas.

Quase vinte e seis mil queimadas consagraram o Brasil como campeão em incêndios de florestas. Em meio ao debate sobre o novo Código Florestal, os seres rastejantes da floresta redescobrem o poder devastador do fogo.

No Pará, o novo Código Florestal já faz muita fumaça, justamente quando a Arco de Fogo dispara as suas flechas para os pontos que os madeireiros mais temem.

Em Santarém, o plano é ousado e, embora esteja exigindo mais do que força física, está dando certo: cortar o fluxo de madeira ilegal a Santarém por via fluvial e terrestre, identificar as madeireiras com estoques irregulares e fiscalizar os planos de manejo. O grupo foi dividido em pequenas equipes da Polícia Federal, Ibama e Força Nacional.

Onde menos se espera, há uma abordagem por homens da OAF. Uma tática de guerrilha. O Ibama concentra seus homens na fiscalização das áreas de extração e de manejo e nas madeireiras.

O ICMBio reforçaria a fiscalização das reservas extrativistas.

Cada equipe é formada por um policial federal, um agente do Ibama e dois homens da Força Nacional. As autuações administrativas e penais se sobrepõem.

Cinco dias, doze caminhões apreendidos, sem contar os caminhões e serras inutilizados no Curuatinga, áreas embargadas, madeira e motosserras apreendidas. O pátio voltou a estar cheio. As madrugadas ficaram curtas para as lavraturas de prisões em flagrante.

— Para quem o senhor trabalha? Onde iria entregar a madeira? De onde veio? Onde estão extraindo madeira? Onde, na região do Curuatinga, está a madeireira clandestina? Quantas são? — as perguntas do delegado vão preenchendo as folhas dos inquéritos policiais e preparando o caminho para as futuras penas.

Não importa a pergunta, a resposta é sempre a mesma: o silêncio. Um após o outro, não muda o discurso do absoluto silêncio.

Para todos os casos, fiança ou, pior, um mero termo circunstanciado. Não há trabalho que resista à fraqueza da lei, muito menos florestas inteiras.

Não importa o valor da fiança, que sempre era arbitrada no limite permitido pela lei. Não faz diferença. O dinheiro para pagá-la sempre aparece. Não vem do preso, não vem de sua família desprovida de recursos.

É perceptível uma força obscura interessada em manter a impunidade. A mensagem é clara, mas o inimigo invisível.

Se, por um lado, os homens saem impunes, dessa vez os caminhões vão ficar. É o plano.

As ordens de restituição de bens não demoram a chegar, mas não são recebidas imediatamente pelo delegado. Serão recebidas todas na quarta-feira. A mensagem do vigilante na portaria: "*O delegado prendeu gente à noite, tá descansando*".

Mais blitze, mais fiscalizações, mais autuações, mais apreensões, mais flagrantes, mais fianças, mais termos circunstanciados. Menos espaço no pátio.

O Ibama continuava a fiscalização de rotina nos planos de manejo e nas madeireiras da cidade. Dentro do pátio das madeireiras, separar joio do trigo é tarefa ingrata. Notas e notas de entrada e saída. Notas que se utilizam por várias vezes para justificar a permanência de madeira no pátio. Madeira que sai sem nota e é substituída por madeira nova. Empresas fantasmas. Entrega de madeira direto do ponto de extração ilegal aos clientes. Guias falsas. Créditos de resíduos usados para madeira cortada. Irregularidades sempre são constatadas. Alguma madeira apreendida, mas um trabalho inglório. É necessário ir além dos pátios, além do transporte, é necessário continuar a buscar, apreender e destruir as famigeradas serrarias móveis. É necessário levar gente para a prisão.

O Curuatinga continua a receber o esforço concentrado da base em Santarém. O número de acampamentos abandonados é alto.

A lógica simples de adentrar uma região e encontrar onde o corte de madeira está sendo realizado é tão inútil quanto a ideia de encontrar uma palavra em um dicionário que não está ordenado alfabeticamente. Daí a importância das novas leituras de satélite que chegam diariamente.

O helicóptero voltará à base na manhã seguinte, juntamente com as lanchas. Só faltam os homens da Força Nacional. A caça aos ladrões de banco continua. Estão escondidos na mata. São sempre um risco a mais para as equipes que patrulham as florestas no entorno de Santarém e na região do Curuatinga.

Por duas vezes, as equipes ficaram atoladas.

— Como os caminhões passam? — pergunta Henrique.

— Eu já vi esses caminhões atravessando aquela região em anos anteriores. Eles alcançam a parte mais profunda da estrada e conseguem passar. As picapes atolam porque o assoalho impede de alcançar chão firme

— explica Giovane. — Quando os caminhões passam, pioram a estrada com sulcos profundos das rodas. Apesar do crime, é um espetáculo à parte ver o que esses motoristas fazem.

É a força da sobrevivência do homem da floresta que mata aos poucos a Amazônia, mas alimenta sua família.

Juliano e Ronaldo trabalham incessantemente no exame pericial dos caminhões. Chassis, sinais identificadores, dados do Departamento de Trânsito, multas. Todos os envolvidos fazem suas apostas para ver se o trabalho de recolher caminhões será recompensado pela estratégia traçada pelo delegado para retê-los.

Luís encerrou sua missão, mas pediu para renovar por mais quarenta e cinco dias. Houve festa na base. Luís é um agente inestimável. A base sem ele não seria a mesma.

— Minha patroinha me deu mais quarenta e cinco dias!

— Eu falei! Ela não quer que você volte, Luís! — brinca Juliano.

Os pacotes de dados dos satélites vão alimentando as ações da base. Os sistemas de controle da madeira e planos de manejo continuam sendo cuidadosamente analisados pelo grupo especial de inteligência em Brasília e repassados prontos para as ações de repressão.

Não importa quão sofisticados sejam os sistemas e satélites, é preciso homens na ponta do arco, é preciso ir aonde o satélite aponta, é preciso intrepidez e coragem para adentrar a Amazônia sem lei e buscar quem a destrói.

Na mão inversa, todos os dados coletados pelas bases em cada apreensão, cada autuação, prisão, inquérito instaurado, são repassados diariamente pelo delegado a Brasília, cujos analistas processam tudo, preparando operações para alcançar os tubarões do desmatamento escondidos em aquários bem longe da floresta.

Henrique analisa os dados e vai distribuindo sua força diária de trabalho para alcançar o maior número de pontos possível, devolvendo à coordenação tudo o que apura.

Um e-mail de Brasília chama a atenção. Pede informações sobre situação de possível conflito em Uruará, abusos e dados para possível repressão de alto índice de desmatamento e de incoerências no SISFLORA e SIMLAM em área concentrada.

— Alessandro, o que o Ibama realmente tem sobre Uruará? — pergunta Henrique.

— Além do que já expusemos na reunião?

— Sim, preciso de dados, estatísticas, relatório circunstanciado.

— Quarenta e três milhões de reais em infrações está bom?

— É um começo, um bom começo para quem queria um número — diz Henrique, enquanto dá um falso sorriso para expressar seu descontentamento. — O que mais?

— Acreditamos que, com o fim da extração na Renascer e com o trabalho que está sendo feito no Curuatinga, temos ali uma máfia da madeira escondida nos travessões que está alimentando as madeireiras locais e quase toda a região Centro-Sul.

— Recebi informações da Base Tailândia de que teriam apreendido caminhões com madeira oriunda dali. A base de Mato Grosso também relatou caminhões-baú carregando madeira ilegal em fretes de retorno.

— Eu diria que até São Paulo deve estar recebendo madeira retirada dali, transportada com guias falsas.

— Parece que estamos no caminho. Mas eu quero saber além dos números, além dos crimes normais que enfrentamos.

— O atual secretário do meio ambiente da cidade é madeireiro, casado com uma sobrinha da prefeita. A secretária anterior era casada com um madeireiro, que agora é candidato a deputado federal. Para piorar, a prefeita esteve na rádio esses dias dizendo que é contra nosso trabalho.

— É disso que estou falando. Não acredito que nosso trabalho geraria insatisfação em uma cidade inteira. Agora estou entendendo.

— Vou pedir um relatório ao Rodrigo sobre nosso trabalho e impressões e também lhe entrego um relatório de inteligência que repassamos à superintendência em Belém.

— Hoje? Tem jeito?

— Abra seu e-mail hoje à noite e vai estar tudo lá.

— Estão confirmadas as reuniões para amanhã?
— Confirmadas. O helicóptero sai às dez horas, e o Giovane vai aproveitar a viagem para tratar de uns assuntos com o Rodrigo.
— Fechado.

ARCO DE FOGO ▸ 147

ANOTAÇÕES

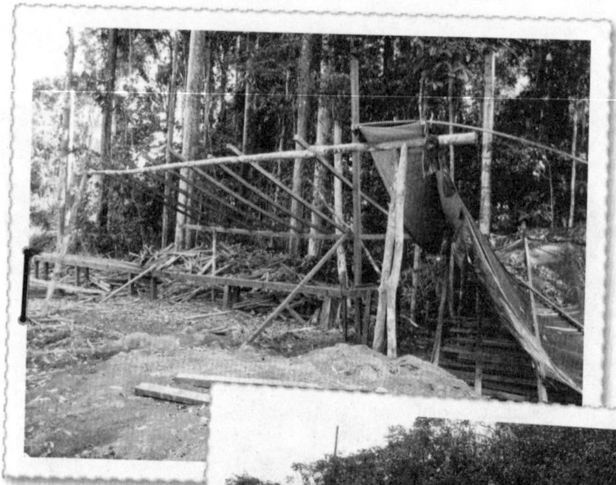

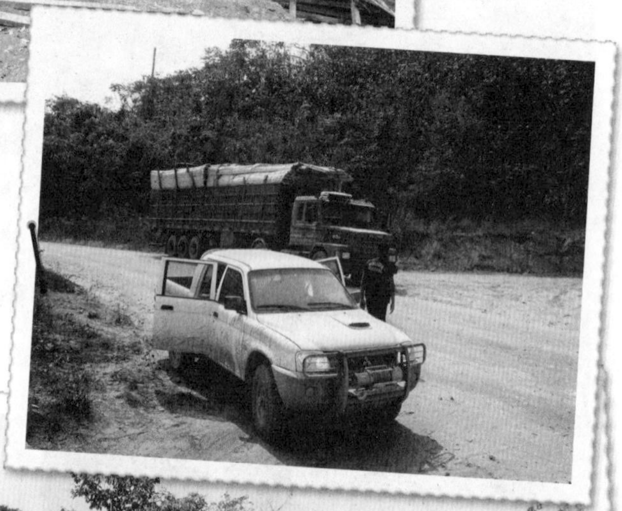

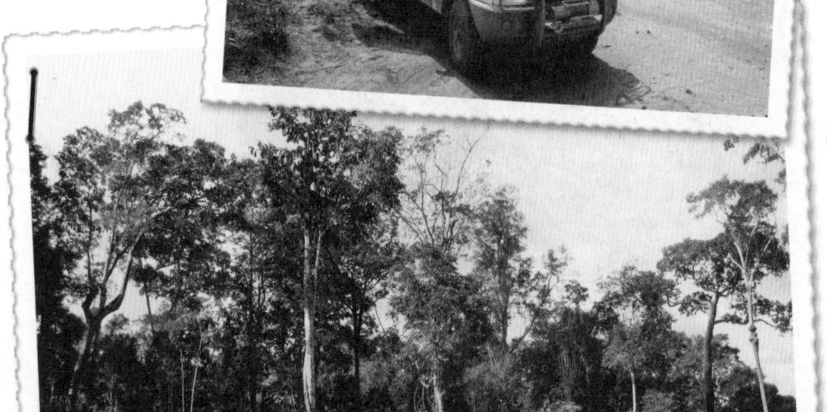

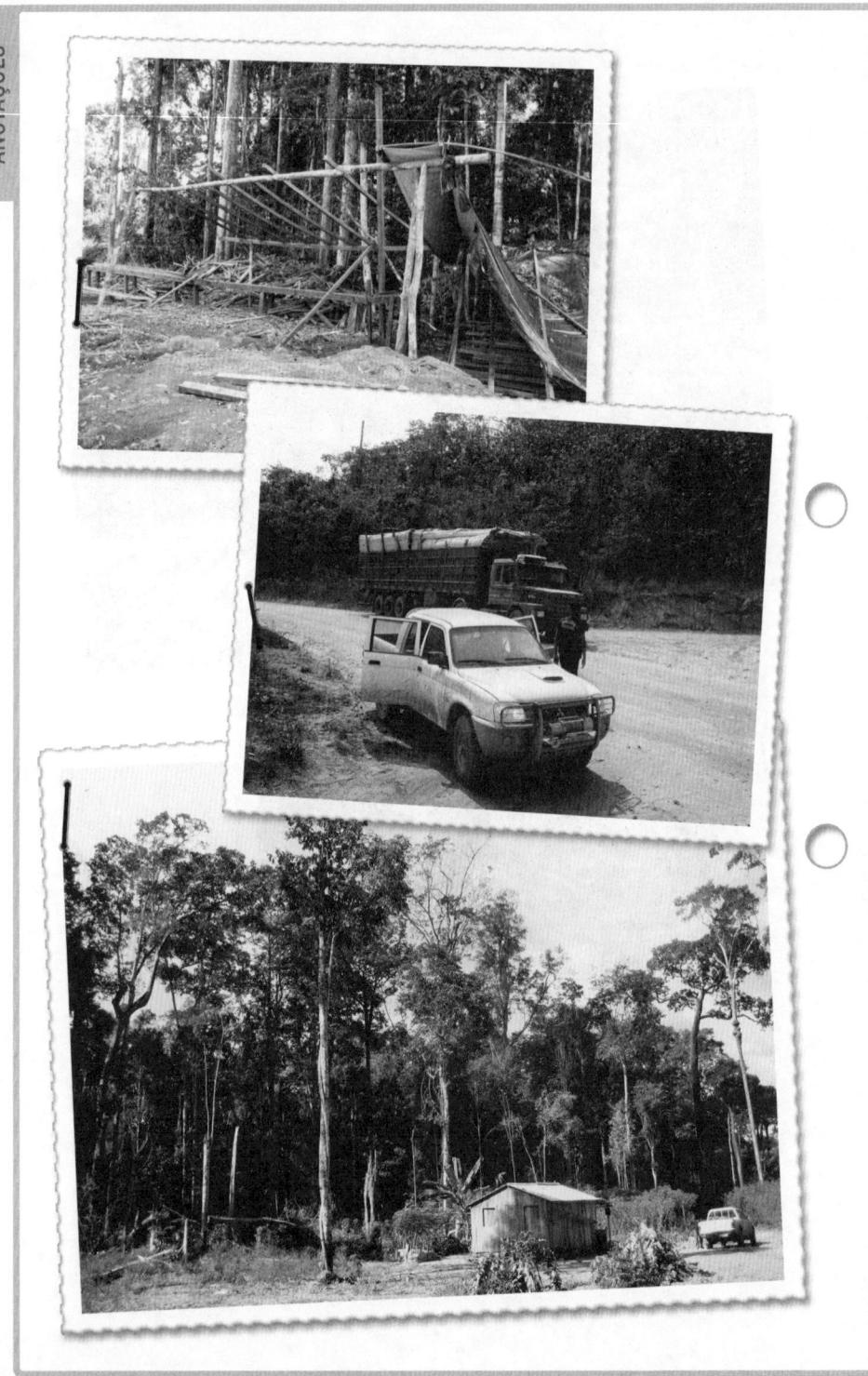

- 18 -
Em cem anos

RELATÓRIO POLICIAL

Operação Arco de Fogo	Data: 10 de agosto de 2010
Local: Uruará, PA	Hora: 10h
Missão, dia 16	Pág. 149

O helicóptero já está pronto para decolar. O rotor gira, o aparelho trepida e o assobio da turbina entra num crescente ensurdecedor. Com o vento úmido do Rio Tapajós à frente da base, vem o cheiro nauseante de querosene que invade a cabine.

O aparelho inclina o bico e sai lambendo as copas das árvores.

Henrique, Alessandro e Giovane têm um novo cronograma de ações para Uruará. É hora de atingir o centro hemorrágico da Amazônia para a base Santarém, mas antes é preciso aparar arestas. Conflito é a última coisa de que a OAF precisa e o que os desmatadores mais querem.

O voo durará uma hora, mas meia hora depois, entre o ponto de decolagem e o heliponto em Uruará, o piloto interrompe a conversa dos três homens via fone e aponta para baixo, onde uma pequena abertura permite ver uma carregadeira empilhando toras. É uma grande serraria móvel cortando madeira.

— Vamos descer? — pergunta Giovane.

— Estamos muito longe do acesso com as picapes e, com o cronograma, nunca vamos chegar aqui. Eu topo! — responde Henrique.

— Não querem plotar e voltamos amanhã? — pergunta Alessandro.

Henrique e Giovane riem e balançam negativamente a cabeça. Querem descer.

— Ok! Vou plotar no GPS esse ponto para o relatório — diz Alessandro já sacando seus equipamentos.

— Mário, tem como pousar? — pergunta Henrique.

O que o piloto vê embaixo é apenas um tapete entrelaçado de árvores gigantes, onde não cabe uma agulha.

— Não aqui. Vi um ponto em que dá para descermos, mas fica a um quilômetro para trás.

— Pode pousar lá, então — diz o delegado. — Giovane e eu descemos. Estamos armados.

Todos acenam positivamente.

E o helicóptero vai para o ponto mais próximo do local, mas também não consegue pousar. Muita areia e resíduo de madeira. Arriscado. Uma partícula dessas aspirada pela turbina e o helicóptero desce como um martelo.

— Não consigo! — grita o piloto.

— Outro ponto? — pergunta o delegado.

O piloto acena com um positivo e se distancia um pouco mais do ponto do corte clandestino de madeira. Finalmente, consegue pousar. Agora estão mais longe do ponto, pelo menos dois quilômetros. Henrique checa sua arma, Giovane também. Os dois descem.

— Não posso permanecer com a aeronave no solo! — grita o piloto, referindo-se ao risco de ter o helicóptero roubado ou mesmo atacado.

Henrique e Giovane acenam positivamente.

— Mário, quanto tempo temos? — pergunta Henrique.

— Meia hora de voo e o restante para chegarmos a Uruará com segurança — responde o piloto

— Ok — diz Henrique.

— Vamos correr? — pergunta Giovane.

— Agora!

Os homens correm o que as pernas aguentam. Pulam sobre toras, desviam de troncos, escorregam sobre as folhas secas e queimam debaixo de um sol que cozinha a pele. Doze minutos e já estão dentro da serraria móvel.

— Polícia Federal! — grita Henrique, ofegante com a corrida.

São oito homens serrando toras. Com o barulho da serra e do trator, sequer tomaram conhecimento do helicóptero que os sobrevoou. Obedecem à ordem. Giovane se aproxima e desliga a serra gigante.

É um acampamento muito bem montado, equipado com uma escavadeira adaptada com garra para carregar toras, um caminhão sem cabine e muita madeira serrada.

— Quem manda aqui? — pergunta Giovane também ofegante, enquanto Henrique mira em cada um dos homens em pé, próximos à serra.

Um homem levanta a mão.

— Qual o seu nome? — pergunta Henrique.

— João.

— João, para quem vocês trabalham?

— Para nós mesmos, senhor.

— Para onde vai essa madeira toda?

— Sei nada não, senhor.

— Vou lacrar o equipamento com os lacres de aço! — diz Giovane.

— Giovane... — diz Henrique.

— O quê?

— Vai perder tempo lacrando o equipamento?

Os homens olham com cara de poucos amigos e não parecem ter gostado da contraordem de Henrique.

— Estamos a quilômetros das vias de acesso. Não vamos conseguir voltar aqui para recolher esse material. Vamos virar as costas e os nossos amigos vão romper esses lacres e continuar serrando.

— Tem razão.

— Faz isso não, moço! Estamos aqui para sustentar família — diz João.

— Meu amigo, não vai rolar — diz Henrique. — Vocês peguem essa madeira que já serraram e usem. Tem muita madeira aí. Não vendam! Não vendam! Mas essa serra já era.

Giovane atravessa três barras de ferro da estrutura modular sobre os trilhos fixos e liga a serra.

— Afastem-se, senhores!

A serra vai em direção às barras e as corta como se fossem de sabão. É uma serra potente.

Giovane busca a roda de um caminhão. Consegue levá-la até os trilhos e a amarra. Liga a serra novamente e ela se rompe com o encontro da roda. Não presta mais para nada. Henrique retira combustível do caminhão e joga sobre o motor da serra. O suficiente para queimar a serra sem iniciar um incêndio. A fumaceira e os fios e mangueiras queimados confirmam: era uma vez uma serraria móvel no meio da selva amazônica.

Só tem mais cinco minutos para o ponto de extração do helicóptero e não vão conseguir chegar a tempo correndo.

— Vocês ficaram com a madeira — diz Henrique. — Estão no lucro. Um de vocês vai pegar aquele resto de caminhão ali e vai nos levar até o ponto de onde viemos.

Um dos homens obedece, e ambos são levados no mais incompleto veículo automotor que Henrique já viu andar. O motorista está sentado sobre um toco de árvore gigante, e não existe absolutamente nada entre ele e o motor do veículo.

Chegam rápido. O helicóptero pousa.

— E, aí? — pergunta Alessandro. — Lacraram a serra?

— Que serra? — pergunta Henrique.

Alessandro já entendeu. Apaga a plotagem do GPS.

O procedimento cirúrgico deu certo. Pelo menos aqui a hemorragia está estancada. Mas os policiais sabem bem a diferença entre curativo e tratamento de choque.

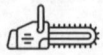

— Senhores, em Macapixi eu mando buscar corpos de caminhonete. Ninguém sabe o que acontece nesses travessões. Os corpos vêm na caçamba. É um lugar difícil — insiste a prefeita de Uruará com Henrique e Alessandro.

— Entendo, senhora Hélia, mas Uruará está no topo das áreas de desmatamento e todas investigações apontam para cá — rebate Alessandro.

— O Ibama aplicou na última vez e nesse mês mais de quarenta milhões em multas, e o pessoal está assustado — diz a prefeita. — Tem área embargada para tudo que é lado.

— Estão sendo multados porque estão em desacordo com a lei. Estão queimando mata nativa para pasto, extraindo madeira das reservas legais, vendendo madeira, desrespeitando os planos de manejo, mantendo fornos ilegais — rebate Alessandro.

— A verdade é que estamos aqui para corrigir isso, pelo bem ou pela lei — interrompe Henrique. — E queremos saber até onde a senhora está comprometida conosco.

— Vejam, senhores, o que eu escuto é que têm havido exageros. Não sei, não vi, mas é o que mais escuto aqui. Esse tal de Rodrigo, do Ibama, tem agredido as pessoas. E outra? Para que um federal de metralhadora?

— Eu conheço o Rodrigo, e acho muito difícil isso proceder — rebate Alessandro.

Henrique ignora o comentário sobre o armamento da Polícia Federal.

— O Estado aqui não existe, e, como eu ia dizendo, o povo de Uruará é muito tranquilo. Daí, de repente, aparece Polícia Federal, Ibama, Força Nacional, multando todo mundo, indiciando, prendendo. Não está certo isso. Eu quero apoiar a lei, mas está difícil.

— A senhora não está facilitando. Por que a senhora insiste neste discurso de insurgência contra a Operação Arco de Fogo? — indaga o delegado.

— A cidade está parando — rebate a prefeita.

— Não entendo. Se estamos atrás do que é ilegal e a cidade é legal, por que está parando, prefeita? — torna Henrique.

— Medo! Ninguém quer ser multado! O pessoal não entende a lei.

— Besteira, prefeita! — irrita-se Henrique.

— Aqui há 36 empreendimentos madeireiros — argumenta Alessandro. — Vivem da exploração da madeira há décadas e vão dizer que não conhecem a lei? O que temos verificado é a inserção contínua de informações falsas no SISFLORA. A nossa fiscalização tem constatado que eles têm mais madeira no pátio do que deveriam.

— Eu não entendo desses sistemas.

— A senhora não entender eu até aceito, prefeita, mas os madeireiros é inaceitável — diz Henrique. — Eles têm obrigação de saber, e é por isso que estamos aqui.

— Outra irregularidade que temos constatado é que madeira está sendo retirada das reservas e dos assentamentos — aponta Alessandro.

— Senhores, senhores! Eu cresci aqui. Os senhores sabem que o assentado, o agricultor, o dono de terra ou vende a madeira ou é ameaçado. É óbvio que vende. Mas isso não vai acabar com a Amazônia.

— Isso! Chegamos a esse ponto importante, prefeita — aproveita Henrique. — E isso explica nossa presença aqui também. De onde a senhora acha que vem a madeira que estamos encontrando nos pátios das madeireiras?

A prefeita fica em silêncio.

— As leituras de satélites indicam que está havendo extração pesada nos travessões. Estamos aqui para acabar com isso também — completa Alessandro.

— Entendo, entendo. Os senhores estão no papel de vocês! Cumpridores de ordens, é isso. Podemos discutir aqui a tarde toda, mas acredito que nenhum de nós tenha tempo para isso — diz a prefeita, dando tom de encerramento e sinais de impaciência com a lista interminável de ilegalidades.

Por cumpridores de ordem, Henrique entendeu que a prefeita queria chamá-los de paus-mandados. Ignorou, inclusive o encerramento da conversa.

— Temos um pouco mais de tempo, sim, e gostaria que a senhora nos concedesse uns minutos a mais porque viemos até aqui especialmente para falar com a senhora — diz Henrique olhando fixamente para a prefeita. — Sobre nos apoiar, não foi o que a senhora disse em uma rádio esses dias. A informação que a Polícia Federal tem é de que a senhora estaria incitando a população contra nossos homens.

— Eu? Jamais faria isso!

— Prefeita, minha fonte de informação é inquestionável — diz Henrique. — Não estou aqui para julgá-la. Só quero dizer que essa postura não vai facilitar as coisas. Eu diria que até mesmo vai engrossar o caldo. Se a senhora não tem condições políticas de apoiar nossa ação, ao menos se abstenha de colocar a população contra nós.

— Senhores, isso é quase uma ofensa! Eu quero apoiar, sim!

— Ótimo, prefeita! Mais um ponto produtivo dessa reunião saber que a senhora quer nos apoiar. Então, precisamos que a prefeitura nos ceda um pátio, preferencialmente próximo à garagem de veículos da cidade. Nossos homens têm apreendido madeira, mas não temos para onde removê-la. E pretendemos apreender maquinários também. O problema é que estamos a quatrocentos quilômetros de Santarém, onde está nosso pátio. Então, para operacionalizar nossas ações, precisamos de um espaço público aqui.

A prefeita tosse. Está engasgada.

— Desculpem, senhores! — continua tossindo.

Henrique olha para Alessandro, os dois com um sorriso no rosto. É muita pressão sobre a prefeita.

— Eu vou ver o que posso fazer — outra tosse, toma um copo de água.
— Mas os senhores vão começar uma guerra aqui, e eu não me responsabilizo.

— Tem mais uma coisa, prefeita, que eu gostaria de fazer — diz Henrique, enquanto a mulher faz um ar de desespero. — Vamos marcar uma audiência pública, e eu gostaria que a senhora participasse.

— Não vejo a necessidade da minha participação.

— Há uma propaganda rolando nos rádios, nos blogs, no boca a boca, de que somos os vilões, de que estamos aqui para fechar a cidade, quando na verdade estamos aqui para fazer cumprir a lei.

— E...?

— E daí que não temos como fazer propaganda. Precisamos de um canal direto, sem intermediários, para falar com a cidade, falar com os noventa e nove por cento de pessoas que cumprem a lei — diz o delegado.

— Essas audiências são muito desgastantes — insiste a prefeita.

— Não podemos obrigá-la a participar — completa Alessandro. — É um convite, e nós vamos fazer com sua participação ou sem ela. Queremos apenas o espaço público, o ginásio da cidade.

— Certo, certo, senhores. Marcaremos.

Despedem-se. Henrique e Alessandro saem do gabinete e caminham pelo corredor da prefeitura.

— Quando você acha que teremos um pátio da prefeitura? — indaga Alessandro.

— Deixe-me fazer as contas — ironiza Henrique. — Daqui uns cem anos, eu acho.

— Em cem anos, eu também acho possível. Pensando positivamente. Mas aí já não tem Amazônia mais!

— Outra coisa: é impressão minha ou a prefeita quis nos dissuadir de entrar em Macapixi?

— Tive a mesma impressão, a-p-e-s-a-r de ser verdade, que ali é terra de ninguém.

— Veremos! Vamos ver a promotora e pegar esse voo para Santarém antes que escureça. Vamos correr que eu quero ter uma palavrinha com meu pessoal antes de voltarmos.

— Feito — concorda Alessandro.

O fórum tem um aspecto inconfundível de cadeia pública. Cercado por grades por todos os lados, não há janela que não seja antecedida de outra grade grossa. Na porta interna giratória detetora de metais, após as grades, um vigilante armado.

É evidente que dar a última palavra da lei por aqui não é tarefa fácil a qualquer juiz. Um ato de coragem assumir uma comarca nessa região.

A vida da promotora de justiça também não deve ser fácil. Sustentar pedidos de condenações em júris ou mesmo em outros crimes em que se insiste na aplicação severa de penas ou em recursos em que se insiste que o juiz não foi duro o bastante é uma missão inglória.

No entanto, Henrique tem informações de que a postura da promotora Heloísa Cristine Borges é forte e destemida.

— Senhores! Sejam bem-vindos! — cumprimenta Heloísa.

É uma mulher de estatura média, pele morena e cabelos pretos bem curtos. Está vestida com um tailleur de calça cinza. Extremamente simpática e afável, mas ao mesmo tempo com uma voz firme.

Sua sala fica dentro do fórum e conta com um assistente na antessala. Henrique e Alessandro se sentam em um pequeno sofá, enquanto Heloísa se acomoda em uma poltrona à frente de ambos.

— Vejam, é sempre um prazer receber a Arco de Fogo aqui.

— Ficamos honrados pela sua recepção, doutora Heloísa — diz Henrique.

— Eu digo o mesmo, doutora — completa Alessandro.

— Mas a que devo a honra?

— Doutora, nós temos recebido e trabalhado informações de que essa região é uma das campeãs de desmatamento nesse momento dentro da região amazônica paraense. Temos a intenção de aumentar nossa presença aqui e precisamos saber como podemos contar com o Ministério Público para agilizar as ocorrências para fins de processamento — expõe Henrique.

— Preciso dizer, senhores, que, quando vocês estão na região, como da última vez antes de a governadora vir aqui...

— Saímos por causa da Renascer — interrompe Alessandro.

— Sei disso, embora a propaganda que fizeram por aqui não tenha sido essa. Mas, como eu dizia, quando vocês estão por aqui, nos sentimos mais seguros. A ausência do Estado causa sérios problemas. Esses travessões guardam história de ameaças, homicídios, estupros, tráfico de drogas, de pedras preciosas e, o que os senhores mais sabem, desmatamento desenfreado. Macapixi é um inferno à parte, e tem fama de ser impenetrável para o Estado. Já participei de cinco júris de casos vindos dali. Não consigo a condenação, não há testemunha que aceite depor e eu não posso obrigá-las. A testemunha de hoje é a vítima de amanhã.

— Sabemos disso — responde Henrique. — Sabemos que a cidade é de pessoas boas, até pacata, mas sabemos que os assentamentos e os travessões guardam histórias complicadas. Nosso foco são os crimes ambientais, mas, no que pudermos ajudar...

— Um problema jurídico está me impedindo de ajudar na Arco de Fogo — diz a promotora.

— Estou interessado e curioso — diz Henrique.

— As ocorrências lavradas pelo Ibama vão para a Justiça Federal em Altamira, que tem declinado para a Justiça Estadual de Uruará. O problema é que os processos passam por Belém para chegar aqui e, quando chegam, já estão perto da prescrição. Não é culpa de ninguém; é só a tramitação mesmo.

— E qual seria a solução? — pergunta Henrique.
— Comunicação direta ao Ministério Público em Uruará.
— Considere resolvido, doutora — diz Henrique. — A Arco de Fogo tem um acordo de comunicação direta. Embora, pela lei, o Ibama comunique os casos comuns de infrações ao Ministério Público Federal, dentro da nossa operação eles comunicam diretamente à Polícia Federal, que tem autonomia para comunicar o Ministério Público estadual onde não há Justiça Federal. Assim, todas as ocorrências virão direto para suas mãos.

A reunião dura mais uma hora, e todos os ajustes para enfrentar o desmatamento na região de Uruará são feitos. A promotora participará da audiência pública.

Já é tarde, e é necessário retornar à base para que o helicóptero não faça um voo noturno.

Mas, antes, Henrique precisa se reunir com Francisco e Felipe, os policiais federais que estão em Uruará. É necessário saber mais sobre o que ocorre na região, saber o que ninguém quer dizer: vazamento de informações.

ARCO DE FOGO ▸ 159

ANOTAÇÕES

- 19 -
A ressalva

RELATÓRIO POLICIAL

Operação Arco de Fogo	Data: 11 de agosto de 2010
Local: Santarém, PA	Hora: 9h
Missão, dia 17	Pág. 161

Fagner Nonato, o advogado, com seu ar de absoluta tranquilidade, comparece. Era esperado. Voltou ao bunker da Polícia Federal e pretende sair dali com seis caminhões.

— Chefe, o advogado está aqui — anuncia José, com um sorriso no rosto.

— Doutor Fagner! Seja bem-vindo! Peço desculpas por não poder ter recebido o senhor na semana passada, mas as ocorrências caem como árvores por aqui.

O advogado se faz de desentendido.

Do outro lado, a equipe trabalha na pesquisa de dados pela rede VPN. Juliano e Ronaldo avançam nos laudos. Márcio rastreia as empresas e notas fiscais das madeireiras. É um trabalho hercúleo. Mas, a verdade é que, hoje, estão ali para assistir a um novo *round*. O primeiro *round*, retirada dos caminhões do Ponto Oito, foi vencido pela OAF. O segundo, as devoluções, foi vencido pelo advogado. É hora do terceiro *round*.

— Doutor Henrique, não sei por que a Polícia Federal insiste nessa ilegalidade. Já está esclarecido que esses homens dependem desses caminhões para sustentar suas famílias. Por que o senhor não apreende só a madeira? Daria menos trabalho para todos nós. O senhor e sua equipe estão correndo riscos...

— Como!? — interrompe o delegado.

— ... de serem representados por abuso de autoridade, constrangimento ilegal. Essas coisas que dão trabalho, o senhor bem sabe.

— O senhor está fazendo conjecturas ou já quer reduzir a termo o que está dizendo, doutor Fagner? Digo, representar contra mim.

— Oras, doutor, eu não perderia meu tempo representando contra uma autoridade da nossa gloriosa Polícia Federal.

— Eu insisto, doutor Fagner. Hoje estou reservado para atender aos advogados, e, pelo que sei, tem mais dois aguardando lá embaixo. Então, não se faça de rogado. Tenho tempo.

— Bem, se o senhor tem tempo, eu não — Fagner não perderia uma deixa dessas para provocar. — Deixemos isso de lado, doutor Henrique. Tenho certeza de que o senhor sabe o que está fazendo. Espero. Eu tenho aqui seis ordens judiciais de restituição dos caminhões, e já tenho o trator para retirar a madeira, homens e essas coisas que o senhor já deve ter aprendido.

— O senhor tem sido um grande professor, doutor Fagner. Não desperdiço nenhuma de suas lições. Mas o senhor, com toda a sua sabedoria, não acredita ser um contrassenso?

— Desculpe, não entendi.

— Se a extração é para sobrevivência e não há crime, a madeira também deveria ser devolvida. O senhor não concorda?

— Doutor, não vou discutir isso com o senhor. O Judiciário apenas tem sido sensível ao fato de que meus clientes serem autuados por transporte ilegal de madeira não autoriza o Estado a lhes retirar o seu ganha-pão, que é o caminhão, o qual pode muito bem ser utilizado para o transporte legal de madeira e outros produtos. Ademais, o pessoal aqui não tem muito trabalho, se o senhor bem notou. Os homens vão para Manaus em busca de emprego. Daqui a pouco a Polícia Federal vai causar um desequilíbrio econômico, e daí espero que o governo tenha muito dinheiro em caixa para pagar bolsas. Temos baixa criminalidade por aqui.

— Mas furtos são comuns, ao que me parece, especialmente de caminhões.

O advogado estende o braço com os mandados para o delegado e continua:

— Não adianta querer assegurar o futuro da floresta com a morte, no presente, do homem. E árvore, estou aqui há décadas, nasci aqui, cresce todo dia.

O delegado lê os mandados sem prestar muita atenção aos argumentos do advogado. Todos da justiça estadual. Certifica-se de que não há divergências nas decisões. Todas iguais.

— Jô! — o escrivão se apresenta com ar de ansiedade. — Por favor, lavre os termos de restituição e não se esqueça da ressalva!

— ... xá comigo, chefe! Ressalva quentinha saindo.

O advogado fica em dúvida se deve perguntar sobre a ressalva. Não quer servir de escada para piadas. Já usou as do delegado e sabe que ele vai devolver. Resigna-se. Permanece em silêncio por alguns instantes, mas resolve testar o terreno:

— Doutor Henrique, acredito que eu deva pedir para o meu pessoal retirar a madeira dos caminhões. Ir adiantando, sabe?

— Não, doutor. Hoje sou eu quem vai lhe poupar trabalho, já que o senhor tem muita coisa por fazer — enfatiza o delegado. — Não tem tempo, por assim dizer, certo? Vamos esperar o escrivão lavrar os termos.

Fagner sente que está em posição de desvantagem, mas prefere esperar para ter certeza antes do próximo movimento. Desconfia da ressalva do delegado.

José gasta uma hora para lavrar os seis autos. Rápido. Um a cada dez minutos. Advogado e delegado, embora sentados na mesma sala, trocam poucas palavras:

— Onde está sua família, doutor Henrique?

— No Paraná.

— Eu pensei que o senhor tivesse dito Brasília ou Belo Horizonte.

— Não! O senhor me perguntou onde eu trabalhava. Agora o senhor me perguntou onde está minha família. O senhor parece muito interessado em minhas raízes.

— Perdoe-me, doutor! Nós somos muito hospitaleiros e amigáveis aqui. Só estava sendo gentil.

— Agradeço sua gentileza.

Os policiais acompanham a conversa.

José entra com os termos. Henrique, sem tirar os olhos da tela do notebook, onde lê um e-mail da coordenação da operação em Brasília com informações sobre Uruará, aponta para o advogado para que os termos lhe sejam entregues para leitura.

Não demora dois minutos para o advogado indignar-se:

— Como assim? O senhor vai desobedecer a uma ordem judicial? Quem o senhor está pensando que é? O senhor vai responder por crime de desobediência, com certeza!

— Vou esperar para ver, doutor. E mais: funcionário público não responde por desobediência. Isso é crime de particular.

O advogado levanta-se, em um gesto de irritação. Não gosta da correção que lhe foi feita. Respira e recompõe-se. É uma jogada do delegado para ganhar tempo. As peças do tabuleiro começam a ficar sem espaço. Abotoa o paletó e coloca os autos gentilmente na mesa:

— Doutor — com a voz calma —, eu entendo a nobreza de sua intenção, mas não é privando as pessoas de se alimentar que vão salvar a floresta — e começa a sair.

— Tenho certeza disso, doutor. Queira assinar os termos, por favor! Porque, na verdade, se o senhor ler com atenção, estamos cumprindo a ordem judicial. Se o senhor não assinar, o escrivão terá que certificar que o senhor esteve aqui, se recusou a assinar os termos de entrega e comunicar o juízo. Apesar do tempo que o senhor diz que eu tenho e o senhor não, podemos poupar a perda desse em específico.

O advogado sorri. Sabe que o *round* foi perdido hoje. Assina cada um dos seis termos e sai calmamente pelo corredor. Está contrariado. É a primeira vez que vem buscar algo e não leva. Guarda consigo a certeza de que na próxima visita os caminhões certamente sairão. Fará força para isso.

José e os policiais da sala do Núcleo de Operações dão um grito de alegria. Luís é o mais entusiasmado do grupo. O advogado, ainda no final do corredor, escuta os gritos antes de descer a escada. Para, respira, balança a cabeça, ri e desce as escadas. Tanto faz. Ganharam um dia? Dois? Quem sabe?

No final de cada termo a ressalva:

"Realizo a liberação do bem apreendido, nos termos da ordem judicial da qual ora sou intimado, em referência ao auto de prisão em flagrante. Deixo, porém, de realizar a entrega efetiva do bem, porque conforme consta cópia nos autos, o bem também se encontra apreendido administrativamente pelo Ibama — órgão federal no exercício de sua atividade de fiscalização federal — no respectivo Auto de Infração Ambiental, submetendo o caso a Vossa Excelência para deliberação".

Não é uma solução definitiva, mas é certo que o juiz remeteria o interessado para a Justiça Federal. A Amazônia ganharia um pouco de tempo contra a jurisprudência da devastadora sobrevivência humana travestida de dignidade.

Todos os advogados que apresentaram mandados receberam o mesmo tratamento.

Polícia Federal e Ibama cruzaram as apreensões. Cada mandado e cada auto de apreensão lavrado dentro do inquérito policial era copiado e encaminhado imediatamente para o Ibama juntar nos autos do procedimento administrativo. Todos os caminhões apreendidos pelo Ibama, antes e depois de Henrique chegar, eram copiados para a Polícia Federal, e se instaurava um inquérito policial ou eram juntados nos autos do inquérito policial já instaurado. Eram duas apreensões sobre o mesmo bem em esferas distintas: administrativa e penal. Melhor, em esferas judiciais diferentes, federal e estadual. Liberada uma, a outra segurava.

Quem apresentava ordem federal ao Ibama recebia um auto com os dizeres contrários, informando que o bem estava apreendido também no inquérito policial e que sua liberação efetiva poderia responsabilizar o servidor do Ibama.

Cada uma das ordens judiciais de liberação que chegava também era copiada de uma esfera para outra para que, havendo as duas liberações, Ibama e Polícia Federal não cometessem erro.

As defesas reagiram rápido.

Mas o plano dos homens que combatem o desmatamento era mais sofisticado. Nem as duas ordens judiciais tirariam os caminhões do pátio.

Quando as duas ordens chegavam e eram cruzadas nos procedimentos, o laudo pericial apontava irregularidades administrativas como ausência de licenciamento, apreensões anteriores, checagem de dados identificadores — muitas vezes ilegíveis — e que o fato já havia sido comunicado ao DETRAN, aguardando informações e exame metalográfico, inclusive para afastar adulteração, clonagem de chassi, roubo, furto ou receptação. Novas ressalvas eram lançadas nos autos de liberação, e o auto de liberação voltava ao Judiciário com ressalvas que se acumulavam com as primeiras. Os juízes passaram a determinar que as informações fossem aguardadas, o que, certamente, demorariam a chegar.

Juliano e Ronaldo atravessavam as noites elaborando laudos.

A estratégia funcionou. O caos jurídico se instalou. Os caminhões não saíam mais. Nem um, nem dois, nem três dias. Os caminhões ficariam meses. Terceiro *round*: OAF.

Para cada caminhão apreendido, um inquérito policial era iniciado com a prisão em flagrante e uma intensa investigação sobre o histórico do veículo e do motorista. Todos já haviam sido funcionários de alguma madeireira, já tinham sido autuados. Muitos caminhões já tinham pertencido a uma madeireira. Era o rastro necessário para responsabilizar os donos das madeireiras que alimentavam o corte ilegal de madeira, autuá-las, fechá-las.

O clima de aparente tranquilidade foi quebrado. A insatisfação era palpável. A fama da equipe da Arco de Fogo em Santarém começou a queimar a paciência dos homens que vivem do desmatamento.

A necessidade leva ao erro. Com dezenas de caminhões apreendidos, os veículos que não saíam mais do pátio eram substituídos nas ruas e florestas por veículos cada vez mais velhos, mais irregulares, mais fáceis de segurar.

O advogado ainda não sabia, mas não perdera o *round* apenas. Fora nocauteado.

O arco tensionou um pouco mais.

ANOTAÇÕES

- 20 -
Emboscada?

RELATÓRIO POLICIAL

Operação Arco de Fogo	Data: 16 de agosto de 2010
Local: Santarém, PA	Hora: 9h
Missão, dia 22	Pág. 169

Em três semanas, nenhum caminhão foi restituído.
Já são trinta caminhões apreendidos.
As fiscalizações do Ibama encontram cada vez menos irregularidades nas madeireiras em Santarém. Estoques mais baixos também. Os homens da Força Nacional já estão a serviço da OAF novamente, embora a caçada aos homens que limparam o banco continue.

O clima nas equipes da Polícia Federal, Ibama e Força Nacional é de otimismo. O trabalho está sendo bem-feito.

Henrique anda pelo pátio e também está satisfeito.

Lembra-se de casa. Faz mais de três semanas que está longe. A saudade de sua mulher e da filha já é grande, e há mais dezenas de dias pela frente. Embora tivesse relutado em assumir a missão, se sente cada dia mais à vontade. Tem um lema: se é para ficar longe de casa, que o serviço seja bem-feito.

Como a maioria das pessoas, antes de ingressar na Polícia Federal, tinha a noção quase infantil de como acabar com o desmatamento. Seria só prender quem desmata. Mas quem desmata? Onde desmata? Quantos desmatam? O que é legal e o que é ilegal?

Há um oceano de árvores, e, embora cada dia menor, continua um oceano de árvores. Encontrar pessoas cortando árvores é como resgatar um bote salva-vidas no oceano sem saber onde foi sua última localização. Onde hoje há pessoas cortando, amanhã não haverá mais. E, onde hoje não há, amanhã haverá. Olheiros e barreiras criadas com troncos impedem que equipes cheguem a tempo de prender pessoas nas brocagens. Mas uma coisa é certa, onde um dia houve corte, hoje só há areia.

Henrique percorre o pátio e se lembra do envelope pardo: a estrutura e o coração do homem.

Olha a quantidade imensurável de madeira no pátio. É madeira morta. A floresta já sangrou e, embora com mais dificuldade, a madeira continua sendo retirada do Curuatinga ou de algum lugar da Amazônia.

É sempre necessário um novo passo. Buscar fontes, destruir as famigeradas serrarias móveis, que devastam a floresta antes dos caminhões, que apenas transportam o produto do crime.

O sol já brilha forte, apesar de não passar das nove da manhã.

Henrique avista uma picape L200 do ICMBio, estacionada no pátio, com diversas pessoas em volta da caçamba. Aproxima-se, cumprimenta todos. Tiago Camargo, chefe do ICMBio, está entre as pessoas. Rapaz jovem, magro, cabelos louros e ralos, barba no melhor estilo de quem não está muito preocupado com o que pensam sobre ele, aparentando uns trinta anos no máximo.

No interior da caçamba, dezenas de tartarugas que acabam de ser resgatadas em cativeiro ilegal.

— Iam para a Europa, acredita? — diz Tiago.

— O ser humano acha que tudo que está no mundo é para ser comprado. Bichos, árvores... — diz Henrique. — Falando em Europa, eu nunca vi tantos estrangeiros em uma mesma cidade. Parece que estou no aeroporto de Guarulhos.

— São muitos. Missionários sem Bíblia, estudantes aos montes, turistas. Todos sabemos o que fazem aqui.

— Biopirataria.

— Exato. Sempre estão com alguma coisa na mochila: uma planta, um inseto, um mineral.

— Estou impressionado. Como é difícil proteger essa riqueza toda.

— Bem-vindo ao time. Mas eu posso dizer que vocês estão de parabéns, Henrique! O serviço tá bonito de se ver. Fazia tempo que a gente não batia tanto e apanhava tão pouco.

— A equipe está motivada. A gente não consegue salvar o mundo, mas, do pedacinho que derem para cuidar, iremos cuidar bem.

— Podemos conversar um minuto?

— Claro.

Henrique acompanha Tiago até um canto distante do pátio.

— Esqueça o Curuatinga, Henrique.

— Não entendo. Por que eu faria isso? Acredito que a gente consiga atravessar os pontos mais distantes ainda esta semana, e está rendendo o trabalho ali.

— Já vimos que você é um cara determinado. Sua equipe é fechada e motivada. Daqui a pouco vocês vão embora e a gente vai continuar aqui. A madeira que alimenta Santarém, o Pará, Europa, Estados Unidos e a região Centro-Sul do país não está saindo do Curuatinga. Até está, mas noventa por cento vem de mais longe. Vem de Uruará. Vocês já viram que o estrangulamento dos acessos ao Curuatinga reduziu o estoque das madeireiras daqui. Nós temos uma pessoa disposta a colaborar, mas ela está quase inacessível. Você é o cara que pode nos ajudar a punir os responsáveis pelo maior desmatamento de que já se teve conhecimento, a Renascer. Você sabe o que aconteceu ali. Conversamos na reunião.

— Li o relatório. É impressionante e desolador o que fizeram. Há um inquérito da Polícia Federal para concluir sobre aquela destruição. Onde está essa pessoa que quer colaborar?

— É aí que entra a necessidade da Polícia Federal. Nós também não sabemos. Nem a conhecemos.

— Não ajuda muito. Ao menos, ela sabe onde nós estamos.

— Ela procura uma pessoa para confiar. Parece que só está disposta a falar com você porque a notícia desse trabalho aqui já se espalhou. O pessoal do desmatamento está esperando você e sua equipe irem embora, daqui a um mês. É o tempo que temos.

— Vamos causar muito estrago antes de irmos embora. E a equipe que vier continuará a fazer o mesmo. A equipe que nos antecedeu foi sensacional. Descobriram a Renascer. O que sabemos desse colaborador?

— Quase nada. Não sei se é homem ou mulher e não sei onde está. Soubemos desse colaborador por uma terceira pessoa que se diz mensageiro e quer falar em um local seguro com você. O mensageiro está em algum assentamento aqui por perto, o colaborador também, só que em lugares diferentes. Segundo o mensageiro, ele entendeu bem os recados da morte da Irmã Dorothy e do Chico Mendes. O irmão dele também foi assassinado. Ele quer vingança. Nesses travessões, além de árvores, morre muita gente boa. Somos os campeões mundiais em morte de ativistas. Ninguém nem sabe que essas pessoas existiram.

— A chance de ser uma emboscada é grande — observa Henrique.

— Não havia pensado nisso. Isso é pensamento típico de polícia, mas, pensando bem, existe. Quer descartar ou quer arriscar?

— Não! Absolutamente não! Não vamos descartar nada. Estou disposto a correr o risco. Marque o encontro com o mensageiro e consiga o local onde encontro o colaborador. Mas o encontro com o mensageiro será em Santarém.

Henrique deixa Tiago cuidando das tartarugas e se dirige a sua sala. Não quis revelar que Uruará já se tornou prioridade.

O pessoal se prepara para mais uma incursão ao fundo do Curuatinga. Os trabalhos na região estão apresentando excelentes resultados. Três serrarias móveis apreendidas e diversas madeireiras ilegais fechadas. Um estrago sem fim na estrutura do desmatamento.

Antes de saírem, reúnem-se e Henrique relata o caso do colaborador.

— Luís, quero saber tudo sobre o Tiago Camargo. De que lado joga, há quanto tempo está aqui. Ouvi falar muito bem dele e do trabalho que realiza, mas preciso de garantias para um encontro às cegas.

Apesar das precauções, a equipe discorda do encontro. Todos concluem que é arriscado demais. José é o mais veemente em apontar a cautela necessária. Henrique reluta em desistir: ao menos o mensageiro deve ser ouvido.

Henrique senta-se em sua mesa e abre o notebook, enquanto a equipe faz a última checagem de seus aparelhos de navegação. José prepara os inquéritos para oitivas. Em vermelho, um e-mail sinaliza urgência. É da coordenação-geral da OAF. Brasília requisita informações sobre Uruará. O rumo da base está mudando radicalmente.

— Jô, faça contato com Francisco e Felipe. Diga que preciso de um relatório de inteligência, com urgência, sobre tudo o que foi realizado até agora em Uruará. Para colocarem o que conversaram comigo no dia 10 e para não esquecerem de achar o Brucutu!

— Feito, chefia — responde José.

— Márcio e Juliano, após essa incursão no Curuatinga, façam as malas e podem partir para Uruará. Vamos intensificar nosso trabalho lá. Aqui na base, quando voltarem, ficarão Jô, Luís, Ronaldo e eu. Pode ser nossa última batida na região do Curuatinga, então façam bonito.

Márcio e Juliano se entreolham e acenam positivamente.

Será uma tarde longa para o delegado e o escrivão. Oitiva de pessoas.

Na carroceria das picapes há barracas, sacos de dormir, armas, munições e mantimentos. A incursão será de três dias. Missão: localizar rastros nos travessões de madeira cortada e checar pontos de extração apontados pelos satélites.

Pelo rio, as duas lanchas do Ibama, com dois tripulantes cada uma, vão patrulhar o rio em revezamento, saindo do porto de Santarém e subindo até a represa.

O helicóptero seria a ferramenta ideal, mas está em Uruará.

Juliano e Márcio são seguidos por outra picape, do Ibama, com Giovane e outros agentes do Ibama. Uma picape da Força Nacional vai acompanhar a incursão.

Na base, Henrique realiza mais um interrogatório.

— Então quer dizer que o senhor está levando madeira para a Holanda?

— Esse é nosso trabalho — diz o holandês com um português difícil de entender.

— De acordo com a autuação do Ibama, o senhor estaria descrevendo a madeira como decking, embora a classificação correta fosse prancha. O que tem a dizer?

— Decking em minha língua quer dizer madeira. Para mim, estava mais do que correto, já que a documentação será analisada no porto do meu país.

— O senhor não está no seu país, a madeira que o senhor está levando não sai do seu país, então o senhor deve usar a nossa língua e, na nossa língua, decking é decking e prancha é prancha, independentemente de ser de madeira, de plástico ou de vidro. Quem são os sócios da sua empresa?
— Royd Ärud e eu.
— Onde encontro esse Rôide?
— Holanda.
— É muito simples. O senhor fraudou a documentação do produto retirado da Amazônia com o objetivo de reduzir os tributos e sair com madeira de lei a preço de banana. Vai ser indiciado por falsidade ideológica. E mais: a madeira fica.
— Não vejo por quê — exaspera-se o holandês. — Essa madeira está certificada como de origem legal. A quantidade está certa, a origem está certa.
— Só a espécie de árvore e o preço estão errados, não é? Uma diferença de mil por cento do preço, coisa pouca. O senhor quer levar nossa madeira e pagar preço de refugo. Desculpe, não vai dar. Além disso, eu vou verificar esse certificado de origem. Se a madeira não é a certa, a origem dificilmente será.

José já preenche os formulários e descreve fisicamente o homem para indiciá-lo.

— Após o senhor assinar os papéis, está dispensado. Toda a madeira descrita na nota permanecerá apreendida no porto. O navio estará liberado tão logo descarreguem a madeira. Passar bem.

Henrique levanta-se, deixando o holandês contrariado com suas caras e bocas, e se dirige à janela, mas, antes de chegar a ela, o telefone toca.

— Polícia Federal — atende José.

Do outro lado, Juliano informa a abordagem de um caminhão na entrada do Curuatinga. Esse é diferente. Caminhão basculante. Está documentado e pertence a uma madeireira de Santarém. É o sonho de apreensão, porque permite a ligação direta de extração ilegal a uma empresa regular. José informa Henrique da situação.

A prioridade ainda é uma última checagem do Curuatinga, e retornar à base para escolher um caminhão seria adiar o principal.

— Jô, pergunte ao Juliano sobre o motorista.

Ao telefone, José obtém informação de que o motorista se mostra nervoso, teme a prisão.

O caminhão está documentado. Registrado em nome da empresa. Se o motorista o levar para a madeireira, vai condenar a empresa a uma investigação pesada.

Henrique toma o telefone:

— Juliano, preste atenção. Esse jogo a gente sabe fazer bem. Tenho demandas urgentes de Brasília. Provavelmente hoje é nossa última chance de checar os dois pontos de serrarias móveis pelo satélite no Curuatinga. Não voltem por causa desse caminhão. Diga ao Giovane para fazer a apreensão administrativa e nomear o motorista fiel depositário. Diga ao motorista que estamos bonzinhos hoje e que ele não vai ser preso. Basta ele entregar o caminhão aqui na base, entendeu? A colaboração dele é a moeda de troca. Mas, se ele fugir, eu vou prendê-lo onde quer que ele se esconda.

O motorista aceita o acordo. Basta entregar o caminhão na base para não ser preso.

Pode parecer inverossímil o motorista aceitar o acordo. E é. Mas o que ele não sabe é que qualquer coisa que faça, entregando ou não o caminhão, o destino da empresa foi selado.

Está acertado. Em duas horas, o motorista, sem escolta, entregará o caminhão e a madeira na base da OAF. Caso não o faça, responderá pelo crime ambiental e pela infidelidade do depósito, sem contar a responsabilidade de repor o bem apreendido e ser preso.

A equipe prossegue em sua missão.

O holandês já assinou os papéis e passou, visivelmente irritado, pelo delegado.

— Chame o próximo, Jô.

Um a um, vão sendo interrogados todos os que já foram autuados por infrações ambientais. Cada um com sua razão.

— O senhor veja. Vim pra cá nos anos setenta. Não tinha sequer energia. Construímos esse Pará e trouxemos o progresso. Hoje, preciso plantar, mas, se eu derrubo uma árvore, o Ibama me multa; se roço o terreno, o Ibama me multa; se construo um quartinho na sede, o Ibama me multa. O Ibama deveria chamar "multama".

— Senhor Mário, vejo que sua propriedade já tem espaço suficiente para plantio. O senhor não precisava ter derrubado mais nada. O senhor derrubou porque precisava do espaço? Então, me diga: como o senhor derrubou as árvores? O senhor tem motosserra? Onde o senhor colocou os troncos? Aliás, percebo uma derrubada seletiva aqui no auto.

Bastam algumas horas de interrogatório para ratificar o discurso de quem vive o desmatamento. Mas, derrubar e remover custa dinheiro. O agricultor não dispõe do equipamento, mas dispõe da matéria-prima. Pior: precisa do dinheiro.

— Senhor Benedito, consta que o senhor não tem licença e documento da motosserra.

— Doutor, minha família vai viver do quê? Eu tinha motosserra documentada, disseram que eu estava derrubando sem autorização e a levaram. Cada vez que eu registro uma, o Ibama vai lá fiscalizar e dá errado. Meus dois filhos homens foram procurar emprego em Manaus, não voltaram. O senhor quer que eu faça o quê? Pescar? O senhor já viu aí na frente quantos barcos de pesca tem? Eu estou com sessenta e oito anos. Eu tenho que roçar, doutor!

Motoristas, agricultores, madeireiros, todos com sua razão. Formigas humanas devorando o bolo. Definitivamente, o homem não é um produto ecológico.

— Não é que eu tenha usado a madeira apreendida. Ela está lá no pátio, só que algum peão desavisado deve ter removido ou espalhado. O senhor entende, não é? Pouca instrução, doutor. A gente não conhece as *lei*. Mistura *tudo* a madeira.

Comer, manter a família, sobreviver. Que lei se sobreporia a tais argumentos? Verdadeiros ou não, fazem o homem sentir-se livre para desobedecer. Se a comunidade aceita, então o Estado é o criminoso.

— Eu falei para o advogado: se levarem meu caminhão, vou cortar árvore, oras! Meus filhos precisam comer e tem árvore pra caralho aí, doutor! Eu tenho quarenta e cinco anos e desde pequeno todo mundo corta árvore. Isso aí cresce de novo. Daqui trinta anos, tá tudo bonito e verdinho de novo. Senão, para que serve esses planos de manejo?

Mais do mesmo. O dia todo simplesmente mais do mesmo.

Já se passaram quatro horas desde a ligação de Juliano. O motorista não cumpriu sua parte. Era esperado.

— Chefia, ligaram do porto — anuncia José. — O pessoal da lancha apreendeu uma balsa com madeira e documentação falsa. Três tripulantes. É muita madeira. Estimam apreensão em torno de dois milhões de reais.

— Abortem o Curuatinga. Não dá mais — ordena Henrique. — Mande o Ronaldo e o Juliano para lá. Tente contato com o Giovane e peça para ele voltar, no máximo, amanhã à tarde, pois vamos precisar dele depois de amanhã. Vá para o porto e comece a descrição dos bens. Vou elaborar uma representação para o caminhão fugitivo. Quanto à balsa, pode algemar todo mundo.

Tiago entra às pressas na sala e avisa:

— Essa balsa tem madeira de Uruará. É da origem dessa madeira que nosso colaborador quer falar, Henrique!

— E cadê o mensageiro, Tiago?

— Acabei de falar com ele. Está tudo acertado.

São quase seis da tarde. A noite vai ser pouca para tanta coisa, e Henrique já elabora um novo plano:

— Não dá mais. Por ordem, senhores. Primeiro a balsa, depois o caminhão fugitivo e, a seguir, de uma vez por todas, vamos visitar Uruará. É o que vamos fazer.

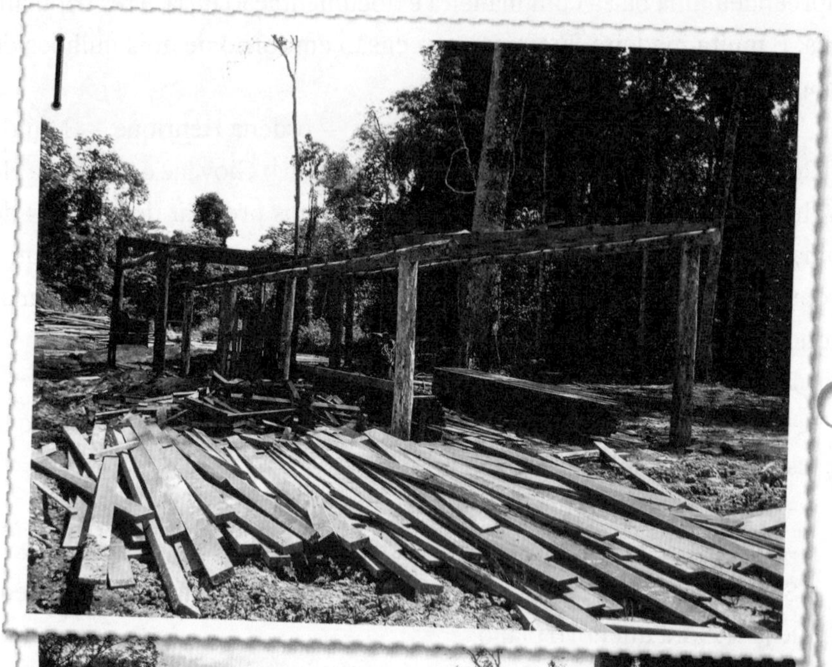

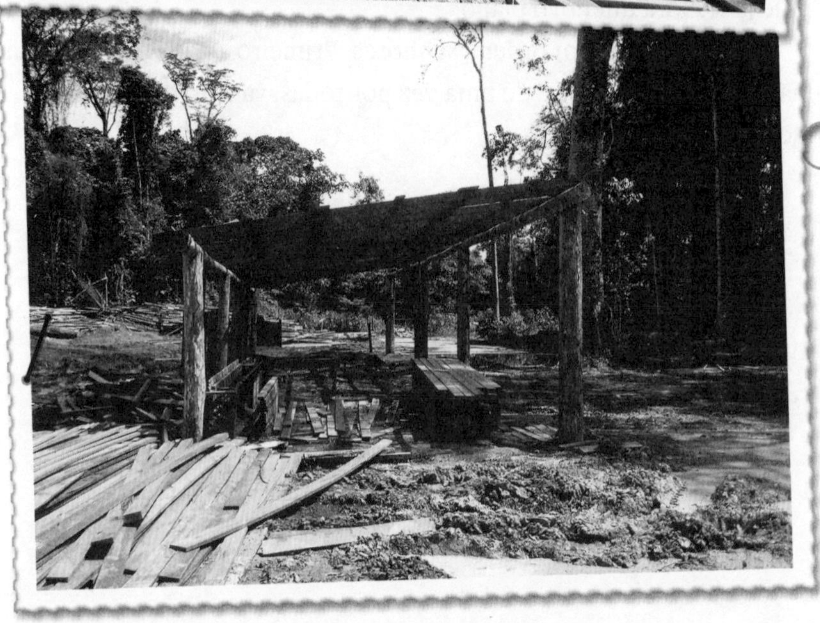

- 21 -
Caminhão flutua?

RELATÓRIO POLICIAL

Operação Arco de Fogo	Data: 18 de agosto de 2010
Local: Santarém, PA	Hora: 8h
Missão, dia 24	Pág. 179

O mandado judicial está na mão.
— Os senhores têm que falar com a dona. Se eu abrir esse portão, eu perco meu emprego — diz o porteiro pelo interfone.

— E, se o senhor não abrir imediatamente, vai preso — diz Henrique.

Giovane está atrás do delegado, que já perdeu a paciência com o porteiro.

José vê como tudo é igual. Em qualquer lugar do Brasil, as operações da Polícia Federal sempre se deparam com o porteiro que receia escolher entre a demissão e a prisão. É comum os porteiros chamarem a Polícia Militar quando uma equipe da Polícia Federal bate à porta.

Um Fiat Palio encosta atrás das viaturas. A motorista quer passagem.

— Essa aí é a dona — diz o porteiro.

— Eu diria que o senhor está salvo. Por hoje! — responde o delegado ao porteiro, enquanto se vira e se dirige até a motorista do carro. — Bom dia, senhora...

— Lúcia Regina — completa a motorista.

— Bom dia, senhora Lúcia Regina. A senhora é a proprietária desta madeireira?

— Sócia.

— Excelente. Meu nome é Henrique, delegado da Polícia Federal.

— Já ouvi falar do senhor.

— Espero que tenha ouvido boas coisas. Mas, acredite, senhora Lúcia, peço que me conceda o benefício da dúvida caso tenha ouvido algo negativo a meu respeito. Como eu estava dizendo, temos um mandado de busca. Quero um caminhão, a madeira e o motorista.

— O senhor pode me acompanhar até o escritório?

— Será um prazer — responde Henrique, enquanto faz um sinal com a mão para o pessoal entrar nas viaturas e seguir o carro.

A madeireira é gigantesca. Os galpões de processamento devem ter mais de dois mil metros quadrados cada um. A chaminé exala fumaça e cheiro de madeira queimada. Ao longe, montanhas de resíduos. Por mais sólidas que sejam as construções, o aspecto de madeira cortada para todos os cantos é sempre de destruição, de pós-guerra.

O escritório, porém, destoa. Todo em madeira. Cheira a madeira. Modelos e protótipos de peças ricamente expostos em vitrines indiretamente iluminadas por spots. A mesa de reunião é de carvalho, com uma rica cobertura de mármore encaixada em baixo-relevo. Uma obra de arte, ostentação pura, madeira morta. Sobre a mesa, a fatia de um tronco de madeira cujo vão lembra o mapa do Brasil.

— É natural, doutor. Uma obra-prima da natureza — observa o homem que acabou de entrar na sala. — Meu nome é Álvaro Schumann. Sou o sócio proprietário majoritário desta madeireira. Me disseram que o senhor veio buscar um caminhão e a madeira que foi apreendida pelo Ibama.

— Sim, um caminhão basculante, diga-se de passagem.

— A madeira está à disposição no pátio norte, mas temo não poder entregar-lhe o caminhão.

— Desculpe, senhor Schumann, não estou aqui para lhe pedir nada. O senhor deve ter entendido errado. Eu vim aqui buscar o caminhão.

— Sei disso, mas o caminhão está na minha reserva de extração.

— No Curuatinga?

O empresário esboça um sorriso irônico, mas sua expressão é mais próxima de insatisfação. Indisfarçável.

— O senhor não se preocupe. Não dei autorização para extrair madeira ilegal. Não fazemos isso aqui. Nossa empresa é séria. Exportamos madeira para o mundo todo. O motorista que o senhor procura teve de levar um equipamento até um de meus planos de manejo, que fica ao norte do Curuatinga e quis ganhar dinheiro por fora, trazendo madeira para quem quer que seja. Tanto é que se trata de um caminhão basculante, como o senhor bem disse.

— A menos que eu tenha entendido errado, o senhor disse que a madeira está no seu pátio.

— De fato. O motorista ficou com medo de ser preso e deixou o caminhão aqui. Pedi para descarregarem a madeira e até já a marquei para que ninguém se confundisse. Nossa empresa não trabalha com madeira ilegal, eu já disse. Sou um homem sério.

— Tenho minhas dúvidas quanto a sua seriedade, senhor Schumann. Se realmente fosse sério, teria mandado apresentar o caminhão e a madeira na nossa base e não a descarregado no pátio. Cadê o motorista e o caminhão?

— O motorista está em dia de descanso. Doze por trinta e seis. Amanhã, quando chegar, vai ser demitido. O caminhão está em um dos meus planos de manejo, como eu já disse também.

— Sabe o que eu acho? O motorista pode até não estar aqui, mas o caminhão está. A lei me obriga a dizer ao senhor o que vim buscar. Eu já disse, o caminhão. Agora, vou exercer minha obrigação e vou procurar por conta própria.

Nesse momento, entra um homem de uns cinquenta e poucos anos, calvo, barriga avantajada, bigode farto cobrindo a boca, usando terno cinza claro e gravata preta. É difícil usar gravata preta com elegância. É o caso.

— Prazer, doutor, Mário Peterson. Eu sou o advogado do senhor Schumann e da empresa. Posso ver o mandado?

— Prazer, Henrique Pietro, delegado federal — apresenta-se, estendendo a mão direita para cumprimentar o advogado e com a esquerda já lhe entregando uma cópia do mandado. — Doutor, vou estar do lado de fora do escritório por mais três minutos. Pode ficar com essa cópia do mandado. Minha equipe tem muito a fazer; entreguem o caminhão e pronto.

Henrique sai e se encontra com Juliano, Márcio, Giovane e a equipe do Ibama. José não está entre o pessoal. Pelo vidro, é possível ver que advogado e cliente não estão se entendendo. Melhor.

— Podemos começar? — pergunta Márcio.

— Qual o tamanho desta madeireira, Giovane?

— O pátio, os galpões... uns quarenta mil metros quadrados. Eles exportam madeira para a Europa. Demoraríamos uma semana, com uma equipe completa, para fazer o levantamento de toda a madeira. É o que estamos fazendo em Uruará. A madeira apreendida está separada. Ele não foi tolo de misturá-la. O caminhão pode estar até debaixo daqueles amontoados — ele aponta para uma montanha de resíduos de madeira que não teria menos de oito metros de altura. — Já encontramos veículos escondidos assim.

— É muita coisa. Se não acharmos o caminhão aqui, perdemos uma oportunidade de ouro de autuar essa empresa e tempo, o que, definitivamente, não temos. Vamos pressionar um pouco mais. Luís, pegue os dados do motorista e vá com o Márcio até a casa dele. Se não estiver lá, vire a cidade do avesso. Encontre-o. Quero ele na base hoje! Cadê o Jô? — pergunta Henrique enquanto olha a sua volta. — Ei, ei, ei, Luís, Luís, leve esse mandado de prisão também. Traga-o algemado.

É alegria demais para Luís. O delegado é dos que mandava.

— O Jô eu não sei, mas andei falando com aquele rapaz ali — aponta Juliano —, aquele que está dando ordens pros outros e olhando pra nós. Chama-se Lucas Schumann, é irmão do dono e gerente de transportes. Ele disse que o caminhão chegou e tiveram de tirar o bujão do freio para colocar em outro para trazer madeira.

— Não me parece inteligente desmontar um caminhão em condições de uso para consertar um quebrado.

— Eu disse a mesma coisa. Segundo ele, um tem caçamba e outro carroceria aberta. Precisavam da carroceria aberta.

— Estou ficando impressionado com a capacidade de justificativas do pessoal daqui. Tem algum curso especializado ou é matéria do Ensino Médio? Certo. Se retiraram o bujão de freio, onde está o caminhão sem bujão que nós queremos? Na reserva?

— Segundo o garotão, estaria em alguma oficina da cidade que ele não sabe qual — informa Juliano.

— Uma empresa exportadora com um gerente de transporte que não sabe em que oficina está um de seus caminhões? Tá bom — ironiza Giovane.

O advogado sai do escritório acompanhado de seu cliente e os dois deparam-se com o delegado, que, diante das possíveis versões que vai ouvir, senta-se na confortável cadeira de madeira da varanda.

— Doutor, o senhor Schumann me disse que o caminhão está no plano de manejo — diz o advogado, aparentando contrariedade na sua própria fala.

— Não foi o que nos disse o irmão dele — corta o delegado. — Parece que os senhores esqueceram de combinar a história. É o seguinte, percebo que a lei daqui é a de vencer pelo cansaço. Pois eu vou dizer o que vou fazer. Vou vasculhar cada centímetro desta empresa. Para cada irregularidade que eu encontrar, por mínima que seja, eu instauro um inquérito e o Ibama lavra um auto de infração. Como os senhores dizem que o caminhão não está aqui, se eu não o encontrar, vou montar uma barraca no pátio até o caminhão voltar. Eu tenho um mandado, e o caminhão, de repente, pode estar escondido em alguma gaveta do escritório.

A irritação é visível no rosto de Álvaro.

O advogado está contrariado com a relutância de seu cliente em cumprir a ordem e Henrique já percebeu. É um bom advogado.

— Certo — diz o empresário. — Vou lhe entregar o caminhão, mas ele não tem condições de rodar. Apresentou problemas no bujão do freio e tivemos de mandar para o conserto. Essa é a verdade.

— De novo? O senhor tem que combinar a história com seu irmão. Ele nos contou algo diferente. Então, vou explicar uma coisa: o caminhão foi apreendido em perfeitas condições. Segundo seu irmão, o problema do bujão é do outro caminhão, e vocês tiraram desse para consertar o outro. Acho que cabe levá-los à delegacia por dano a bem apreendido.

Henrique aprendeu as regras do jogo. Após vinte e três dias de missão, começa a mudar seu trato.

Álvaro, irritado, mas interessantemente controlado, vai na frente e todos o acompanham até o último galpão. Dentro dele há quatro portas gigantescas. São fornos de secagem. José está sentado em frente ao último deles. Henrique ri da esperteza de José. Faro é faro.

— Jô, meu amigo Jô! Você é dos bons. Há quanto tempo você está aí?

— Há uns vinte minutos.

O forno é aberto. É incrível o caminhão ter sido colocado lá dentro. Ou o forno foi construído para esconder aquele caminhão ou o caminhão foi comprado do tamanho do forno para nele ser escondido. Está na diagonal, com menos de um centímetro de sobra para fechar a porta do forno. A visão é impressionante.

De fato, estava sabotado, sem o bujão de óleo do freio.

— Como eu disse, no conserto ou no outro caminhão, o fato é que está sem bujão — diz Álvaro.

— Não tem problema. Vi um trator e um caminhão maior no pátio. Estão requisitados. O senhor pode colocar a madeira na carroceria daquele caminhão. Quanto a este, vai ser rebocado pelo trator.

— Isso é um absurdo. Que direito o senhor tem de levar os meus equipamentos?

— O mesmo que o senhor teve de tirar madeira ilegal lá da floresta. Eu vou provar isso, não se iluda. E não é direito que eu tenho, é dever. Então, ponto final.

— O senhor vai me causar prejuízo levando um trator e meu outro caminhão de entrega.

— Prejuízo o senhor se causou ao trazer este caminhão e escondê-lo, com madeira ilegal. Causou prejuízo à sociedade, causou prejuízo à Amazônia. Quanto ao motorista, acredite, ele vai dizer o que eu quero saber.

Toca o telefone, Henrique atende. É Luís. O motorista está preso.

A conversa com Álvaro está encerrada. Vários funcionários da madeireira ajudam a carregar a madeira apreendida, que, de fato, estava separada.

Giovane aproveita e lavra alguns autos de infração. Madeira com identificação incorreta, resíduos descartados de forma inapropriada, madeira sem chapa de extração.

O comboio parte rumo à base. À frente, uma das viaturas da Polícia Federal com o símbolo magnético na porta e giroflex no teto, seguida de um caminhão com a madeira apreendida, um trator, o caminhão rebocado e duas viaturas do Ibama. Propaganda é a alma de qualquer negócio, incluindo o da repressão ao crime.

Entre uma escolta de bem apreendido e um desfile de exibição, Henrique prefere a segunda definição. Mas, entre a alegria de um desfile e o risco de levar um caminhão sem freio pelas ruas da cidade com um cambão improvisado, impôs-se o segundo.

Não foi simples como pensaram. Aliás, nada é simples naquele lugar. No caminho, por duas vezes, o cambão se soltou. Na primeira, soltou-se do caminhão, mas estavam parados no semáforo e nada demais aconteceu.

Na segunda, próximo à base, durante a curva da última esquina que os separava do destino, justamente uma ladeira, o cambão se partiu e o caminhão começou a descer sem controle a avenida. A ponta do cambão, em atrito com o asfalto, soltava faíscas como se fosse um maçarico. O motorista do caminhão desviou do trator e já se preparava para engolir a viatura da Polícia Federal a sua frente.

José ouviu o barulho e viu o monstro que iria passar por cima da picape. Jogou-a para o lado do muro, deixando o Rio Tapajós livre para que o motorista jogasse o caminhão.

O cambão atritava com o asfalto e pulava cada vez que encontrava uma saliência.

O motorista abriu a porta do caminhão e segurou o volante para que o veículo fosse em direção ao rio. Colocou-se de pé do lado de fora para saltar do caminhão.

— Saiam da frente! — gritava, enlouquecido.

José ligou a sirene e se pôs em perseguição ao caminhão fugitivo.

O motorista foi habilidoso e jogou a lateral do pneu do caminhão contra a sarjeta alta da avenida, servindo de freio ao caminhão, que insistia em descer ladeira abaixo. A borracha do pneu foi mudando a cor da sarjeta de branca para preta.

Com a velocidade um pouco reduzida, o cambão deitou-se no asfalto esburacado e começou a servir de freio. Pneu na sarjeta, cambão no asfalto, e o caminhão, embora perdendo força, continuava seu caminho insistente rumo ao mercado de peixes.

Com a fricção do pneu, o caminhão começou a reduzir, perder velocidade, e parou a três metros do fim da sarjeta alta. Mais um pouco e a única opção seria virar e jogá-lo em um mergulho definitivo no fundo do Rio Tapajós.

Era visível que, se havia algo fácil a ser feito, não seria nessa operação. Nem levar caminhões de um ponto a outro.

Alívio de todos, mas os mais aliviados eram Henrique e o motorista do caminhão. Era necessário arriscar. Um caminhão, um plano de manejo a ser fiscalizado, madeira ilegal apreendida e uma madeireira diretamente ligada a tudo isso. Sem coragem e riscos, a Amazônia não pode ser protegida.

Pela mão inversa da rua, Luís buzina na viatura e aponta para o banco de trás, onde o motorista rebelde está preso. Mais um inquérito policial será instaurado.

José completa:

— Mais uma boa e tranquila sexta-de-fogo na tranquila Operação Arco-de-feira.

Henrique ri e bate no ombro de José:

— Jô, eu já estava me perguntando: caminhão flutua?

Os dois caem na gargalhada.

A determinação da equipe se mantém inabalável, e o número de pessoas insatisfeitas com a OAF aumenta.

ARCO DE FOGO ▸ **187**

ANOTAÇÕES

ANOTAÇÕES

- 22 -
Alter do Chão

RELATÓRIO POLICIAL

Operação Arco de Fogo	Data: 21 de agosto de 2010
Local: Alter do Chão, PA	Hora: 13h
Missão, dia 28	Pág. 189

A beleza do lugar é simplesmente impressionante. Com a baixa do Rio Tapajós, as ilhas de areia branca começam a aumentar, e é sob as sombras das árvores, defronte as águas prateadas do rio, que turistas do mundo todo se maravilham com o espetáculo de beleza que é Alter do Chão.

— Nunca ouvi falar de algo como isso — diz José, enquanto se delicia com um peixe e cerveja.

— Para ser sincero, também não sabia que existiam praias submersas que apareciam nessa época — diz Henrique. — E a beleza disto é inacreditável.

— O *The Guardian* definiu Alter do Chão como a praia de água doce mais bonita do mundo, conhecida como o Caribe Brasileiro — diz Juliano.

— Faz jus — diz Henrique.

— A orla de Santarém, depois do mercado de peixe, é muito bonita também — diz José.

— Sim! Eu tenho aproveitado as manhãs para correr ali — diz Juliano. — Tem muita mulher bonita. Já até consegui o telefone de algumas.

— Juliano, Juliano! — diz Márcio.

— O que foi? — pergunta Juliano, já rindo do comentário de Márcio. — Sou um homem livre.

Ali, reunidos pela primeira vez em um dia de descanso, a

pouco mais de trinta quilômetros de Santarém, a equipe se dá ao direito de comemorar o trabalho até então realizado. Embora tivessem se programado para iniciar uma nova fase de trabalho em Uruará dias antes, as apreensões da balsa e do caminhão basculante acrescentaram mais trabalho à base, adiando para o dia da audiência a transferência do foco de atividades da base. Felipe e Francisco continuam em Uruará. Recusaram o convite para o descanso ou os penosos quatrocentos quilômetros de estrada entre Uruará e Santarém.

— Saudades da patroinha, Luís? — pergunta Juliano.

— Não troco minha patroinha por nada nesta vida. Só estou aqui porque vou me aposentar daqui a três meses e preferi ficar com vocês nesses últimos dias da minha vida de polícia.

— Um brinde ao nosso grande Luís — diz Henrique, levantando seu copo de cerveja, no que é acompanhado por todos. — E você, Juliano "Casanova", conte-nos sua história.

— Fui casado por dez anos. Uma mulher linda e muito inteligente. Não deu certo, a gente se desentendeu, se perdeu e, a partir daí, nunca mais me envolvi com ninguém seriamente. E ela já está bem, está com outra pessoa. Uma pena, porque eu a amava de verdade.

— É muita mulher, Juliano? — pergunta José.

— Sim, eu conheci muitas mulheres, mas eu gostaria de ter uma que eu pudesse chamar de minha.

— Você gostaria de ter uma mulher ou essa mulher linda e muito inteligente aí? — pergunta Luís.

Pela primeira vez, Juliano não responde com ironia e estampa um sorriso triste e um olhar distante.

— Coisas da vida... — comenta Juliano.

— É um romântico — diz Luís, tentando aliviar o clima.

— Cadê o Ronaldo? — pergunta Henrique.

— Está lá no rio. Fala pouco esse menino — responde Luís.

— Vocês viram os jornais de ontem? — pergunta Márcio. — Capturaram três dos ladrões do Banpará.

— Quem os capturou? — indaga Luís.

— Pelo que vi, foi o pessoal da Polícia Civil, com ajuda do nosso pessoal — responde Márcio. — Já tinham comprado carros, celulares, televisão e terras! Acreditam que os caras já tinham comprado terras?

— Eles já tinham negociado isso antes — fala Juliano. — O chefe da quadrilha é do Maranhão, e tem mais dois sargentos da Polícia Militar envolvidos.

— Eu estive na delegacia para acessar nosso sistema e gerar número de inquéritos e conversei com uma colega que participou da investigação — diz José. — Os caras foram perseguidos, mas vejam isso: segundo a colega, "devido às péssimas condições da estrada, a mata fechada e de difícil acesso e a deficiência na comunicação, conseguiram fugir".

— Estrada difícil, mata fechada e deficiência de comunicação? Dessas coisas, a gente entende — comenta Márcio.

— Agora, o mais impressionante dessa história toda — continua José. — Para onde fugiram?

— Não me diga que foram para Uruará — aposta Henrique.

— Bingo! — diz José. — E tem mais!

— Estou começando a gostar da história — diz Márcio.

— Os policiais estiveram em uma madeireira ali na região do Curuatinga procurando pelos bandidos, bem onde estávamos trabalhando. Dias depois, os bandidos bateram na mesma madeireira e todo mundo já sabia quem eram eles. Por quinze mil reais, os caras da madeireira ajudaram os assaltantes a se esconder e fugir.

— Alguém foi preso? — pergunta Luís.

— Os seis empregados da madeireira foram presos — completa José.

— Uma madeireira a menos para nós investigarmos! Um brinde a isso — comemora Juliano.

— Ou não! Está aí uma madeireira para investigarmos! — diz Márcio.

— Li que esse crime é tão comum aqui no Norte que tem até nome, "sapatinho". É quando rendem o gerente e a família para entrar no banco no dia seguinte — explica José.

— Meus amigos, um brinde ao trabalho de todos — diz Henrique levantando o copo de cerveja no que mais uma vez é acompanhado por todos. — Deram sorte! Foram capturados...

Todos riem. De repente, Luís dá um pulo da cadeira.

— Pessoal! Pessoal! Olha quem está ali — apontando para uma mesa próxima à água. — O matador de federal! Vou lá.

— Deixa o rapaz quieto, Luís — pede José.

— Mas deixa? Deixa nada — completa Juliano, enquanto Luís já está a caminho. — Esse rapaz deu azar demais. É a segunda vez que encontra com o Luís em questão de dias.

Luís caminha uns vinte metros pela praia movimentada e se coloca ao lado de Antônio Hermelino Chagas, conhecido pela equipe apenas como matador de federal. De longe, dá para ver que Luís coloca as mãos na cintura e se abaixa perto do ouvido do matador, que está acompanhado de uma moça. Deve ser a noiva. Aponta para a mesa dos policiais. Antônio tira os óculos de sol e olha em direção à equipe da OAF. Todos acenam para ele. Luís diz mais alguma coisa e se despede. Volta com um sorriso no rosto. Não perderia a oportunidade.

— E aí, Luís, o que disse para o matador? — pergunta Henrique.

— Nada! Só disse que os relatórios estão bonitos de ver e que até agora ele está tirando dez! E que hoje não vai ter relatório porque o senhor mesmo o está observando — soltando sua gargalhada única junto com todos na mesa.

— Agora é minha vez! — interrompe José. — Um brinde ao matador!

— Um brinde — dizem todos.

— Falando em matador, naquele dia você citou a Bíblia, capítulo e tudo — diz Juliano para Henrique. — Você foi seminarista?

Henrique dá um longo suspiro antes de responder:

— Meu amigo, minha família é cristã a gerações. Se não estou enganado, meu pai me ensinou a ler a Bíblia antes de eu entrar na escola. Mas acho que perdi um pouco da fé — o tom de voz demonstra desconforto do delegado. — É um assunto pendente na minha vida. Longa história. Outro dia a gente fala disso — dando o assunto por encerrado.

— Quando quiser — completa Juliano. — Gosto desse assunto.

— E a maldita audiência está chegando, hein? — comenta Luís.

— É depois de amanhã. Vai dar tudo certo — responde Juliano. — Só precisamos nos deslocar amanhã.

— Meus amigos, amanhã é outro dia. Chega de assunto de madeireira, madeira, assalto, polícia, Curuatinga, Uruará! Vamos beber — convida Henrique.

— Só uma pergunta, chefe — interrompe José. — A última de trabalho. Tem certeza que quer encontrar esse colaborador no meio do nada?

Henrique hesita em responder, demonstrando preocupação. Sabe dos riscos. Respira fundo, dá um gole de seu copo de cerveja e limpa a garganta.

— Ninguém vive para sempre, meu amigo Jô. Vamos pensar em algo, mas eu vou encontrá-lo. Se o cara puder ajudar no caso da Renascer, tem que ser ouvido. Vale o risco.

— Um brinde à vida eterna que um dia acaba! — diz Márcio.

— Um brinde — respondem todos, levantando os copos.

— E, no Rio de Janeiro, se for policial, acaba mais rápido ainda! — completa Juliano, ainda com o copo no alto.

— Meu Deus! A gente não bate bem — Luís ri, mas certo de que também não aprova o encontro.

— Pessoal, vocês viram quanta mulherada linda neste lugar? — pergunta Juliano.

— Concordo — responde José.

— Ei, alguém vai lá ver se o Ronaldo não se afogou — sugere Luís.

— Deve estar namorando alguma sucuri — comenta Juliano.

A risada é geral.

Permanecem na praia para ver o entardecer de Alter do Chão. Realmente, uma beleza ímpar.

ANOTAÇÕES

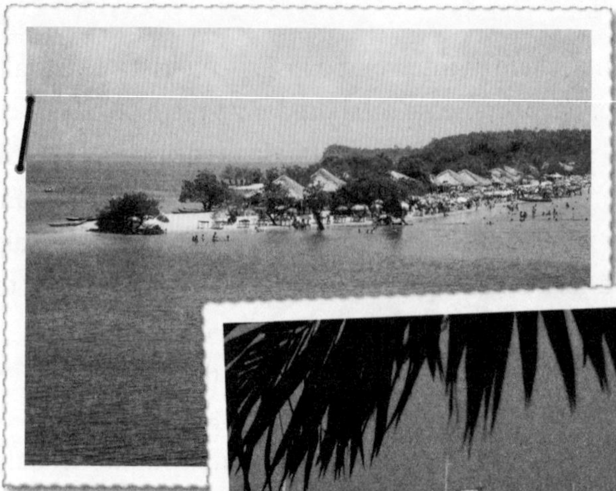

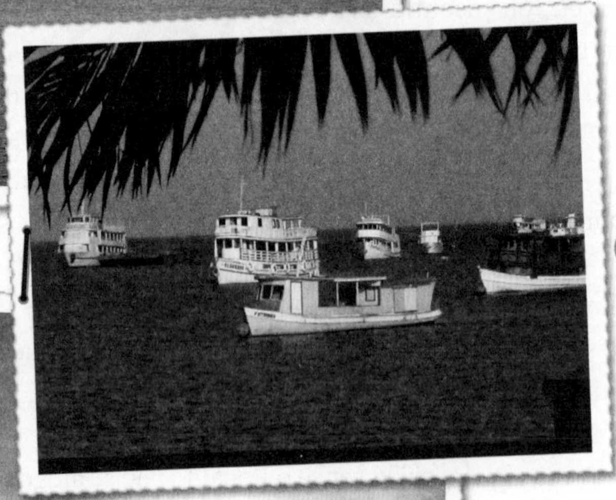

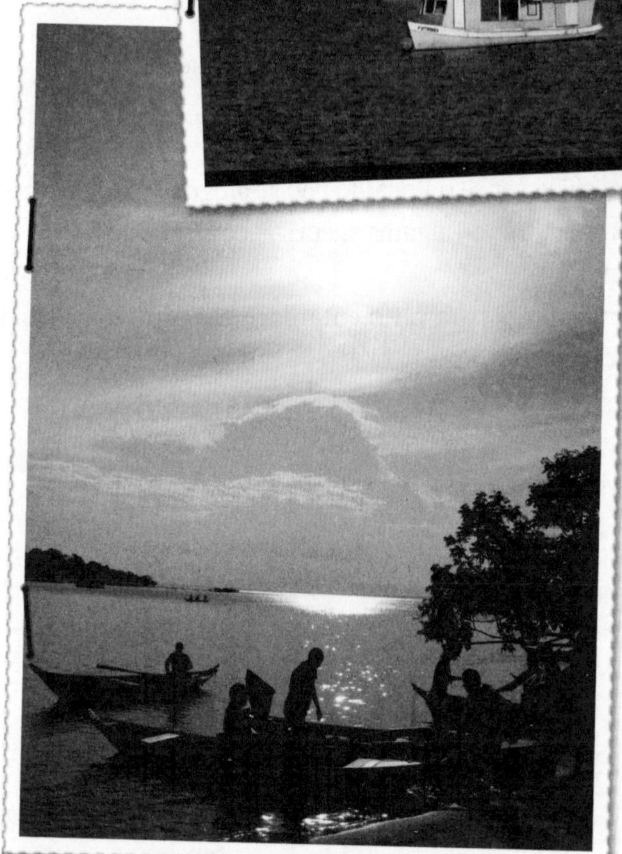

- 23 -
Nossa conversa é com todos
RELATÓRIO POLICIAL

Operação Arco de Fogo	Data: 23 de agosto de 2010
Local: Uruará, PA	Hora: 14h
Missão, dia 30	Pág. 195

Cada centímetro do ginásio está ocupado. Do lado de fora, mais gente. Por todos os lados, a hostilidade contra a OAF estampada em faixas e cartazes: "Fora, PF", "Fora Arco de Fogo", "Nos deixem trabalhar".

— Não viemos tirar o sustento de seus filhos. Viemos garantir a herança deles. Se continuarmos desordenadamente a tirar recursos da Amazônia, essas terras dos senhores, em pouco tempo vão ser um pasto vazio! — diz o delegado.

A tensão é visível.

A poucos metros dali, acompanhado por outros dois policiais, o sargento da Polícia Militar se aproxima de Juliano e, ao seu ouvido, enquanto ajeita o colete por sobre a barriga, avisa:

— O que vocês precisarem, estaremos aqui.

— Conto com o senhor, sargento — diz Juliano, sem esticar a conversa.

— O clima tá um pouco hostil para vocês aqui. Tô sentindo um pouco de vontade de despedida.

— Deles ou sua, sargento?

O sargento recua e olha meio torto para Juliano.

Nas arquibancadas, homens, mulheres e nervos à flor da pele.

No meio da quadra, uma mesa retangular ocupada pela prefeita, o superintendente regional do Ibama, o delegado da Polícia Federal, o gerente executivo do Ibama, a promotora de justiça e representantes locais.

A poucos metros da mesa, dois conjuntos de cadeiras dispostos em fileiras e um corredor ao centro, onde foi estrategicamente posicionado um microfone no pedestal.

Logo atrás da mesa, os policiais federais e os homens da Força Nacional se posicionam preparados para o pior.

A prefeita assume a audiência e joga mais gasolina na fogueira. Não seria diferente para quem tem uma faca apontada para a jugular. À frente, quase dois mil eleitores cuspindo fogo, e, ao lado, os homens que vieram colocá-la contra a parede.

A velha raposa começa a andar na corda bamba:

— Eu quero dizer, como já disse antes, quando o Alessandro e o delegado Henrique estiveram em meu gabinete, que sou contra essa ação da Arco de Fogo em Uruará! Essa fiscalização e essas multas absurdas! A gente não está entendendo o objetivo dessa ação! A verdade é que o produtor está com medo! Antes, a gente podia desmatar cinquenta por cento! E agora não sabe nem se pode plantar! A gente precisa de uma explicação plausível sobre o que está acontecendo! Eu tenho alertado inclusive para o risco de uma ação hostil contra a Polícia Federal, contra a Força Nacional, porque o nosso município parou! Estamos parados!

"Explicação", "objetivo dessa ação", "ameaças". O delegado não consegue digerir tamanha insanidade por parte da prefeita. Inflar as pessoas pelo rádio é uma coisa, mas inflar quase duas mil pessoas dentro de um ginásio é completamente diferente.

Paolo Abreu, superintendente regional do Ibama no estado do Pará, levanta a bandeira da sustentabilidade:

— Prefeita e senhores presentes, não estamos aqui para perseguir o pequeno agricultor. Estamos aqui para fiscalizar as serrarias e os planos de manejo. Estamos aqui para combater o desmatamento. O Pará é hoje o estado com o maior índice de desmatamento do país! E Uruará está no topo da lista. Isso é ruim para todos! Ninguém consegue acessar crédito, nem a prefeitura.

O superintendente mal consegue terminar sua fala diante do alvoroço crescente de todos e da reprovação do seu discurso pelas arquibancadas.

Henrique recebe novamente o microfone da mesa. O alvoroço diminui.

Ele sabe que está ali para sufocar a propaganda desencadeada por madeireiros e latifundiários contra a OAF. A missão é de guerra, mas o discurso é de paz. A mensagem é curta e clara: quem não sair da linha não será incomodado.

O microfone finalmente é aberto a todos.

Robério Silvino, vice-prefeito de Altamira e presidente do Sindicato Rural de Altamira, é o primeiro a usar o microfone, e começa atirando contra a Polícia Federal.

Em poucas palavras, vai de vilão a vítima:

— Eu vim pra cá nos idos de 1980 — olha para a plateia como se quisesse que se identificassem com ele —, e acho um absurdo terem algemado o secretário do município de Altamira e o senhor Chico Manivela, homem sério e pagador de impostos. A Polícia Federal deveria ter vergonha de vir aqui e fazer um papelão desses! O Ibama e a Polícia Federal deveriam estar economizando o dinheiro dessa operação e ensinando o produtor a usar o solo em vez de ficar gastando querosene em aviões e helicópteros como se isso aqui fosse um parquinho de diversões!

Apesar da aparente serenidade inicial do tom de voz do político, as palavras são revestidas de ódio e hostilidade contagiosa. O ginásio mais parece um enxame de abelhas. Mais gente invade o lugar. Não há um milímetro de espaço nas arquibancadas. Pelos corredores, pessoas amontoadas. O tom de voz do discurso vai mudando. Já está gritado. Cada berro do homem ao microfone é uma nítida ordem de invasão do ginásio.

Os policiais, atrás da mesa, se afastam um pouco para uma iminente reação.

— Juliano, onde estão os policiais militares? — pergunta José.

Juliano olha em volta e não os vê. A Polícia Civil de Uruará, formada por três investigadores e o delegado, simplesmente não veio.

Alguém grita "Fora, Polícia Federal". Uma onda de apoio se espalha pelas arquibancadas. Robério levanta a mão. Quer falar mais.

O delegado reage:

— Senhor Robério, vejo que o senhor é homem de bem, representante de toda essa boa gente que se dispôs a vir aqui para tratarmos do que está acontecendo...

— Essa muito boa gente, seu delegado! Muito boa gente! — interrompe o homem que quer ganhar a simpatia da multidão.

— Sim, muito boa gente, o senhor tem razão. Eu quero que o senhor saiba que meu avô era homem do campo! Tinha fazenda de café no Paraná, lugar de origem de muitos dos senhores. Os senhores devem lembrar-se da famigerada geada na década de sessenta que acabou com tudo por lá. Meu avô perdeu tudo! Morreu empurrando uma carrocinha de papelão! Perdeu simplesmente tudo! O homem do campo é um herói! E sei que os senhores vieram para cá nos idos de setenta construir isso daqui — as palavras de Henrique baixam a temperatura. — Nós, da Arco de Fogo, viemos aqui para preservar a Amazônia e o homem da Amazônia. Só que estamos nos desentendendo porque aqui tem gente que está enganando os cidadãos uruarenses! Roubando o valor de suas terras, arrancando árvores que valem muito dinheiro a troco de cinquenta reais! E tem gente causando derrubadas devastadoras e usando os senhores para dificultar nosso trabalho. É com isso que queremos acabar!

Robério contra-ataca:

— Não é prendendo e multando um pobre coitado em um milhão que o senhor vai fazer isso!

É um duelo para ganhar a simpatia do auditório. Henrique olha para Paolo, que entende e se alia à investida:

— Quem foi multado em um milhão de reais, senhor Robério?

— O *seo* Nivaldo! — e aponta para um homem sentado logo ao seu lado, numa clara demonstração de discurso e estratégia ensaiados. — Seo Nivaldo é produtor de Altamira e foi multado. De onde ele vai tirar esse dinheiro?

Rodrigo Silva, funcionário do Ibama responsável pela fiscalização em Uruará, aproxima-se por trás da cadeira de Alessandro Andrade, estica o braço direito e coloca um relatório sobre a mesa, sussurrando:

— Nivaldo Braga Jerônimo, mais de mil metros cúbicos de madeira extraída da área de preservação.

Alessandro repassa ao ouvido de Henrique:

— Esse cara já vendeu mil metros cúbicos de madeira da área de preservação na propriedade dele! — apontando para o relatório.

— Eu vou pedir à gerência executiva que analise a multa — diz Paolo.

— E mais: o pessoal do Ibama e da Polícia Federal vão permanecer aqui em Uruará, porque tem um cronograma para ser cumprido, e também vão tirar as dúvidas dos senhores!

Uma vaia geral e outro grito na arquibancada de "Fora, Ibama". O delegado sabe que não pode bater de frente contra Robério. Então, adota outra estratégia:

— Senhor Nivaldo, boa tarde! O senhor poderia ir até o microfone? — diz Henrique.

Enquanto o homem se levanta, Henrique pede a Alessandro para apresentar os fatos:

— Senhor Nivaldo, o senhor tem uma área muito boa de terra. Consta no relatório que em exame da sua APP verificamos que o senhor derrubou trinta árvores! — relata Alessandro.

Robério e Nivaldo são pegos de surpresa. Não esperavam que o Ibama tivesse os dados à mão.

— Eu não derrubei nada! Esses mateiros entram na minha terra e tiram essa madeira de lá.

— Mas o senhor não nos comunicou, e a fiscalização encontrou fornos não autorizados, duas motosserras sem registro e pedaços de madeira de lei sendo queimados!

— Eu e minha senhora vamos viver de quê? Preciso de espaço para plantar, pras vacas pastar, uai! Preciso de carvão para cozinhar. Cortei mesmo!

— Obrigado, *seo* Nivaldo! Sem mais perguntas.

Robério está desmoralizado. Sua testemunha foi desmascarada. Toma o microfone de Nivaldo e reassume sua posição:

— Multado? Um milhão de reais? Ele foi é confiscado, isso sim!

A plateia vai à loucura.

— Nós vamos analisar o caso de cada um dos senhores aqui presentes. Fiquem certos disso! — diz Alessandro. — Mas as multas decorrem do tamanho do estrago, e não estamos falando de coisas pequenas aqui, senhores!

A prefeita decide intervir e tirar Robério da discussão:

— Obrigado, Robério! Quem mais quer fazer uso da palavra?

Um homem se apresenta ao microfone. Produtor de cacau, alega ter sido multado indevidamente e questiona a ação da Polícia Federal. Mais um:

— Não vejo por que a Polícia Federal vem aqui armada de pistola e metralhadora. Somos pessoas de bem. Está parecendo que somos bandidos!

— Esse armamento não é para os senhores! É para nossa defesa contra pessoas que podem não estar aqui hoje — diz o delegado.

Nas mãos daquela gente, o microfone é a arma para alvejar a operação: multas altas, helicóptero caro, armamento desnecessário, sobrevivência do homem, construção da cidade do nada, falta do Estado, Estado opressor. A lista de reclamações não acaba...

Os homens da lei percebem que o melhor é deixar que o outro lado queime toda a munição.

A essa altura, Henrique submerge na inevitável sensação de impotência, fecha os olhos e pensa: "Não vamos convencer essa gente. Não adianta. Não vamos evitar um conflito, uma guerra civil".

A audiência invade a noite.

Dirigentes sindicais, políticos, líderes comunitários se revezam ao microfone. Não querem saber a verdade. Ninguém se rende à ideia da morte que corteja a Amazônia. Vivem para desmatar. O Estado preservador é o mesmo Estado ausente na assistência, nas soluções.

— Somos os inimigos... — murmura Henrique.

— O quê? Falou alguma coisa? — pergunta Alessandro.

— Não, nada! Vamos encerrar isso aqui. Estou cansado. Essas pessoas não vieram nos ouvir, vieram para nos enxotar. Vamos fazer o que viemos fazer e de uma vez. Nosso tempo está acabando.

Henrique pega o microfone novamente:

— Vou ser direto, senhores! Enquanto agricultores, nós vamos apoiá-los; enquanto desmatadores, nós vamos, sim, multar, apreender e prender. Que isso fique claro! Estamos em missão de paz e conservação. Se não infringirem a lei, não se preocupem conosco.

A prefeita está mais à vontade. Escapou sem nenhum arranhão.

Os homens da lei mostraram sua cara, apontaram o inimigo que todos sabem está no meio da multidão de bons homens. Querem madeira, querem dinheiro. A Arco de Fogo atrapalha. A audiência serve para mostrar que os homens da OAF não vão retroceder.

Francisco e Felipe, com câmeras nas mãos, acenam para Henrique. Cumpriram sua missão sem que fosse notado o segundo objetivo da audiência. Fotografar e filmar os incitadores, os homens que trabalham contra a OAF. Sem a audiência, não seriam revelados.

Invisível como um fantasma, sentado bem próximo à porta do ginásio, longe do alcance das câmeras de Francisco e Felipe, um homem demonstra que sua paciência também chegou ao fim. É Andrada Bueno. Acredita ter escutado demais. Sem dizer uma palavra, se levanta, em absoluto silêncio, cruza pelo meio da multidão que se encontra do lado de fora. Na cabeça, uma certeza, agora vai resolver tudo do seu jeito. Querem guerra, e vão ter.

ANOTAÇÕES

Fora ARCO DE FOGO
Arco da miséria

PF · Somos Cidadãos
não Bandidos

ARCO DE FOGO ▶ 203

ANOTAÇÕES

- 24 -
Se chegarmos vivos

RELATÓRIO POLICIAL

Operação Arco de Fogo	Data: 24 de agosto de 2010
Local: Uruará, PA	Hora: 8h
Missão, dia 31	Pág. 205

O dia começa batendo nos 40 graus. Na calçada, em frente ao hotel, o delegado, sentado em uma cadeira, aguarda a equipe, que já se prepara para intensificar os trabalhos de fiscalização em Uruará.

Um Fiat Siena prata estaciona do outro lado da rua e abaixa o vidro. É a prefeita. Dá um sinal de bom-dia e, sem sair do carro, convida o delegado para uma conversa.

Henrique atravessa a rua e apoia as duas mãos na porta do carro do lado da motorista.

— Bom dia, senhora Hélia!

— Bom dia! O que o senhor achou da audiência?

— Para ser sincero, a senhora não ajudou muito com aquele discurso de ser contra nossa presença aqui. A senhora sabia que estávamos ali para acalmar a população, e citar um possível levante civil contra nós não foi a melhor coisa a ser feita. Pessoalmente, desaprovei.

A uns trinta metros, um caminhão parado acelera o motor. Henrique olha para o caminhão e depois volta sua atenção novamente à prefeita.

— Veja, doutor, os senhores vão embora daqui a algum tempo, mas eu continuo sendo a líder política do município. As pessoas precisam continuar confiando que eu defendo os interesses delas.

O caminhão começa a se locomover.

— Eu talvez vá embora, mas a Arco de Fogo vai ficar aqui até encerrarmos a extração ilegal que está ocorrendo em Uruará, quer a senhora seja contra, quer seja a favor, quer seja lá quem for que a senhora esteja defendendo os interesses. Saiba que desaprovei e pronto.

O caminhão se aproxima mais. Espaço não falta. As ruas são largas e o dia todo tem trânsito de caminhões.

— Espero que o senhor entenda minha posição — justifica-se a prefeita.

— Entendo, entendo muito bem. Talvez fosse interessante sentarmos para falarmos novamente sobre o pátio.

— Vou ver o que posso fazer.

De repente, o caminhão acelera com tudo em direção ao carro.

— Então...

Quando Henrique se vira, o caminhão está em cima dele. O policial se esprime contra o carro, praticamente se escondendo atrás do retrovisor. Pouco adianta. O motorista quer esmagá-lo. Na tentativa de escapar, o delegado curva o corpo para dentro do veículo, mas o último gancho da carroceria acerta suas costas e ele é lançado violentamente ao chão, castigado por uma dor lancinante. O corpo fica imobilizado ao lado do carro da prefeita, que põe a cabeça para fora:

— Meu Deus! O que foi isso? O senhor está bem?

Henrique instintivamente gira o corpo e, deitado, ergue a cabeça para tentar ver a placa do caminhão, que rapidamente vira a esquina e desaparece do campo de visão do policial. Não adiantaria, estava sem placas. Poucos veículos em Uruará usam placas. O delegado estica os braços e pernas. Aparentemente, não tem fratura. Senta-se, puxa a camisa e percebe uma grande marca vermelha arroxeada sobre o lado esquerdo e a pele ralada. Impossível ir atrás do caminhão. Seus colegas estão dentro do hotel. Mal consegue respirar.

Levanta-se com dificuldade, ofegante, e fixa os olhos na prefeita.

— Meu Deus! O senhor está bem? O que foi isso? — pergunta a prefeita.

Com a mão esquerda no tronco encurvado, outra na porta e com muita dor, Henrique recobra os sentidos:

— Prefeita Hélia... — suspira —, tenha certeza, agora mais do que nunca, de que eu vou ficar! Pode avisar a todos que eu — suspira de novo — só saio daqui quando prender cada um que nos ameaçar e derrubar mais uma árvore da Amazônia sem autorização.

— Mas, doutor, o senhor não está achando...

— Chega! — grita o delegado, enquanto se vira encurvado e segue para a calçada do hotel. — Passar bem, prefeita! Passar bem.

Alcança a cadeira em que estava antes da chegada da prefeita, senta-se e olha de novo para o ferimento. Está ficando cada vez mais roxo. A prefeita sobe o vidro do carro e vai embora. Um homem vem andando pela calçada vagarosamente, senta-se na cadeira do outro lado da porta do hotel, a um metro e meio de Henrique, e começa a fumar um cigarro de palha.

— *Moço, óia, vou falá, viu? Cê deu sorte ali, hein. Tá tudo bem aí?*

— Estou ótimo! — responde o policial.

— *Ovi dizê* por essas *banda* daqui *qui* o povo *num tá* assim morrendo de felicidade *co'cêis* não, e esse motorista *adevia de sê* um desses.

— Pois, se ouvir isso de novo, diga que n-ó-s estamos morrendo de felicidade porque vamos ficar aqui por cem anos! — a raiva e a dor aparecem nos olhos e no tom de voz do delegado. — E o que mais o senhor ouviu dizer?

O homem olha para o delegado com o canto dos olhos, sem virar a cabeça, depois se concentra no cigarro, ajeita o chapéu um pouco para trás, deixando a testa à mostra, dá uma tragada, tira o cigarro da boca e diz:

— *Ovi dizê qui si o senhô entrá* em Macapixi, vai *sê recebidu* a bala e só sai de lá carregado...

— Qual o seu nome, ô amigo?

— Meu nome é Andrada Bueno! Mas aqui o *pessoar* não me conhece assim não...

A dor não permite continuar a conversa. Henrique sabe com quem está falando e quase não ouve o homem. Interrompe-o antes de terminar a fala e desabafa:

— Então, senhor Bueno, diga para eles, seja lá quem forem, quando o senhor ouvir essas coisas por aí — dá uma gemida por causa da dor —, que é para eles municiarem as armas, e com muita bala. Muita bala mesmo! Não é pouca, não! Porque não quero pegar ninguém sem ter uma boa desculpa para atirar! E eu já estou começando a querer atirar.

O delegado encerra a conversa e, com dificuldade, vai em direção ao refeitório do hotel. Márcio já está tomando café junto com José. Henrique senta-se ao lado dos dois.

— O que foi, chefia? Tá com dor? — pergunta José.

— Márcio, pegue o Jô e vá lá fora. Tem um homem sentado fumando cigarro de palha e usando um chapéu cinza. Peça a identidade e tire uma foto dele. Descubra tudo o que puder.

— Agora?

— Não, agora não, Márcio. Pode ser amanhã, Márcio, amanhã! — retruca Henrique, ainda irritado pela dor.

Os dois policiais se levantam rapidamente e se dirigem para a entrada do hotel, mas voltam quase no mesmo instante.

— Tem ninguém lá não! — relata Márcio. — Perguntei para a recepcionista! Ela falou que não saiu nenhum hóspede daqui hoje e que o único que saiu e entrou foi o senhor. Como ele é? Quer que o procuremos?

— Esqueça! Era ele! Era ele, Márcio! O Preto — murmura Henrique. — Reúna todo mundo. Vamos nos falando no caminho. Temos muita coisa por fazer.

— Vamos procurar um médico? — pergunta José.

— Não precisa. Vamos procurar um caminhão verde, sem placas, que está com metade do meu corpo pendurado no gancho lateral, um fumador de cigarro de palha e um voo para São Paulo — nem bem termina a frase e já começa a rir, mas para por causa da dor.

Márcio e José caem na gargalhada.

— Tá difícil não. Dispenso o caminhão e o cigarreiro, mas o voo eu aceito — diz José, enquanto ri junto com Márcio.

— Opa! Tô nessa — completa Márcio.

— Senhores, vamos fazer o que viemos fazer; depois, se nós três chegarmos vivos ao fim dessa missão, a gente pega esse voo junto.

ARCO DE FOGO ▶ **209**

- 25 -
E na semana que vem...

RELATÓRIO POLICIAL

Operação Arco de Fogo	Data: 28 de agosto de 2010
Local: Uruará, PA	Hora: 4h
Missão, dia 35	Pág. 211

— **B**om dia, amigo! Polícia Federal! Posso ver sua habilitação e o documento do veículo? — anuncia Márcio.

— Vocês estão de brincadeira? — indigna-se o motorista.

— Gostaria muito que fosse brincadeira, mas não é. São quatro horas da manhã. Os documentos, por favor.

O homem está sozinho na picape e visivelmente embriagado.

Com a lanterna, Márcio verifica os dados da carteira de motorista e checa os dados do documento do veículo. Juliano o acompanha de perto, enquanto quatro homens da Força Nacional mantêm guarda sobre a estrada. Um funcionário do Ibama participa da barreira, lavrando as autuações administrativas quando constatadas infrações ambientais.

Não haverá flagrantes. Ao menos é o que se espera.

Henrique e José voltaram para a base em Santarém. Para surpresa de todos da equipe, ainda há indiciados que não conseguiram a liberdade provisória após os flagrantes, e os inquéritos precisam ser terminados. O volume de autuações e flagrantes talvez tenha sensibilizado o Poder Judiciário para a gravidade do ataque à Amazônia, que acontece de forma sistemática e por meio de pequenas ações humanas.

Ainda não há luz do dia, mas a madrugada foi produtiva no travessão. Com o trabalho intensificado pela OAF em Uruará após a audiência pública, as movimentações ilegais na floresta passaram a ser realizadas de madrugada.

Os homens da Arco de Fogo não se intimidaram, reclamaram ou desistiram. Passaram a montar barreiras nas estradas durante as madrugadas. De bicicleta a caminhão, o que se move é parado e revistado. Três duplas de policiais federais e homens da Força Nacional se revezam todas as noites desde a audiência.

Dois caminhões foram apreendidos naquela noite. A picape é o quinto veículo abordado. No seu interior, ao volante, um dos mais ricos fazendeiros de Uruará. Exportador de cacau, uma das maiores riquezas da região, para a Europa e Estados Unidos.

Os documentos estão corretos, o veículo também.

— Amarildo Pereira da Silva, certo? — prossegue Márcio.

— Sou eu mesmo.

— O que o senhor faz?

— Sou fazendeiro. Exporto cacau.

— Ótimo, um homem trabalhador. Desça, senhor Amarildo!

— Vocês estão de gozação? São quatro da manhã. Eu tenho que ir para casa descansar.

— É cedo para acordar, mas é tarde para descansar, amigo — responde Márcio. — Desça!

Contrariado e com alguma dificuldade, o homem sai do veículo e é levado até próximo a um dos homens da Força Nacional, que o mantém sob vigilância.

Márcio e Juliano começam a revistar o carro. A caçamba tem uma capota marítima, mas seu interior está vazio. Nada no compartimento do motor, nada nas caixas de rodas. No interior, nada debaixo dos bancos da frente ou sobre os bancos traseiros. Nada debaixo dos retrovisores.

Márcio abre o porta-luvas.

— Opa! Um revólver calibre .357! E está municiado! É seu, Amarildo?

O homem, visivelmente irritado, responde a distância:

— Claro que é meu! Ia ser de quem?

— Calma aí, amigo — adverte o soldado da Força Nacional. — Muita calma. Sua situação já não está boa.

Márcio passa o revólver para Juliano, que o coloca dentro de um saco plástico e o lacra.

— Veja atrás do encosto do banco traseiro, Márcio — sugere Juliano.

Márcio destrava o encosto do banco e o rebate. Surpresa. Uma espingarda e uma pistola.

— Opa! Está indo para a guerra, Amarildo?

O homem não responde. Está irritado. Márcio se aproxima.

— O senhor tem registro dessas armas?

— Tenho.

— Posso ver?

— Não estão comigo.

— Deveriam estar. CR ou SINARM?

— Não sei do que você está falando.

— Eu tinha certeza que não. Não tem registro, Juliano!

Juliano ri.

— Amigo, toda pessoa que tem arma sabe que ela tem que estar registrada no Exército, CR, ou na Polícia Federal, SINARM. Não precisaria perguntar mais nada, se não tem nem registro, mas é de praxe: tem porte?

O homem balança a cabeça negativamente.

— Bem, o senhor está preso por porte ilegal de arma de fogo de uso restrito. Tem o direito de permanecer em silêncio, de respeito a sua integridade física e moral, a assistência de sua família e advogado. Se não puder pagar um advogado, a União lhe custeará um. Alguma dúvida?

— Quero ligar para minha mulher para ela ligar para meu advogado.

Juliano passa o celular que estava dentro da picape ao homem. Ele descreve ao telefone sua indignação. Se não pode gritar com os policiais, pode gritar com a mulher do outro lado da linha. Os impropérios são muitos.

— Mantenha-o ali perto dos dois motoristas dos caminhões — orienta Márcio ao soldado. — Daqui a pouco, levamos todo mundo para a delegacia.

A barreira continua, mas nenhum outro veículo passa pela estrada até as seis da manhã. É levar tudo e todos para a cidade.

Antes de se deslocarem em comboio, Márcio liga para Henrique e relata o resultado da madrugada. Quer saber o que fazer com o flagrante de arma. Do outro lado da linha, Henrique informa que não tem como se deslocar para Uruará e que não seria producente levar o homem até Santarém. É crime de competência da justiça estadual. A solução é apresentar o fazendeiro ao delegado da Polícia Civil.

O comboio se desloca. Um homem da Força Nacional em cada caminhão, ao lado do motorista. O carro é conduzido por um terceiro homem da Força Nacional. Juliano escolta o preso no banco de trás da viatura da Polícia Federal.

— Vejam, não é para tanto! — argumenta com veemência a prefeita. — É um homem importante para a comunidade, honesto, trabalhador, dá emprego para muita gente!

A prefeita antecipou-se ao comboio. Chegou antes à delegacia. Amarildo não ligou para sua mulher. Ligou para a prefeita.

O delegado, um senhor de sessenta e poucos anos, magro, de óculos de grau com armação grossa e lente mais grossa ainda, tenta acalmar a prefeita e o fazendeiro.

Os soldados, policiais militares acostumados ao atendimento em plantões de delegacia, olham para a cena com desconfiança.

Os dois motoristas dos caminhões apreendidos, sentados nas cadeiras do saguão da delegacia, assistem tudo com pouca credulidade. Política e dinheiro, já viram isso antes. Sabem que serão os únicos autuados na noite.

— Doutor, o senhor vai lavrar ou não o flagrante? — pergunta Márcio, já irritado com a conversa, que dura mais de meia hora.

— Em hipótese alguma! — contesta a prefeita. — Em hipótese alguma!

O delegado olha atônito para a situação. Não há como contemporizar com os policiais federais. Márcio liga novamente para Henrique, relata o imbróglio, ouve o que o chefe diz e desliga o telefone.

— É o seguinte, doutor... — fala Márcio, esperando que o delegado lhe diga seu nome.

— Clarindo, doutor Clarindo.

— É o seguinte, doutor Clarindo, já falei com o delegado federal, nosso chefe...

— Ele não manda nada! Nem está aqui! — irrompe a prefeita.

— É isso mesmo! Ele não manda e não está aqui — grita Amarildo sentado na cadeira ao lado dos dois motoristas.

— Você, cale sua boca, seu criminosinho de quinta categoria! — manda o soldado da Força Nacional, ao lado de Amarildo.

— Bem, como eu ia dizendo, doutor Clarindo — continua Márcio, ignorando a prefeita e toda a cena a sua volta —, acabei de falar com doutor Henrique, nosso chefe, e ele disse que eu apenas devo circunstanciar em relatório o que quer que o senhor faça. O senhor é quem decide. Vai prender o homem ou não?

O delegado está preocupado em acalmar a prefeita, sentada na poltrona do saguão. Faz um gesto com a mão direita, mostrando que já vai cuidar do caso, enquanto segura o braço da prefeita com a mão esquerda e diz palavras para contemporizar.

— Calma, prefeita! — diz o delegado. — A gente vai resolver isso aqui. É só uma prisãozinha.

O fazendeiro se espanta, sentindo que vai ser preso. Percebeu que o delegado não está disposto a se arriscar por ele.

— Você perdeu o juízo, Clarindo? Vai me prender por causa desses idiotas?

Os soldados da Força Nacional se agitam. Os motoristas arregalam os olhos. O clima está tenso.

— Calma aí, amigo! Calma aí — adverte Juliano.

— É simples, doutor Clarindo — diz Márcio. — A segunda hipótese que o doutor Henrique nos deu é aguardar ele chegar à tarde em Uruará, se necessário, e ele mesmo lavra o flagrante.

O delegado está em um dilema. Olha para Amarildo e para a prefeita. Não quer desagradar o amor secreto da sua vida, mas não quer um relatório circunstanciado indo para a corregedoria na capital. Não daria em nada, com certeza, mas Belém poderia removê-lo para outro local, evitando repercussões negativas, o que significaria estar longe da prefeita. É melhor ele mesmo cuidar do caso.

— O senhor está preso, Amarildo! — decreta o delegado.

Alvoroço na delegacia. Homens da Força Nacional gritam palavras de ordem. Márcio e Juliano se cumprimentam. A prefeita está inconformada. Amarildo está transtornado e com o corpo levemente inclinado pelo peso da mão do soldado que a descansa sobre seu ombro propositalmente. Os dois motoristas se abraçam e batem palmas! Nunca viram um fazendeiro preso. Danem-se suas autuações.

— É isso aí, doutor! Vamos prender gente rica também! — grita um dos motoristas, enquanto se põe de pé. — Deus seja louvado! Achei que não ia viver para ver isso!

A história corre a cidade, corre a região. Correria o mundo se ali não fosse quase o fim dele ou se alguém contasse isso em um livro.

O fato dividiu águas e dividiu a cidade. Uns ficaram a favor, outros contra a prisão de Amarildo, mas todos, sem exceção, passaram a deixar suas armas guardadas em casa e a procurar os policiais federais para saber como fazer para regularizar a arma "de um amigo".

Luís não perde a oportunidade. Espalha a notícia para quem quer que o aborde:

— Na semana que vem, nós vamos começar a apreender veículos sem placas!

Uma mentira deslavada. Não há tempo para isso. Poucos veículos em Uruará têm placas, mas começaram a ter. Mentira ou não, o Estado se faz presente com a Arco de Fogo.

Era tudo o que Andrada Bueno não queria. Organização demais faz mal para os negócios.

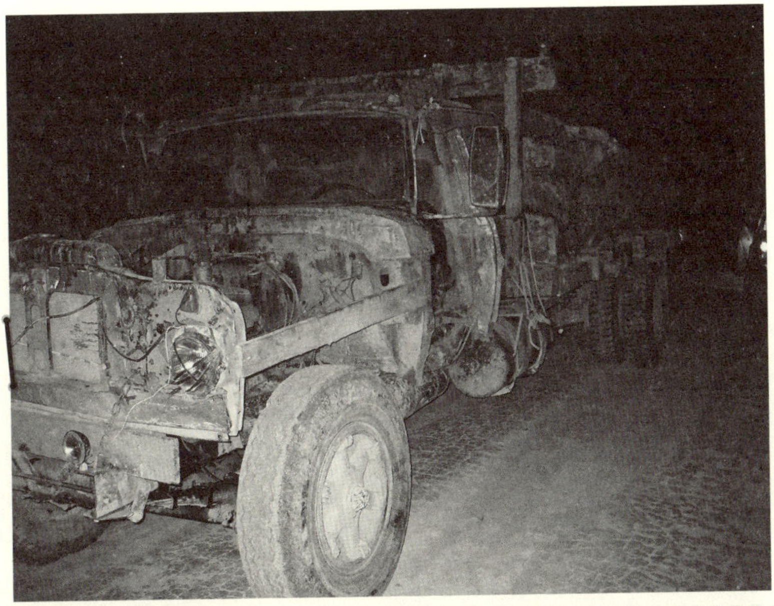

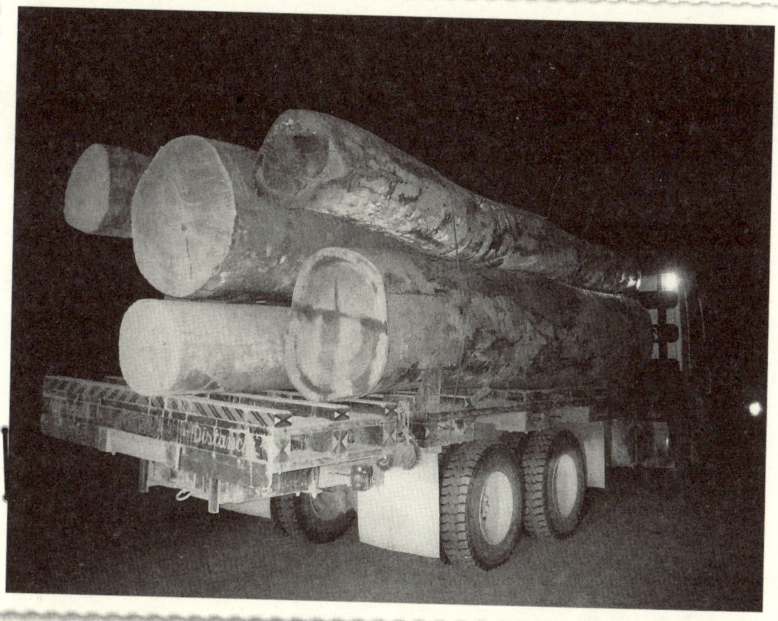

- 26 -
Em uma dessas

RELATÓRIO POLICIAL

Operação Arco de Fogo	Data: 30 de agosto de 2010
Local: Santa Maria do Uruará, PA	Hora: 10h
Missão, dia 37	Pág. 219

As águas do Amazonas são cortadas como uma lâmina pela pequena embarcação.

À frente, Milton, homem da Força Nacional, protege a embarcação com um fuzil, apontando-o para as margens e observando com binóculo qualquer movimento na água.

— Se esse barquinho virar, não tem como sobreviver. Vocês viram a quantidade de vegetação que tem? As pernas ficariam presas com certeza — observa José.

— De coturno, colete e essa roupa nossa é quase impossível — observa o sargento Gilberto, enquanto abraça sua calibre 12.

Henrique, em silêncio, sorri da ironia do destino. Péssimo nadador, sempre teve a certeza de que poderia evitar missões em locais com rios, mas, ali está, em meio às águas caudalosas dos rios da Amazônia. Pior: em um dos maiores rios do mundo, o próprio Amazonas. Em sua cabeça, não poderia imaginar ironia maior.

De Santarém a Prainha se deslocaram de avião. Mas ainda é necessário vencer quilômetros de água no pequeno barco.

Minutos antes, ao sair da chalana que serve de base vigilante do ICMBio às margens do rio Amazonas, no porto da Madeireira Urutau, ponto de acesso ao interior da Reserva Renascer, Henrique havia perguntado:

— Cadê os coletes salva-vidas?

— Tá com medo de morrer, doutor? — zombara o sargento, seguido de uma onda de risadas geral.

Em situações de comando, não é producente que palavras sejam seguidas de gracejos. Por mais inocentes que sejam as piadas e o clima de descontração, enfraquecem quem comanda.

Henrique tinha retomado as rédeas da situação:

— Sargento, em operações policiais duas coisas podem dar errado, homens despreparados ou equipamentos incorretos! E eu espero que o senhor não contribua para nenhuma das duas hoje.

Mal acabara de falar e o sargento, militar dos bons, se pôs em posição de sentido:

— Homens! Todos de colete! Agora!

E ali estão eles, cortando o Amazonas. Óbvio que apenas Henrique e José usam colete salva-vidas, mas todos vestiram colete à prova de balas. Morrer afogado é possível; morrer por tiros de criminosos, inaceitável.

— Como está o braço, sargento? Eu soube do tiro que tomou na Renascer — pergunta Henrique.

— Foi de raspão. Eu não gastaria um esparadrapo, mas o médico achou melhor dar treze pontos — diz o sargento, soltando uma gargalhada.

— Desde que entrei na polícia, penso muito nisso. Em sermos treinados para ir ao encontro do perigo. Enquanto todos estão correndo para o lado oposto, lá estamos nós indo em direção ao confronto — diz Henrique, pensando no final do dia que tem pela frente.

— É isso aí, doutor — completa o sargento.

— Podemos confiar, Tiago? — pergunta Henrique, virando-se para Tiago, sentado logo atrás dele no barco.

— Henrique, por aqui nada é cem por cento, mas acho difícil não quererem contribuir conosco. A Renascer foi muito castigada, e os maiores prejudicados hoje são os assentados, que têm toda aquela madeira parada e não podem usar. Há uma briga entre o Ministério do Desenvolvimento Social e o Ministério do Meio Ambiente. A extração ali está suspensa.

— Engraçado! Eles ajudaram a derrubar, ajudaram a obstruir a estrada, ajudaram a desobstruir a estrada e agora precisam da nossa ajuda. Agora eu queria saber mesmo o nome do gênio que idealizou assentamentos dentro de reser... — Henrique não termina a frase.

Milton levanta a mão, punho fechado. O sargento empunha sua arma, Henrique e José sacam suas pistolas. Milton levanta dois dedos, depois um e em seguida aponta para uma vegetação bem à frente. Três homens, é o que está dizendo. Olhos de águia. Uma embarcação parada ao lado de um tronco galhado alto bem no meio do rio. De fato, três homens.

O barqueiro diminui a velocidade e deixa o barco seguir em silêncio, apenas no impulso.

— Qual a chance, sargento? — pergunta Henrique.

— Nessas bandas, doutor, nunca se sabe quem é amigo e quem é inimigo. Na dúvida, é inimigo.

A embarcação da OAF se desvia um pouco para a margem direita. Cinquenta metros. Os desconhecidos não se movem. Estão a vinte e cinco metros agora. É distância suficiente até para um tiro certeiro de pistola. Aproximam-se um pouco mais da margem.

— Não muito, barqueiro, não muito! Pode ter mais gente nos esperando na margem — adverte o sargento.

Os homens da outra embarcação não se intimidam e não são amistosos. Estão com os olhos fixos na embarcação da OAF.

Milton se apoia em um dos joelhos e aponta ostensivamente seu fuzil para os estranhos. Henrique e José apontam as armas para os homens. O sargento está de olho na margem à direita, varrendo-a com a mira da espingarda.

— Bom dia, senhores — diz Henrique, em voz alta e firme.

Um dos sujeitos, o do meio, apenas acena lentamente com a cabeça. Os outros dois fixam olhares nos homens da OAF.

— Vamos abordá-los? — pergunta Milton.

— Sargento? — pergunta Henrique, passando a voz de comando ao homem responsável pela segurança da equipe.

— Estamos em maior número e já os estamos enquadrando. Estamos em vantagem. Pode abordar, barqueiro — determina o sargento.

A embarcação se aproxima.

— Levantem as mãos! — ordena Milton. — De onde vocês vêm?

— De longe — responde o homem do meio, marcado por uma cicatriz no rosto, que começa na testa, reparte sua sobrancelha direita, passa pela pálpebra e termina no queixo. Seu olho direito é branco, cego.

— E onde é isso, companheiro? — continua Milton.

— Longe — repete o homem. — Somos de paz, irmão! *Tamo* aqui pra nada não.

Os dois outros permanecem em silêncio. Só o homem com a cicatriz no rosto fala.

— Qual o seu nome, ô *Scarface?*

— José. José Alvarenga.

— Não façam nenhum movimento brusco. De onde vocês vêm e para onde estão indo? E fale direito! Vamos!

— Nós somos de Santa Maria! Estamos descendo o rio para o assentamento de Prainha. Estamos indo buscar mantimentos.

— Estão com armas?

— Não, senhor!

— Por que estão parados aqui?

— Vimos vocês. Nossa voadeira é rasa, não suporta marola e não havia espaço na vegetação para passar os dois barcos. O barco de vocês é maior, resolvemos esperar perto deste tronco.

— Certo. Não se mexam, nós vamos abordar vocês.

Os barcos se encostam. Milton, sem desfazer a mira, olha em volta e manda que os três levantem as camisas. Não têm nada. Apenas facões, comuns nessa região para abrir picadas na mata ou libertar o motor do barco das vegetações rasas. Ficam de pé e mostram as costas. Não trazem nada.

— Sargento? — pergunta Milton.

— Estão limpos, Milton. Mande seguirem.

— Vocês podem ir. Nós vamos observar vocês até cem metros.

Os homens soltam a corda que os prende ao tronco e começam a se mover lentamente. Alvarenga fixa o olhar no delegado, que o encara da mesma forma. O barco dos três homens se distancia. Vai descendo o rio. O da OAF permanece parado.

— Eu detesto este lugar. Me dá arrepios — diz Tiago.

O sargento dá risada. Ainda observam o barco se distanciar. Vinte e cinco, cinquenta, setenta metros. É o suficiente.

— Segue o rio, barqueiro — determina o sargento.

O barco começa a se movimentar novamente. Milton resolve conferir e vasculha rio abaixo para ver mais uma vez o barco dos homens estranhos.

— Sargento, veja! O barco não desceu o rio. Sumiu! — observa Milton.

— Estão mentindo, com certeza. Vamos precisar de mais cuidado na volta. Aqueles caras eram muito estranhos — diz o sargento.

Henrique fecha os olhos e os esfrega com a mão esquerda. Sabe que a pior parte dessa viagem ainda está por vir. Guarda sua arma no coldre, enquanto a embarcação segue rio acima por mais alguns minutos.

— Santa à frente! — anuncia Milton, enxergando os telhados de Santa Maria.

À frente do ponto de atraque do barco, encontra-se uma chalana gigante e decrépita, que meia dúzia de crianças usa de trampolim para pular no rio.

— Essa chalana virou em uma tempestade. Sessenta pessoas morreram — relata Tiago.

— Como tiraram isso do rio? — pergunta José.

— Dois meses depois, quando o rio baixou, tiveram que tirá-la porque estava atrapalhando a navegação. Agora, como fizeram para tirar um barco desse do meio do rio eu não tenho a menor ideia.

— Meu Deus! Não tem uma história boa neste lugar, não? — pergunta Henrique.

O silêncio permanece. O barco fantasma parece emitir uma energia negativa. Um presságio, talvez.

Henrique, José, Milton, Sargento Gilberto e Tiago descem. Salvo por alguns fios de eletricidade, é certo que viajaram no tempo. As casas de madeira, as ruas, as pessoas. É como se estivessem caminhando por um lugar que existiu décadas atrás.

Do alto de um pequeno sobrado de madeira, uma mulher olha atentamente para o grupo que caminha pelas ruas. Do outro lado, outra mulher fecha a janela.

— Estou me sentindo em um filme de faroeste! — diz Henrique.

— Eu ia falar a mesma coisa — diz Tiago. — Toda vez que venho aqui sinto isso.

O grupo caminha pela rua até o seu final. Um posto de combustível funciona ali.

— É aqui, Jô — diz Henrique.

José se aproxima do rapaz sentado perto da bomba de combustível:

— Companheiro, vamos usar seu posto por algumas horas. Podemos?

— Fique à vontade, seu moço. Só não tem energia hoje.

— Como assim?

— Energia aqui hoje só depois das cinco da tarde.

Henrique olha para o relógio. São dez horas.

— Isso acontece — diz Tiago.

— Se o senhor quiser, a gente liga a geradora a diesel.

— O senhor faria isso?

— A gente faz, claro! Como diz o patrão, o freguês sempre tem razão.

José ajeita uma mesinha, abre seu notebook e instala uma impressora. Enquanto isso, Henrique observa a paisagem devastada à sua frente. Um deserto de areia misturado a uma paisagem que mais parece um pasto. Mas uma coisa lhe chama a atenção. A dez metros do posto, do outro lado do que poderia ser chamado de rua, uma única árvore se sustenta naquela desolação. É uma árvore nova, pequena, plantada há pouco tempo. Tratando-se da Amazônia, seria só mais uma árvore se não estivesse protegida por um cercado de madeira de um metro e meio, como aqueles que se colocam nas calçadas dos grandes centros urbanos para garantir que uma árvore possa crescer.

— Jô! — chama Henrique, ainda virado para a árvore e de costas para o escrivão, que monta seus equipamentos.

— Diz aí, chefe!

— Olhe aquilo ali — Henrique aponta para a árvore cercada. — Quem acreditaria que uma árvore precisaria de um cercado para crescer na Amazônia? Irônico, não?

José examina a árvore por alguns segundos e parece que seu olhar se perde em um pensamento distante. Não diz nada e volta à sua tarefa. Henrique saca sua máquina fotográfica e registra o que entendeu ser a mais emblemática visão de tudo o que estava fazendo ali.

Pelo restante do dia, até às quinze e trinta, sem almoço, Henrique ouve diversas pessoas que trabalharam na madeireira Urutau. O objetivo é instruir o inquérito que está na base em Santarém com declarações de pessoas que dizem que a madeira da Renascer é processada pela Urutau.

Essa é a cortina de fumaça. Uma ação também necessária, mas cujo objetivo é encobrir outra.

Depois de horas, José fecha seu notebook e recolhe o equipamento. É hora de voltar, descer o rio. Não se pode deixar o sol se pôr, porque o perigo aumenta. Atravessam a pequena comunidade de Santa Maria e em alguns minutos estão todos de volta ao barco.

— Incrível — comenta Milton, apontando para o barco fantasma, onde ainda tem crianças brincando.

— Como foi o dia, doutor? — pergunta o sargento.

— Muita gente trabalhou na Urutau. Eu diria que essa comunidade toda vivia daquela serraria, mas ninguém vai declarar oficialmente à Polícia Federal que a serraria tirava madeira da reserva. Não vamos conseguir essa prova com testemunhas. A menos que todo mundo, em um pacto, resolva falar junto. Eles têm medo. Temos que achar uma saída para isso.

O barco desce o rio prateado pelo reflexo do sol. Não há trégua, não há nuvens para ajudar. Não se esqueceram dos homens da manhã também. Podem estar nas margens.

Em um tronco, alguns quilômetros abaixo de Santa Maria do Uruará, na margem do lado direito, na embocadura da mata, uma boia salva-vidas branca e vermelha pendurada. É o sinal.

— Ali, Tiago — aponta Henrique.

— O que é aquilo? — pergunta o sargento.

— É o nosso sinal, sargento — responde Tiago. — Encoste o barco ali, barqueiro.

— O que foi, doutor? Que sinal? O senhor não disse nada sobre isso. Isso é perigoso — alerta o sargento.

— Doutor! — fala Milton.

— Encostem o barco. Eu vou descer. Os senhores me esperem na margem. Se eu não voltar em trinta minutos, venham me buscar — ordena Henrique.

— O quê? O senhor vai entrar na mata sozinho? De jeito nenhum — assevera o sargento.

— Sargento, é uma ordem. É assim que tem que ser. Eu vou só.

Henrique pula do barco. A água bate na altura do joelho. Saca sua arma, confere se está pronta para atirar — um hábito — e adentra a mata. Caminha alguns metros. É incrível como a mata é fechada. Apenas umas passadas adentro e não se vê mais o rio, só se ouve o barulho de suas águas. Não se vê e nem se ouve os companheiros do barco, só os pássaros.

Há uma picada na mata que, embora fechada, sabe-se que é um caminho. Não há sinal de gente. Henrique caminha com um pouco de dificuldade, a cabeça abaixada por causa da vegetação.

Olha para os lados, mas não vê muita coisa. A luz penetra na mata apenas quando o sol está alto. Já são quase quatro horas. Henrique continua sua caminhada.

— Ô da mata! Sou eu — grita o delegado.

Há uma abertura.

Henrique vê a voadeira dos três homens coberta por folhas. Está ali a sua esquerda. Melhor voltar. É uma emboscada com certeza. Não dá tempo. O cano gelado de uma espingarda está na sua nuca e empurra sua cabeça para a frente.

Henrique experimenta a horrível sensação de ter uma arma encostada no pescoço. É como se instalassem um interruptor em você e alguém colocasse a mão nele para decidir se vai desligá-lo ou não.

— Calma aí, *seo* delegado! — diz alguém.

A voz é familiar. É do homem da cicatriz. Alvarenga, se é que esse é seu nome mesmo. Os dois ocupantes do barco, parceiros dele, também aparecem à frente do delegado. Estão armados. Um deles tira a arma da mão de Henrique.

— Não pensei que um delegado federal iria cair numa dessa! — diz Alvarenga.

ARCO DE FOGO ▸ **227**

ANOTAÇÕES

ANOTAÇÕES

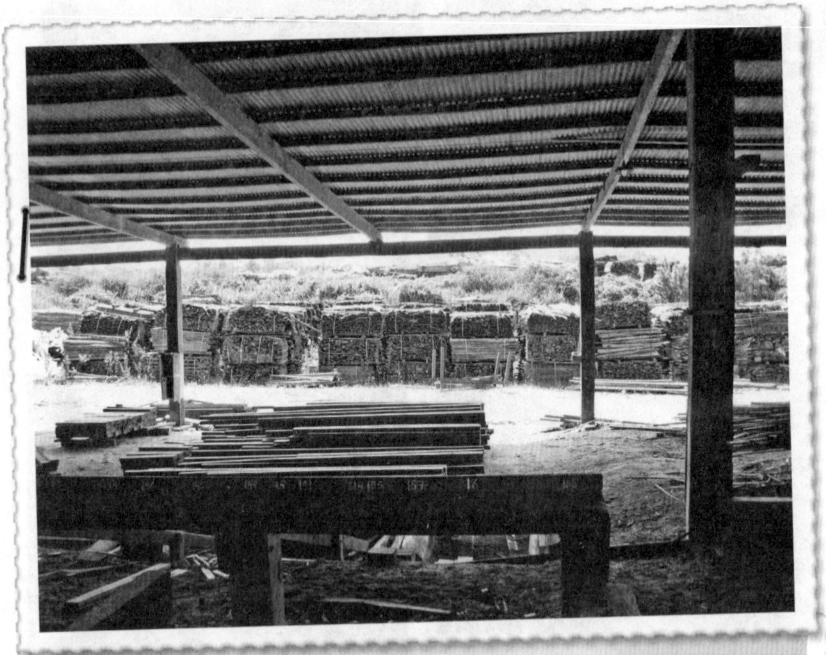

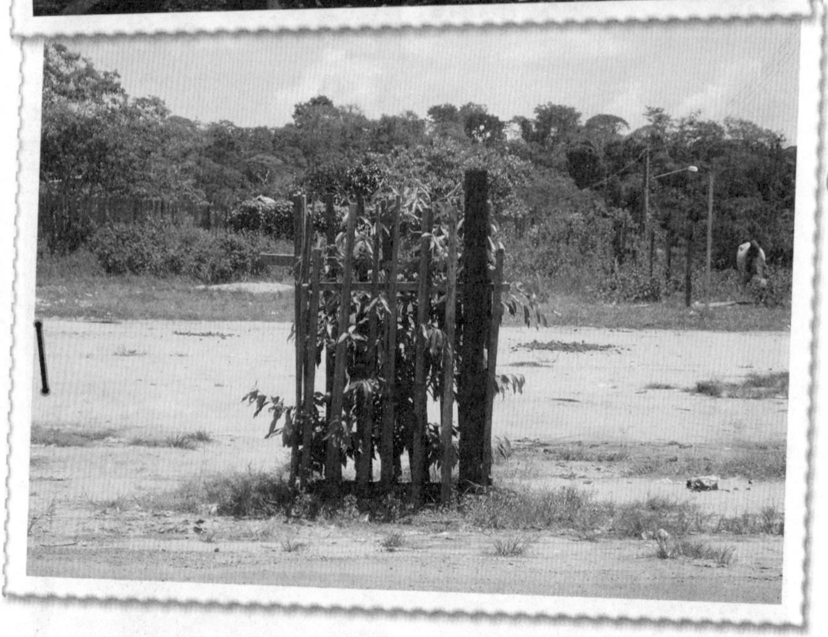

- 27 -
Ainda é cedo

RELATÓRIO POLICIAL

Operação Arco de Fogo	Data: 31 de agosto de 2010
Local: Santarém, PA	Hora: 9h
Missão, dia 38	Pág. 229

— Encontramos o corpo estendido no local do crime, com duas facas cravadas nele, doutor Júlio — diz a investigadora, enquanto caminha pelo corredor da casa, no centro de Santarém, seguida pelo delegado Júlio Capreste, da décima sexta delegacia de Polícia Civil da cidade.

— O corpo foi trazido para cá ou aqui é o local da execução? — pergunta o delegado.

— A execução foi aqui mesmo. O sangue espalhado não deixa dúvidas.

— Houve tortura?

— Ao que parece não.

— Marcas de violência?

— Não.

— Tem alguma semelhança com algum outro crime que tenhamos investigado ou estejamos investigando?

— Também não.

O local está escuro, as janelas fechadas e a iluminação fraca e amarela deixa o ar sombrio. O cheiro de sangue completa o quadro sempre lúgubre, que assombra locais de crimes de homicídio.

O delegado se aproxima e agacha próximo ao corpo.

— O que sabemos sobre a vítima, Agatha?

— Mulher, sessenta anos, divorciada, usava a casa como pensão, alugando os quartos e fornecendo alimentação.

Há sangue por toda a cozinha, e o corpo da mulher ainda está estendido ao lado do fogão, com uma faca cravada no abdome e outra no peito.

— Arrombamento? Quem nos acionou?

— A porta dos fundos está arrombada, mas foram os familiares que fizeram isso. Ela tinha o hábito de passar na casa da mãe todas as manhãs, há anos. Não passou hoje, os familiares desconfiaram de algo errado, ligaram e ninguém atendeu. Vieram para cá, chamaram diversas vezes e arrombaram a porta.

— O que sabemos do ex-marido?

— Morreu há dois anos. Já eram divorciados na época.

— Namorado, amante?

— Segundo os familiares, não mantinha nenhum relacionamento. Estava sozinha desde o divórcio. Teremos que investigar para saber se mantinha algum relacionamento secreto.

— Façam isso. O que mais? Algum objeto de valor foi subtraído?

— Ainda não temos como saber. O Cabral e a Marta estão inventariando o que tem na casa e vão mostrar aos familiares mais tarde para saber se está faltando algo.

— Alguma ocorrência registrada em nome da vítima ou nesse endereço recentemente?

— Já pesquisamos. Nada. Não tem passagem, não é usuária de drogas e o endereço está limpo.

O delegado, com toda a sua experiência, olha cada detalhe da casa. Tenta entender o fato e visualizar como tudo poderia ter acontecido. Os peritos recolhem vestígios e fotografam detalhadamente a cena do crime.

As portas estavam trancadas, mas não seria difícil sair e trancar a casa.

— Pensão, foi o que você disse?

— Sim.

— Tem algum tipo de registro de hóspedes, pagamento, cheques?

— Não.

— Algum hóspede recente, alguém de ontem para hoje?

— Os peritos estão começando os quartos agora. Depois o Cabral e a Marta vão passar pelos quartos também.

— Preparou comida para alguém ontem?

— Segundo os familiares, ela servia o jantar até as nove horas. A louça estava lavada e não havia lixo. Ela pode ter sido morta depois de lavar a louça e de ter colocado o lixo na rua. O caminhão de lixo passa às seis horas.

— Os quartos, quantos são?

— Cinco quartos, sendo que um era o da vítima. Todos estão muito revirados, de forma que não temos como saber se estavam ocupados de ontem para hoje. Os peritos estão coletando vestígios dos quartos.

— Sem registros, sem restos de comida, sem lixo. Imagens? Temos alguma imagem?

— O Tanaka está verificando se consegue imagens no quarteirão. Há uma câmera externa na loja de ferramentas da esquina de cima e outra câmera na esquina de baixo, em uma agência bancária. Está aguardando os técnicos chegarem para extrair imagens.

Um dos peritos se aproxima:

— Júlio, você vai querer ver isto!

O delegado o acompanha até um dos quartos, onde há uma mala de nylon fechada com cadeados, mas toda rasgada por algum objeto cortante como se fosse uma faca. As roupas foram arrancadas pelos rasgos abertos e estão jogadas pelo chão.

— É o quarto mais revirado — diz o perito. — Parece que estavam atrás dessa mala ou do dono dela. E eu conheço o dono dessa mala.

— Quem é? — pergunta o delegado.

— Juliano Vilela, perito da Polícia Federal. Está aqui trabalhando naquela operação deles de crimes ambientais — afirma o perito, categoricamente.

— Como você sabe, Andrade?

— Ele tem ido muito à delegacia e ao instituto de criminalística, junto com outros policiais federais — interrompe Agatha. — Estão examinando chassis de caminhões e registros de ocorrências anteriores.

— Achamos esta peça de roupa — diz o perito, mostrando uma camiseta polo com os dizeres "Congresso de Perícia Criminal — Rio de Janeiro 2008". — Eu o vi usando isso em duas oportunidades, e em uma delas chegamos a conversar sobre esse congresso. Não acredito que haja outra camiseta dessa em Santarém.

— O que tem mais na mala? Algum fundo falso?
— Precisamos abrir para saber — diz o perito.
— Faça-o. Vamos ver.

O perito abre seu estojo de ferramentas, retira um alicate pontiagudo e corta a alça dos dois cadeados que travavam os zíperes. Abre a mala e a revira. Busca um fundo falso. Caem dois projéteis 9mm e uma carteira de plástico no chão.

O perito agacha, pega a carteira e passa ao delegado. Tem uma foto.

— Carteira de sócio de um clube de campo do Rio de Janeiro, Juliano Vilela. É esse o policial federal? — pergunta o delegado, mostrando ao perito a foto que está na carteira.

— O próprio.

O delegado saca um maço de cigarros do bolso do paletó e coloca um na boca. Agatha lhe oferece um isqueiro, mas ele recusa. Procura nos bolsos e acha uma caixa de fósforos. Acende o cigarro e apaga o fósforo, balançando-o no ar. Dá uma tragada e fecha os olhos, soltando lentamente a fumaça.

— Alguma hipótese, doutor? — pergunta Andrade.

O delegado espreme os olhos e dá uma segunda tragada no cigarro.

— Precisamos saber mais. Talvez alguém soubesse sobre o policial hospedado aqui, talvez seja só uma coincidência — o delegado dá mais uma tragada. — Mas não estou inclinado a acreditar nisso.

— O que sabemos é que estão fazendo muitos inimigos na cidade — diz Agatha. — Tem muita gente incomodada com a presença deles por aqui e com o trabalho que estão fazendo. Dizem que adotaram uma política de tolerância zero.

— É, também já ouvi muito essas coisas, mas é cedo para associar o crime a isso — diz o delegado. — Achem esse tal perito, vamos ouvi-lo. Consigam as imagens das câmeras de segurança externas. Andrade, quando você e os outros peritos terminarem, encaminhem o corpo para o instituto médico. Vamos ouvir os familiares e deixá-los em paz. Liguem para o delegado que cuida desses crimes ambientais. Avisem do que aconteceu e digam que quero falar com ele.

ANOTAÇÕES

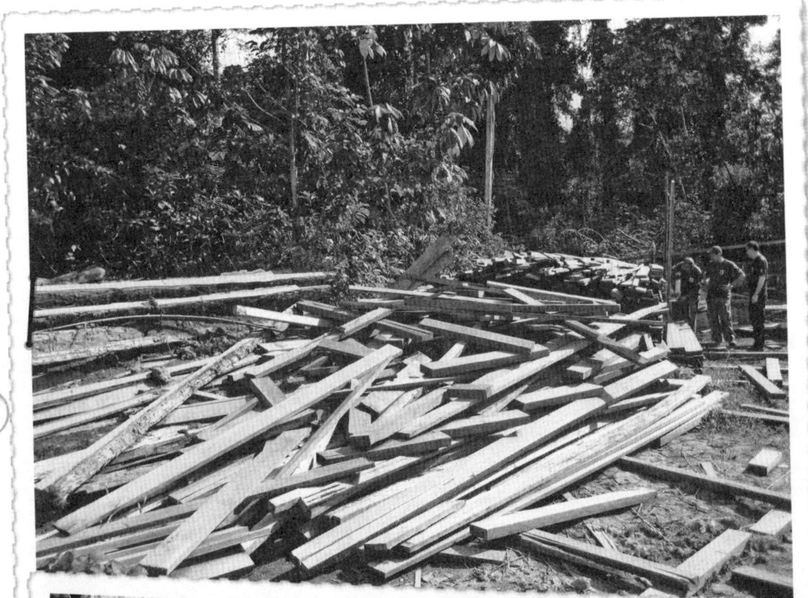

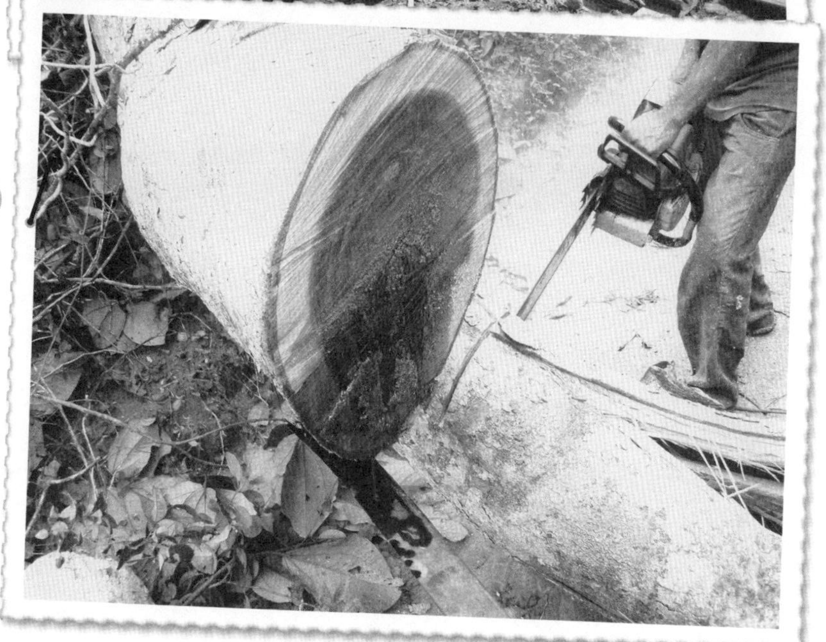

- 28 -
Nós não vamos

RELATÓRIO POLICIAL

Operação Arco de Fogo	Data: 1º de setembro de 2010
Local: Santa Maria do Uruará, PA	Hora: 16h
Missão, dia 39	Pág. 235

— Se o senhor não nos ajudar, meu irmão vai ficar paraplégico! — diz o homem, em tom de desespero.

— O médico vai com a gente? — pergunta Henrique.

O piloto já está na aeronave com o motor ligado.

— O médico diz que não pode ir, tem que ficar, mas que vai ter uma ambulância no aeroporto de Santarém.

— Meu amigo, o médico tem que ir junto! Senão, não vou levar seu irmão! — avisa o delegado.

— Mas, pelo amor de Deus, senhor!

— Parceiro, é o seguinte: eu quero ajudar você, quero ajudar seu irmão, mas ele está com uma lesão na coluna, certo?

— Sim, ele tá deitado lá no chão — diz o homem, quase chorando.

— Esse avião não tem como levá-lo deitado. É um Cessna Centurion! Como vou levar um homem sentado, com lesão na coluna? O senhor está vendo que a pista é de piçarra? Isso trepida para levantar. Como vamos imobilizá-lo? Vá lá e diga ao médico que é uma ordem! Ele vai junto!

O homem sai acelerando sua moto em meio à pista de terra. Transportar o desafortunado atrasará a missão. Há um plano em curso. Provavelmente, colocará tudo a perder. Mas é uma vida.

O piloto desliga o motor, e Henrique se senta sobre a roda do Cessna.

— É impossível vencer neste lugar — diz Henrique aos seus colegas.

Juliano, José e Márcio também não veem outra saída. Tudo o que vieram fazer ali foi feito. Ouvir pessoas sobre a Renascer e obter a mais valiosa informação da missão.

O dia foi longo. É a segunda vez que estava em Santa Maria do Uruará para ouvir ex-trabalhadores da Urutau e para encontrar o mensageiro do informante mais sinistro que já conheceu, José Alvarenga. Com o irmão assassinado, José passou a viver no meio da mata, cercado por homens fiéis a ele. Estava disposto a colaborar com a investigação da Renascer, mas não achou ninguém em quem confiar até então. Observou os passos de Henrique à frente da OAF e resolveu colaborar.

Agora, sem a necessidade de descer o rio, Henrique optou pelo avião para chegar mais rápido a Santa Maria e não correr riscos na travessia do rio Amazonas. Sem poder trazer homens da Força Nacional na pequena aeronave, a equipe foi reforçada por Márcio e Juliano.

— Henrique, já viu como é levantar voo na piçarra? — diz o piloto. — Não é confortável. Esse cara vai ter que estar bem imobilizado. Outra hipótese é tirarmos os bancos.

— Vamos fazer o quê, Xavier? Deixar o cara agonizando aqui? Quanto tempo para ir e voltar de Santarém? — pergunta Henrique.

— Vou precisar abastecer. Se tudo der certo, umas quatro horas. Mas você sabe que não consigo voltar hoje. O sol vai ter se posto e não há como pousar aqui à noite. Pode haver animais, a escuridão. Já estamos no limite do horário para levantar voo. Mais meia hora e teremos que fazer a parte final do voo por instrumentos.

— Não volte hoje, nos busque amanhã cedo, na primeira hora de sol.

— Chefe, vamos dormir onde? — pergunta Márcio.

Henrique pensa.

— Estamos em Santa Maria do Uruará. É o lugar mais distante de qualquer outro onde já estive. Só tem um lugar: o barco fantasma. Lá é seguro.

— É o que tem pra hoje — diz José.

— Aquele barco me dá calafrios — comenta Juliano.

— Deixe de ser medroso, homem — diz Márcio, batendo no ombro de Juliano.

Henrique se levanta, vai até próximo à cauda do avião e se encosta no leme. Põe a mão no bolso lateral da calça cargo, retira um papel, olha para ele, dobra-o e o guarda novamente. Cruza os braços e espera o motociclista voltar.

Juliano se aproxima:

— Chefe, alguma coisa sobre o homicídio em Santarém?

— A Polícia Civil já tem imagens de dois suspeitos. É só o que sei até agora — responde Henrique. — Fique tranquilo, não acredito que tenha algo a ver com você ou com nosso trabalho.

— Também não acredito, apesar das circunstâncias — responde Juliano. — Sinceramente, um crime bárbaro. Era uma pessoa de um coração sem tamanho, uma mãe.

— A violência não tem limites geográficos, Juliano. Onde houver homens, haverá violência. Você veio do Rio de Janeiro, eu, de Ribeirão Preto, e os colegas ali de São Paulo e São José dos Campos. Lá é tráfico de drogas, aqui madeira, ouro, diamantes. O homem elege a desculpa para ser violento. Não se atormente com isso. Vamos salvar esse rapaz que está lesionado.

Juliano fica em silêncio. Tinha grande apreço pela dona da pensão em que estava hospedado.

Dez minutos já se passaram, e o motociclista aparece para buscar o que acredita ser a tábua de salvação de seu irmão.

— Senhor, o médico diz que não pode ir. Tem duas mulheres em trabalho de parto e meu irmão precisa de cuidados urgentes.

— Rapaz! Chega dessa conversa. Mande trazer seu irmão. Vamos levá-lo. Fique tranquilo. Vamos, vamos, vamos, tragam-no. E que o médico venha pelo menos para nos ajudar a colocar seu irmão no avião.

O rapaz sai novamente e vai em busca do irmão acidentado. A missão para o dia seguinte está cancelada. Toda a história criada para desviar a atenção de quem luta contra a OAF e evitar vazamento também. A história não comporta adiamento, mas quem veio proteger a Amazônia não pode ignorar a vida humana. Ninguém pode. Não há o que pensar.

— Pessoal! Pessoal! — chama José. — Não me digam que aquilo é um avião.

— Onde? — pergunta Juliano.

— Lá, na direção daquela caixa d'água! — aponta José.

— Não acredito! — diz Márcio. — É a porra de um avião mesmo!

— Dois aviões em Santa Maria do Uruará! — diz Juliano. — É, hoje o aeroporto de Santa está congestionado!

O piloto tira o fone de ouvido e olha para o céu pela janela do Cessna. Nem ele acredita que existam dois aviões naquele local.

— É um Piper — constata Xavier. — Faz tempo que não piloto um desses.

O aeroplano passa em um voo rasante, faz a manobra de retorno e pousa. É um avião não muito maior que o Cessna. Todos se entreolham e param para ver quem vai descer. A porta se abre. Sai um homem muito bem-vestido que olha com espanto para os homens da Polícia Federal. Está confuso ou assustado. Hesita em caminhar, mas, com um esforço visível, estampa um sorriso no rosto, levanta os ombros e se dirige até os policiais.

— Olá, senhores! Boa tarde — diz o homem.

— Boa tarde! — dizem quase todos juntos.

— Meu nome é Cássio Barbosa, deputado federal.

— Prazer, senhor Cássio! — diz Henrique, estendendo a mão ao homem. — Polícia Federal. Esses aqui são Márcio, José e Juliano.

— Prazer, senhores.

— O que faz por aqui, deputado?

— Esse povo valente de Santa Maria é representado por mim no Congresso, e eu venho aqui de vez em quando saber como andam as coisas, do que precisam. Entendem?

— Sem dúvida! — responde Henrique. — E se tem uma coisa de que esse povo está precisando hoje é de um avião como esse seu!

— Como?

— Tem um homem acidentado, deputado, e precisa ser transportado deitado — diz Henrique. — Nosso avião não comporta a equipe e ele deitado e nem ele sozinho deitado.

O deputado ainda está hesitante, mas a verdade é que as eleições estão às portas do calendário. Olha para o avião, olha para os policiais e segura o queixo com a mão direita.

— Senhores, se o povo de Santa Maria de Uruará precisa de um avião, eu tenho o avião. Eu levo o rapaz! — diz o deputado.

A equipe vibra. Henrique aperta a mão do deputado e lhe agradece. O rapaz acidentado será socorrido, o deputado vai capitalizar seu gesto, com certeza, e a missão ainda tem uma nova chance de fechar com chave de ouro.

Estavam certos quanto ao socorro e aos votos, mas não quanto à chave de ouro.

ANOTAÇÕES

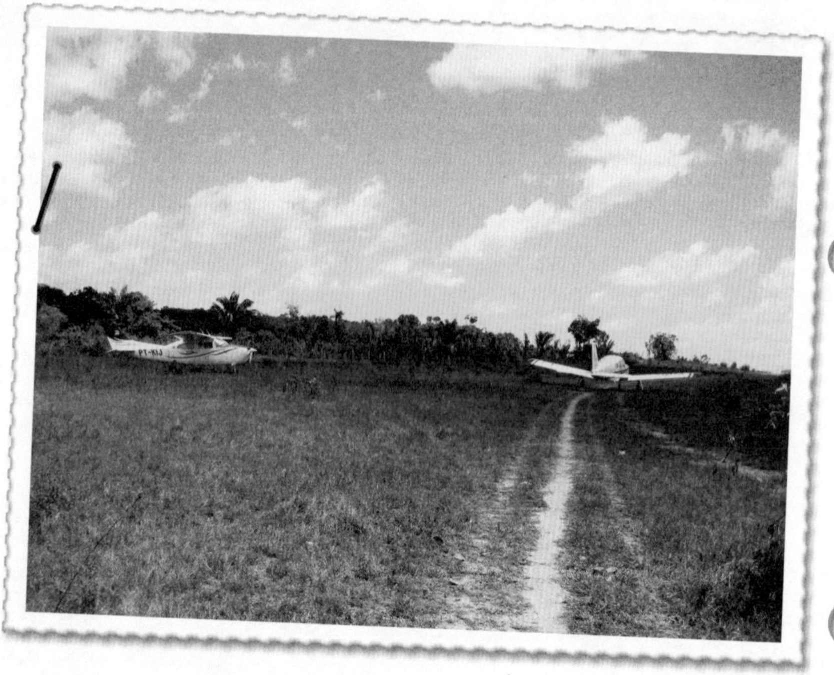

- 29 -
A última ponta

RELATÓRIO POLICIAL

Operação Arco de Fogo	Data: 2 de setembro de 2010
Local: Uruará, PA	Hora: 17h
Missão, dia 40	Pág. 241

Dois planos de manejo e uma madeireira foram fiscalizados no dia. Os homens da OAF começam a recolher seus equipamentos de trabalho e se preparam para deixar Uruará.

O trabalho nos últimos dias reduziu os estoques das madeireiras e levou ao encontro cada vez menos frequente de irregularidades, embora ainda haja muito que fiscalizar.

Henrique e José, todos já sabem, vão retornar a Santarém com o objetivo de preparar a base para o encerramento da missão, que já entra em seu último quarto de tempo. Alessandro e Nivaldo também voltarão para transferir os autos de infração a Henrique.

Os demais integrantes da OAF vão descansar uma noite mais em Uruará e partirão no dia seguinte. Muitos homens da OAF estão surpresos e relutantes em relação à decisão de Henrique e Alessandro de deixar a cidade. O helicóptero já partiu. Está em manutenção em Belém.

A cidade está de olho, e os homens que vivem do desmatamento estão medindo os passos da OAF.

Mas o plano de Henrique é outro. Com pouco efetivo para enfrentar os riscos de Macapixi, os homens resolveram montar um teatro. A maior parte dos soldados da Força Nacional continua na Renascer e outra parte monta guarda na base em Santarém, restando apenas quatro homens, incluindo o Capitão Hugo para ações em Uruará. Então, Henrique, José, Alessandro e Nivaldo partirão com a propaganda ostensiva de deixar a cidade. São iscas.

Agendaram compromissos e divulgaram a todos o cronograma a ser retomado no Curuatinga. Ademais, todos sabem que a missão da equipe está acabando.

Poucos receberam a informação verdadeira. Com o esvaziamento de Uruará e o vazamento de informações de dentro da OAF, Henrique quer levar todos a acreditarem que já encerrou seu interesse na cidade. Sua intenção é desmobilizar o inimigo, baixar a guarda do oponente. O plano é chegar a Santarém e voltar imediatamente a Uruará na viagem de retorno do helicóptero em manutenção, ainda no mesmo dia, e apoiar, via aérea, uma investida contra Macapixi.

Poucos homens, poucas armas, mas todos decididos a não terminar a missão sem antes enterrar de vez a fama do lugar de impenetrável ao Estado e a certeza de que esconde maquinário pesado usado na Urutau e no desmatamento, que certamente se iniciará novamente quando a OAF realmente deixar o local.

É uma ponta que a equipe não está disposta a deixar solta.

São vinte e três horas. O tempo, esse cínico, em um dia que os homens da OAF executam seu plano, passa devagar, quase palpável. É necessário que o plano seja convincente, ainda que exija esforço físico. Henrique já está na estrada. Os homens da OAF descansam. Meia-noite. A contagem regressiva para estancar a hemorragia no coração de Macapixi está no momento final.

Com a concentração da equipe da OAF em Uruará, tornou-se arriscado para os desmatadores movimentar máquinas ou depositar toras nos pátios das madeireiras. Perder máquinas, perder balsas, perder caminhões não faz parte do jogo. As irregularidades diminuem na mesma proporção da quantidade de madeira disponível quando a fiscalização é intensa. O volume de toras encontradas abandonadas nos travessões é incalculável. Quatro caminhões e muita madeira apreendida descansam próximo ao posto de combustível da cidade. Foram retirados de circulação e colocados lá pela OAF.

Duas da manhã. É o grande dia. Um dos planos vai prevalecer. Henrique está na BR-163, logo estará em Santarém. Seu plano está dando certo. Mas, aqui, o braço da vitrola risca o disco e o tempo para.

Do outro lado do campo visível dessa guerra declarada, os homens que jogam com a motosserra na mão também têm um plano. Desta vez estão um passo à frente. Sabem o que não deveriam saber.

Quando os ponteiros do relógio da matriz marcam duas horas e dez minutos, um enorme clarão ilumina as paredes do Hotel Luso e um estrondo invade o principal quarteirão da cidade. Pelas escadas do hotel, guiados pelo fogo que transparece pelas vidraças, homens correm em direção à porta principal. Pisadas fortes. Armas engatilhadas. Projéteis empurrados para o ferrolho. Tensão.

Juliano é o primeiro a chegar:

— Cara, detonaram a nossa viatura! Puta que pariu!

Em minutos, a viatura da Polícia Federal é consumida pelas labaredas. Lata retorcida, vidro e plástico derretidos. Tudo vira cinzas. Um galão de gasolina, a poucos metros, indica que o serviço de entrega ainda funciona muito bem nesses labirintos da selva.

Arco de Fogo. O nome da operação sempre esteve certo.

A trezentos quilômetros dali, um bipe agudo vibra em algum canto da viatura. Henrique tateia, acha e atende o celular. Uma certeza: é cedo demais para tocar.

— É o próprio... O quê? Cara, não brinca comigo. Não é hora disso.

Do outro lado da linha, Márcio conta em detalhes.

— Quem botou fogo na viatura, caralho? Como não sabem?

Com os lábios secos e espremidos um contra o outro, Henrique começa a se irritar com as regras do jogo.

— Márcio, diga ao pessoal que suspenda a operação. Avise ao Capitão Hugo. Descubram quem foi. Alguém tem que falar. Aproveite o contingente e vire a cidade de ponta-cabeça.

José já entendeu o suficiente, dispensa perguntas. Vai direto à sentença.

— Tá aí a prova que faltava, chefe.

Eles sabiam. Apesar do teatro montado, os homens que avançam sobre a Amazônia sabiam mais do que deveriam saber. Sabiam de tudo.

ANOTAÇÕES

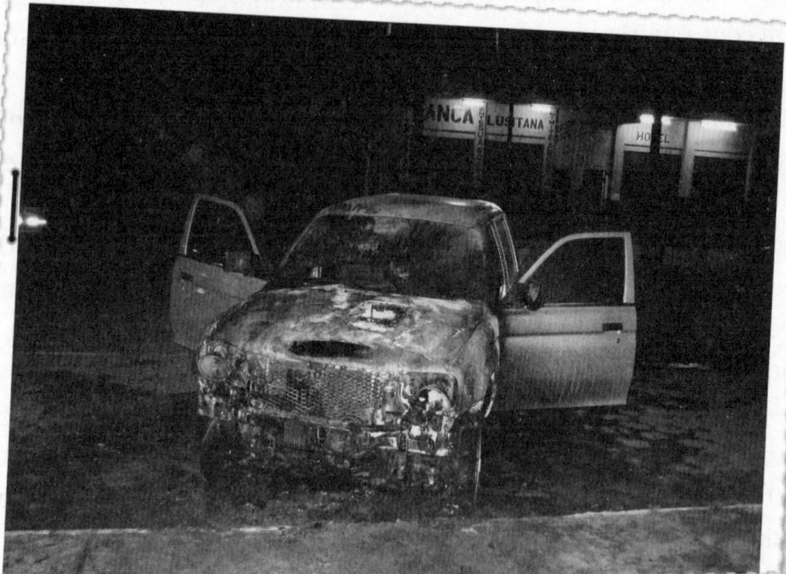

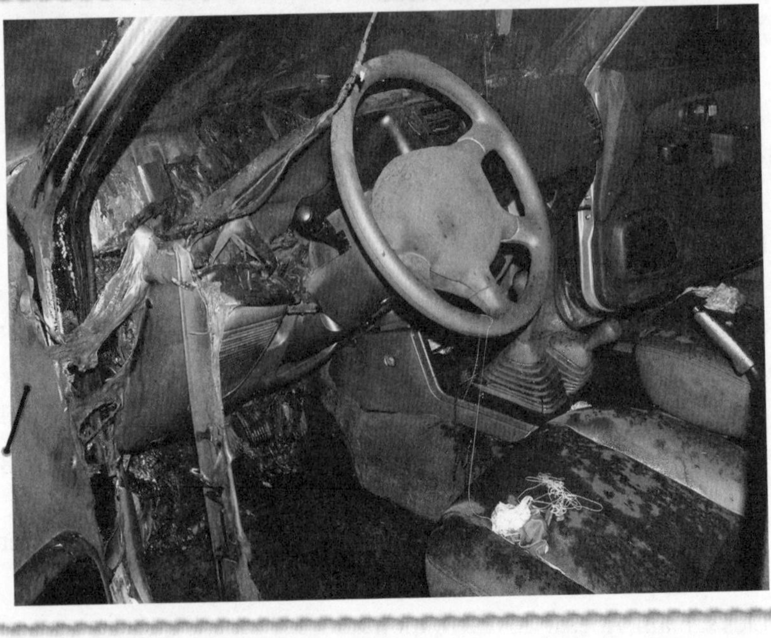

- 30 -
Fantasma e zumbi

RELATÓRIO POLICIAL

Operação Arco de Fogo	Data: 3 de setembro de 2010
Local: Santarém/Uruará, PA	Hora: 7h30
Missão, dia 41	Pág. 245

Ao telefone, Henrique trata do incêndio da viatura com o superintendente da Polícia Federal no Pará.

— Superintendente, eu entendo, mas minha picape está avariada. Eu quase não consegui chegar a Santarém. Nosso plano era de cobertura para despistar nossa intenção de tomar o Macapixi, porque temos certeza de que está tendo vazamento de informações. Até nosso plano de cobertura vazou.

— *De onde é o vazamento? Nosso pessoal?*

— Não. Já temos fortes indícios contra um suspeito e repassamos à coordenação regional. Não temos como provar daqui. Usamos medidas de compartimentação e plantamos informações falsas.

— *Quero que o senhor volte lá imediatamente e ache o incendiário!*

— Superintendente, estou acordado há trinta e seis horas. Não vou conseguir dirigir por mais sete horas. Preciso do helicóptero que está vindo de Belém me buscar.

— *Henrique, o senhor é delegado federal. Foi posto aí para fazer o seu trabalho. O que mais está acontecendo aí que eu deva saber? Como é possível incendiarem a viatura da Polícia Federal? Quem manda nisso? O senhor não está dando conta do serviço?*

— Somos oito contra quarenta mil, superintendente. Não temos a menor chance de vencer.

— *A Polícia Federal não é feita de chances! É feita de acertos!*

Não perdemos batalhas, Henrique! Nem que haja quarenta, duzentos ou um milhão deles!

— Estamos lutando com todas as nossas forças, senhor. Para vencer essa batalha, eu preciso de um exército. Já tentamos impedir que colocassem fogo em uma cidade inteira. Fogo em uma viatura é lucro. E concordo com o senhor: não perdemos batalhas. Não estou aqui para perder.

— *Quais as dificuldades que o senhor está enfrentando?*

— Afora vazamento de informações, uma cidade jogada contra nós, uma viatura incendiada, um atropelamento, o maior desmatamento da história da Amazônia, a busca das máquinas da Renascer, políticos se opondo publicamente contra nós, um Congresso afrouxando as leis e prometendo anistia, nenhum problema!

— *O senhor sabe que muitas destas coisas não estão no nosso controle!*

— Sei.

— *Vou lhe dar o que temos! O senhor deve mostrar a eles do que a Polícia Federal é feita e, a mim, do que o senhor é feito!*

A ligação se encerra. Henrique coloca o telefone no gancho.

Respira, descansa as duas mãos sobre o rosto e as desliza por sobre o nariz e boca até o pescoço, enquanto olha para o teto de sua sala. Nada custa mais caro a uma operação do que vazamento de informações. É um ferimento incurável. José está na sala ao lado e, pelo vidro, vê o mundo desabando sobre seu chefe e, agora, amigo. Henrique olha para José e sabe que seu colega também está aflito.

— Jô, não se preocupe, meu amigo! Quando eu sair daqui juro que eu vou escrever um livro sobre esta história e vamos dizer para todo mundo que é ficção! Prometo.

— Até porque ninguém vai acreditar que isso tudo aconteceu — diz José, com um sorriso no rosto.

— Ninguém mesmo.

Mas, o sangramento da Amazônia não para. Alessandro abre a porta:

— Henrique, a Polícia Militar acabou de trazer um caminhão com madeira sem guia florestal. Estão lá embaixo. Achei melhor avisá-lo.

— Alessandro, meu amigo, isso aqui é um teste de resistência. Você me faria um favor?

— Com certeza.

— Tenho que voltar a Uruará hoje, mas não mais para o Macapixi. Estamos em desvantagem e eles podem estar nos esperando naquele lugar. Encaminhe a ocorrência para a Divisão de Controle de Fiscalização apreender administrativamente. Daí vocês autuam e eu instauro um inquérito por portaria. Pode ser?

— Feito.

Alessandro fecha a porta, enquanto um bipe e um led vermelho no notebook sinalizam a chegada de mensagem importante. Um e-mail da coordenação regional em Belém e outro da coordenação-geral em Brasília. Henrique lê as informações e as anota em uma folha.

— Jô, acabaram-se os dias fáceis! — avisa Henrique. — Meu amigo, você pode desrespeitar a lei, mas jamais desrespeite quem vive dela.

— Jamais deixe saber que você sangra, certo?

— É isso aí, Jô. A Polícia Federal não brinca em serviço! — diz Henrique, enquanto se levanta rapidamente e pega seu colete. — Vá para seu hotel e faça suas malas. Vamos nos mudar para Uruará. O helicóptero nos pegará às treze horas.

Os peritos olham atentamente cada milímetro em torno da viatura incendiada. Não sobrou muita coisa. Os resíduos indicam que o incêndio foi causado por gasolina jogada sobre a picape. A explosão foi dos pneus e dos componentes de liga leve quando o compartimento da água de arrefecimento derreteu e o líquido desceu sobre eles.

A poucos metros do local, dentro de um contêiner de lixo, um galão de plástico de cinco litros com restos de gasolina no seu interior. Certamente o recipiente usado para carregar o combustível.

Os peritos coletam digitais. Fotografam o recipiente.

O delegado federal Pedro Ivo, da delegacia de Altamira, cuida do caso. Recebeu ordens da superintendência para assumir a investigação da explosão, juntamente com dois outros agentes federais também de Altamira.

Os dois peritos vieram da unidade de Santarém.

Juliano, Luís, Márcio, Felipe, Francisco e Ronaldo têm a missão de encontrar o culpado. Estão apoiados pela Força Nacional, Polícia Militar e Polícia Civil. Já sabem que foram dois homens.

— A ordem do Henrique é a seguinte, senhores! — avisa Juliano. — Encontrar quem fez isso e apresentar ao Pedro Ivo antes de o helicóptero pousar em Uruará. E ele chega em cinco horas.

De longe, sentado no bar próximo ao local, Andrada Bueno observa a movimentação dos homens da lei. Não sabem o que os atingiu.

Os homens se espalham pela cidade e pelas redondezas. É lá, no meio da mata, onde se escondem homens perigosos, que está a resposta. Todos sabem disso.

A caçada começa e não dura quatro horas. As pessoas sabem, as pessoas falam. Em uma cidade com quarenta mil habitantes, não há nada que possa se esconder por muito tempo.

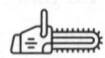

São quinze horas.

O helicóptero pousa em Uruará. Henrique e José descem com suas malas e coletes. Luís está ao lado do heliponto com uma picape.

— Já acharam os culpados, Luís? — pergunta Henrique.

— Ainda não, mas já temos uma testemunha e a Polícia Civil tem informantes. Sabemos que foram dois homens e que utilizaram uma motocicleta. Temos meia dúzia de suspeitos e estamos trabalhando na eliminação.

— Ótimo.

— Capitão Hugo e o delegado Pedro Ivo estão no hotel.

Entram na picape e vão direto para o hotel. As conversas são rápidas. Não há tempo a perder com esse incidente. É preciso responder ao confronto. O inimigo não pode ter tempo de comemorar uma afronta à Polícia Federal.

No hotel, Capitão Hugo está no saguão com seus homens. Estão prontos. Henrique o cumprimenta e o convida a subir. No quarto, o delegado Pedro Ivo, da delegacia de Altamira, aguarda a chegada de Henrique.

— Prazer, Pedro Ivo, Altamira — apresenta-se o delegado.

— Prazer, Henrique. Este é o Capitão Hugo.

— Já nos conhecemos — diz o capitão.

— Eu fui designado pela superintendência para apoiá-lo e cuidar do caso da viatura — diz o novo delegado federal em Uruará.

— Obrigado!

Nesse momento, entra Juliano no quarto e traz notícias.

— Olá, chefe — diz Juliano. — Demorou para acontecer.

— Era questão de tempo, Juliano — responde Henrique. — A gente sabia que não iam aceitar passivamente nossa pressão. Você sabe o que isso significa, certo?

— Sei, sim. Eles sabiam.

— Sim, sabiam. O que temos?

— Já sabemos onde estão os dois incendiários — afirma Juliano.

— Excelente. Não esperava outra coisa de vocês. Parabéns! Onde estão?

— Travessão Norte, Km 180. Moram em uma propriedade particular, ao lado de um assentamento.

— Capitão, estamos prontos?

— Agora.

O comboio sai. Polícia Federal e Força Nacional vão em busca dos homens que acenderam a dinamite que faltava para expor a guerra entre a Arco de Fogo e os homens sem rosto que vivem do desmatamento ao redor de Uruará.

O arco está na tensão máxima. É hora de soltar a flecha.

É uma chácara no meio da floresta. Só uma casa de madeira velha com apenas uma janela. Está tudo fechado. Uma motocicleta vermelha na frente. Possivelmente, aquela apontada pela testemunha.

Os policiais cercam o local e se protegem.

Henrique está atrás da L200 e dá a ordem:

— Ô de casa! Polícia Federal! Saiam agora!

Quatro cachorros vêm correndo em direção aos policiais, mas param a meia distância entre eles e a casa. Latem alto. Estão soltos e deviam estar no meio da mata para terem demorado a latir. Ninguém atendeu ao chamado. Henrique grita a plenos pulmões:

— Polícia Federal! Quem estiver na casa, saia!

Alguém tremulamente abre uma pequena fresta na janela. Todos engatilham suas armas e apontam para a janela, que se fecha imediatamente.

— Vamos simbora! Saia quem estiver aí, senão vamos entrar! — grita novamente o delegado.

Não demora, um homem abre a porta, põe a cabeça para fora e sai sem camisa. É extremamente magro, cabelos ruivos compridos e desgrenhados, passando da altura dos ombros, barba cobrindo o peito. Levanta as mãos. Tem um caminhar cambaleante.

— Fui eu! — grita o homem.

— Ótimo! Já poupou metade do interrogatório — grita Henrique. — Mande seu amigo sair também!

Outro homem sai, também sem camisa, com uma tatuagem de tinta roxa de dragão que lhe cobre todo o tronco. Tatuagem de cadeia, com certeza. Sai da casa com as mãos para cima e se põe ao lado do outro homem. Estão bêbados.

Hugo dá a ordem a seus homens, que avançam sobre os dois e os deitam no chão lamacento enquanto são algemados. Henrique coloca sua arma no coldre e sinaliza para o capitão sobre o perigo em volta fazendo um movimento circular da mão direita com o dedo indicador levantado.

O capitão acena positivamente com a cabeça e, com um gesto de mão, determina a seus homens que tomem conta do perímetro. Os policiais federais assumem os dois presos.

— Levantem-nos — ordena Henrique.

Os dois homens são colocados de joelhos pelos policiais federais.

— Não me interessa o nome de nenhum de vocês, que vou chamar de Zumbi e Fantasma, porque é o que vocês são! Homens mortos! Fantasma é você, barbudo! E Zumbi é você, com esse desenho de criança com canetinha no corpo — diz Henrique, com a boca seca e a voz carregada.

Os dois homens se olham e riem. Capitão Hugo faz um gesto de movimento contra os dois, mas Henrique o segura com o braço esquerdo.

— A pergunta é simples, muito simples até para dois homens mortos como vocês. Quem?

Os homens abaixam a cabeça e continuam rindo.

— Vou perguntar de novo. Quem? — insiste Henrique.

Os homens continuam rindo.

Capitão Hugo avança sobre os homens, mas dessa vez Henrique não o segura, desferindo um golpe no rosto do homem que agora se chama Zumbi, que cai sentado sobre seus calcanhares. Os policiais o colocam de joelho novamente.

— Estão bêbados, capitão — diz Juliano. — Não compensa.

— É para aumentar a adrenalina deles — diz o capitão. — Curar a bebedeira.

— Nós estamos no meio da Amazônia, no meio do nada — continua Henrique. — Quem vai sentir falta de vocês? Podemos falar para todo mundo que não os encontramos aqui e vão pensar que alguém sumiu com vocês para não ser descoberto.

— Alguém aqui encontrou dois homens? — grita Márcio para todos.

Os policiais respondem negativamente. Luís joga um balde de água nos dois homens. Eles balançam a cabeça e cospem o pouco de água que lhes entrou na boca.

— Viram? Nem encontramos vocês ainda — prossegue Henrique. — Vocês estão mortos. Só que serão os primeiros homens mortos a cavar a própria cova, porque não vamos nos dar ao trabalho nem de cavar o buraco em que vamos enterrar vocês. Entendem isso? A última vez que pergunto. Quem?

— Brucutu — diz o homem agora chamado Fantasma.

— Impossível! Sem essa. Pagaram vocês para dizer isso. Digam a verdade — esbraveja Henrique.

— Brucutu — diz o outro homem ajoelhado. — Vocês pegaram madeira dele no mês passado com dois caminhões que arrastaram do Ponto Oito. Depois pegaram um trator e uma serraria móvel, puseram areia no trator e empenaram a serra. Ele está quebrado, sem dinheiro. Está com raiva de vocês.

— Sei não. Muita coincidência. E o que ele prometeu a vocês se está sem dinheiro?

— A gente devia dinheiro para ele. Ele disse, que se a gente ateasse fogo na viatura de vocês, estaria quite — diz Fantasma, enquanto se entrega a uma risada sem sentido em razão da embriaguez.

Felipe, que está mais distante, cuidando do perímetro, se aproxima de Henrique, o chama para o lado e sussurra:

— Chefe, até é possível que estejam dizendo a verdade, mas, lembra no início do mês, quando o senhor me pediu para encontrar esse tal de Brucutu? Quando o Márcio e o Luís estavam investigando os dois caminhões?

— Lembro.

— Então, ele foi assassinado faz três dias — continua Felipe em tom de sussurro. — Eu ia lhe relatar isso, mas, com tudo o que aconteceu, acabou ficando para o relatório de investigações em andamento.

— Morreu como, Felipe?

— Em Medicilândia, em um prostíbulo. Dois tiros, briga por causa de puta.

— Ok, sabemos que era um homem violento e gostava de puteiros. Não é difícil ter sido isso mesmo. Qual a classificação da informação?

— A1, chefe. Sem possibilidade de erro — sentencia Felipe. — Morte, dois tiros, Medicilândia, Brucutu.

Henrique se volta para os dois.

— Quando vocês estiveram com o Brucutu?

— Ontem — responde Fantasma.

— Ontem... — repete Henrique. — Vocês são dois imbecis mesmo. O Brucutu está morto faz três dias — responde Henrique.

Os dois homens arregalam os olhos, abaixam a cabeça e riem.

— *Vixi!* Danou-se tudo — diz Fantasma rindo.

Estão bêbados e estão mentindo. São marionetes. Os caminhões apreendidos, a serraria móvel e o trator no Curuatinga, o incêndio da viatura e a morte do Brucutu fechando o círculo. Está fácil demais. Brucutu seria o mentor ideal do incêndio. As pessoas em Uruará sabem que a Polícia Federal procurava por ele e, mais do que qualquer outro, ele teria motivos de sobra, se isso tudo fosse verdade, para um acerto de contas com a OAF.

Alguém está preparando um plano maior.

— Vou perguntar pela última vez — diz Henrique, aproximando-se do rosto do Fantasma e segurando-o firmemente pela barba com a mão esquerda. — Sabemos que o Brucutu não tem nada a ver com nossa viatura e vocês também sabem. Última chance. Quem? — Henrique encosta sua pistola na cabeça do homem e passa o dedo indicador no sinalizador, deslizando-o para o gatilho. Está alterado.

— Calma aí, chefe! — adverte Luís. — Nossa missão está acabando...

O homem começa a chorar. Capitão Hugo encosta sua calibre 12 na cabeça do Zumbi, que se assusta, espreme os olhos e começa a rezar um Pai Nosso.

— Quem, porra!? — grita Henrique, fazendo pressão sobre o gatilho de trava da Glock.

— Chefe... — adverte Luís mais uma vez. — Daqui uns dias estamos em casa...

Os policiais estão impassíveis. Não demonstram qualquer sentimento pelos homens ajoelhados. Francisco se aproxima com duas pás, uma em cada mão, e as lança contra o chão, uma ao lado de cada um dos homens ajoelhados.

— Chefe, mande cavar primeiro! — pede Francisco.

Luís está tenso. Olha com desaprovação para Francisco.

Henrique não tem dúvida e puxa o gatilho. Capitão também o faz quase imediatamente.

Luís se assusta, faz um movimento de recuo e se protege com os braços e mãos. Até Francisco recua.

Henrique se afasta rapidamente. Fantasma se enche de urina. As armas não estão municiadas. Henrique se certificou no sinalizador antes de apertar o gatilho. O capitão abre a mão esquerda e mostra os dois cartuchos que retirou da arma.

— Quem? — grita Henrique.

Os homens estão bêbados. Não vão falar. E mesmo que falem, não haverá provas de que devem ter aceitado o serviço por uma garrafa de uísque, cachaça ou uns míseros reais. Ou, quem sabe, como é possível por aqui, para evitar serem mortos.

— Podem levá-los, Capitão — determina Henrique. — Não valem nada. Apresente-os ao Pedro Ivo, que os levará para Altamira. Talvez uns dias na cela os ajudem a repensar. E a verdade é que nós sabemos quem está por trás disso.

— Pessoal, tragam a mangueira — ordena o capitão.

Francisco está aliviado. Luís estampa um sorriso de canto de boca. Afeiçoou-se a Henrique. Está orgulhoso do delegado. Passa por ele, coloca a mão direita sobre o ombro de Henrique, acena positivamente com a cabeça sem dizer nada e se dirige para a picape.

Henrique olha para o chão, respira profundamente e olha a sua volta. Árvores e mais árvores. A história remonta ao pau-brasil. Desde Cabral, o negócio é madeira.

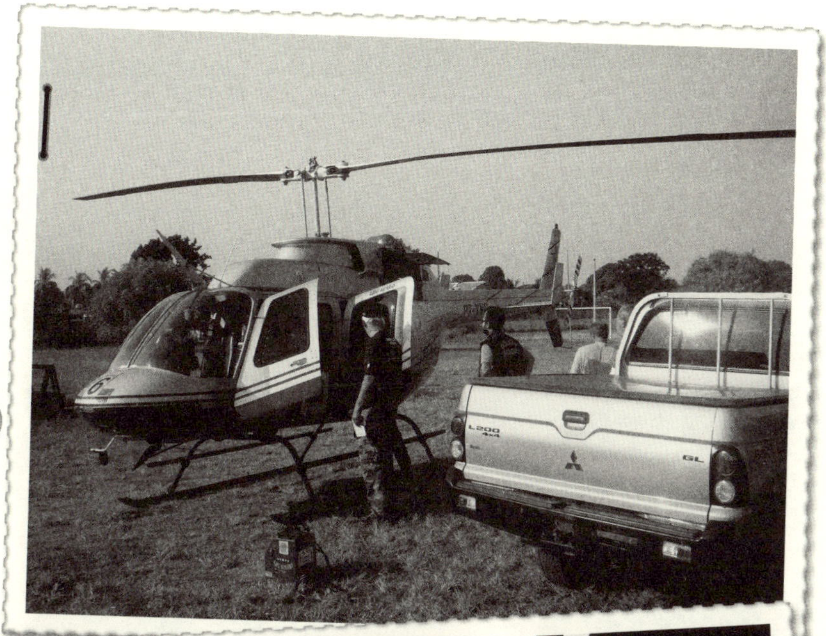
L200
4x4
GL

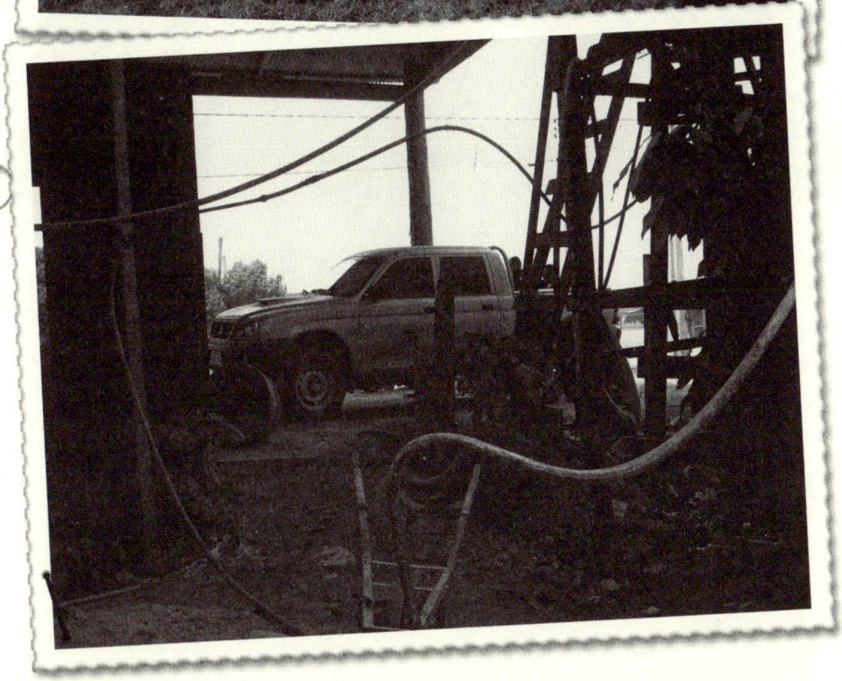

- 31 -
Sempre corre

RELATÓRIO POLICIAL

Operação Arco de Fogo	Data: 4 de setembro de 2010
Local: Uruará, PA	Hora: 9h
Missão, dia 42	Pág. 257

Rodrigo se apresenta ao delegado no saguão do hotel. Estão prontos para começar uma investida ainda mais forte contra o desmatamento em Uruará, agora coordenada diretamente pelo delegado.

— Estas são as madeireiras que vamos fiscalizar hoje, doutor Henrique — diz Rodrigo Silva, homem de confiança do Ibama e responsável pela insatisfação dos madeireiros em Uruará.

— Não, Rodrigo! Não vamos a nenhuma dessas mais — diz o delegado.

— Mas fizemos todo o levantamento no sistema ontem com a equipe, preparando a fiscalização para hoje!

— Rodrigo, sabemos que você está enfrentando dificuldades aqui, certo? Informações demais rodando por onde não deviam.

— Sim, infelizmente sim.

— Veja o que aconteceu com nossa viatura.

— O que o senhor determinar nós faremos.

— Ótimo! A partir de hoje, vamos fazer diferente. Vamos instalar o caos para quem anda fora da lei. Vão sentir o peso de terem a Arco de Fogo no encalço deles. Já apanhamos demais. Até agora, era só autuação administrativa. Não estamos aqui para dar apoio armado. Estou aqui para fazer cumprir a lei.

— Vamos aonde, então?

— Me dê a relação de todos os planos de manejo, polígono por polígono embargado e de todas as madeireiras. Eu decido de manhã, quando vocês se apresentarem, onde, quando e como. E os planos de voo do helicóptero também serão decididos por mim toda manhã.

— Mas como vamos fazer os levantamentos prévios de estoque?

— Não vamos. Vamos fazer de dentro do pátio das madeireiras. Leve seu notebook e conectamos nas empresas. Se não tiver como conectar, faremos o levantamento físico, nem que leve o dia inteiro, e à noite conferimos com o SISFLORA. Vamos inverter a lógica.

— Eu vou adorar.

— Sei disso. Sei do trabalho que vocês vêm realizando. Vamos começar hoje pelas madeireiras que você já autuou.

Sem o plano prévio de fiscalização, os vazamentos perderão o efeito e os infratores não saberão quando acontecerá a visita da OAF. Sem informações privilegiadas, o risco de o infrator ser autuado aumenta exponencialmente.

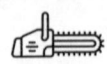

— Senhor Antenor, cadê a madeira apreendida pelo Ibama? — pergunta Henrique.

O homem coça o pescoço e espreme um dos olhos.

O dia foi consumido em fiscalizações de madeireiras já autuadas para verificar se se enquadraram. A madeireira Lustro é a terceira e última do dia, às vésperas do 7 de setembro.

Desde o dia 4, a fiscalização de madeireiras, estradas, planos de manejo, construções de fornos clandestinos, tornou-se algo nunca visto. Os homens da OAF estão decididos a mostrar que não se intimidaram.

— Ô, *seo* delegado, eu não sei dizer para o senhor, mas para ser sincero acho que usei a madeira ou, sei lá, algum desavisado usou a madeira.

— O senhor tem certeza?

— Certeza eu não tenho, porque pode ser que não chegaram nem a separar, sabe?

O cinismo de Antenor Jamil, dono da madeireira, é visível. Quarenta e três metros cúbicos de madeira haviam sido detectados no seu pátio sem lançamento no sistema. Madeira ilegal, que sairia sem nota ou seria esquentada com documentos fraudulentos e que tinha sido movimentada no dia da fiscalização.

— A madeira já estava aqui, senhor Antenor! — intervém Rodrigo.

Terceira madeireira do dia, mas as mesmas desculpas. Nas duas primeiras, Henrique deu o prazo de quarenta e oito horas para a madeira aparecer porque ainda não havia sido separada.

— A gente esqueceu de avisar o pessoal do pátio, aí é muito trabalho e o senhor já viu, uma bagunça — argumenta Antenor.

Os dias lutando contra a arrogância e despeito dos fiscalizados já levaram Henrique a um novo patamar de intolerância. O incêndio da viatura levou sua temperatura perto da ebulição. Felipe e Francisco acompanham a conversa juntamente com Rodrigo, todos já acostumados com as mentiras deslavadas. Uma mentira após a outra, um dia após o outro, mais do mesmo. Felipe está ao celular.

— Vamos ver se eu entendi, porque já faz um dia inteiro que estou encontrando desculpas demais e madeira de menos.

— Claro. No que eu puder ajudar, conte comigo — diz o madeireiro.

— O senhor Rodrigo aqui, do Ibama, juntamente com os policiais federais, veio até a sua empresa e encontrou madeira não lançada no sistema.

— Sim.

— A madeira estava aqui, neste exato lugar onde estamos conversando — diz Henrique, apontando para o chão.

— Sim.

— E o senhor está dizendo que usou a madeira. Certo?

— Foi um engano. O senhor entende, né?

— Entendo. Entendo muito bem. Só um segundo.

Henrique se vira para Rodrigo e pede os autos de infração, de apreensão e de embargo, olha para os documentos e os mostra para o madeireiro.

— Essas assinaturas são suas?

— Me deixe ver — diz o homem, examinando os documentos com absoluto ar de desdém. — São minhas. É, são minhas.

— Ótimo. Antenor Jamil, certo? E o senhor é o proprietário dessa madeireira, é o homem que manda aqui.

— Sim.

— Então vou lhe esclarecer a delicadeza da sua situação, amigo. Eu, com meu humilde conhecimento da lei, acredito que o senhor esteja incorrendo em crime de receptação ao usar madeira de origem criminosa no seu empreendimento, o que me permite prendê-lo agorinha, neste exato momento.

O homem se assusta.

— Mas, calma! Muita calma, senhor Antenor — diz Henrique com a mão no ombro do homem, que está sem fala. — Assim como o senhor, eu também estou no meio de uma bagunça. Muito trabalho. Então, eu vou embora e vou voltar. Quando eu voltar, o senhor vai ter que me apresentar os quarenta e três metros cúbicos de madeira angelim neste exato lugar em que estamos em pé. Estamos combinados? Porque, senão, eu vou prendê-lo.

O homem respira aliviado.

— Com certeza, doutor! — o tom já é outro. Perdeu a arrogância. — O senhor fique despreocupado.

— Não estou preocupado, mas o senhor deveria estar — diz Henrique, ainda com a mão no ombro de Antenor. — Obrigado.

Henrique vira as costas e, junto com sua equipe, entra na viatura. O porteiro abre o portão da madeireira e a viatura sai. O portão se fecha. O homem está dando risada agora. Vai dar um jeito de arrumar quarenta e três metros cúbicos de angelim para entregar ao delegado e outros tantos para usar à vontade em sua madeireira. Isso não será difícil. Sabe onde tem de sobra.

— Esses idiotas... — resmunga Antenor, em voz baixa.

O portão se abre novamente, a viatura volta de ré e Henrique desce, dirigindo-se diretamente ao madeireiro.

— Senhor Antenor!

— Pois não! O senhor esqueceu alguma coisa?

— Não, o esquecido aqui é o senhor. Eu jamais esqueceria que madeira apreendida não é para ser usada. E, se o senhor não esqueceu, eu disse que, quando eu voltasse, eu queria a madeira aqui onde estamos, certo?

— E vai estar, pode ter certeza. Quando o senhor voltar, estará aqui, exatamente onde estamos.

— Não, o senhor não entendeu. Eu já fui e já voltei. Cadê a madeira?
— O quê?
— Cadê a madeira de origem ilegal que estava aqui?
— Eu...
— O senhor está preso pela prática do crime de receptação.

Mal Henrique termina sua frase, Felipe apresenta o celular com a gravação da voz de Antenor: *"Para ser sincero, acho que usei a madeira"*.

Francisco já está ao lado do homem, segurando-o pelo braço. Rodrigo se sente vingado por quarenta e cinco dias de trabalho árduo esbarrando no cinismo dos madeireiros, especialmente de Antenor Jamil, presidente do sindicato.

— Vamos até o hotel. Vou lavrar o flagrante lá.

A história corre a cidade. Sempre corre. E a insatisfação espalha-se como uma peste medieval. A mudança do delegado para Uruará não foi bem recebida e a intensificação da fiscalização após o incêndio da viatura menos ainda.

Não bastassem as multas, as infrações podem levar à prisão quando enquadradas como crimes.

Pelos dias seguintes, nenhuma madeireira é encontrada sem a madeira apreendida devidamente separada, marcada e preservada.

ANOTAÇÕES

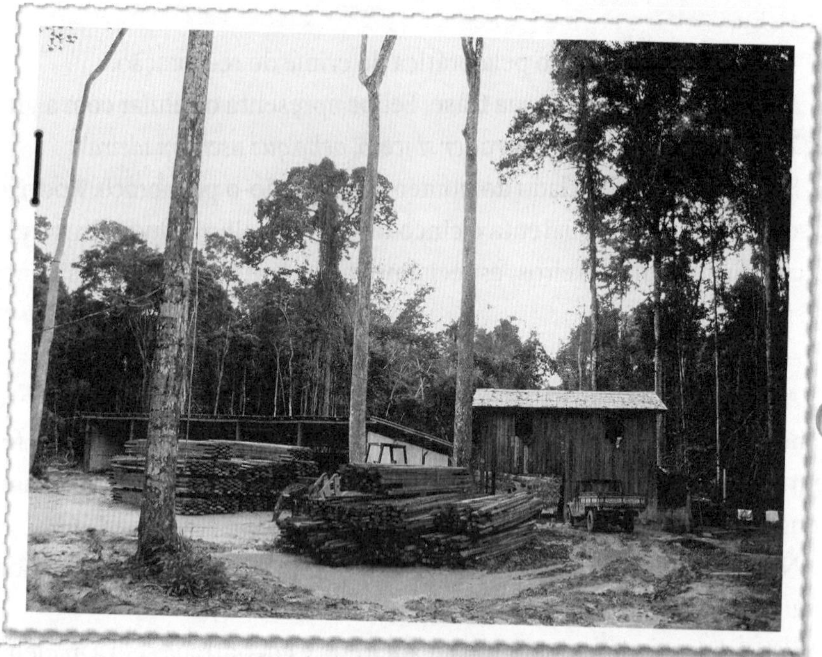

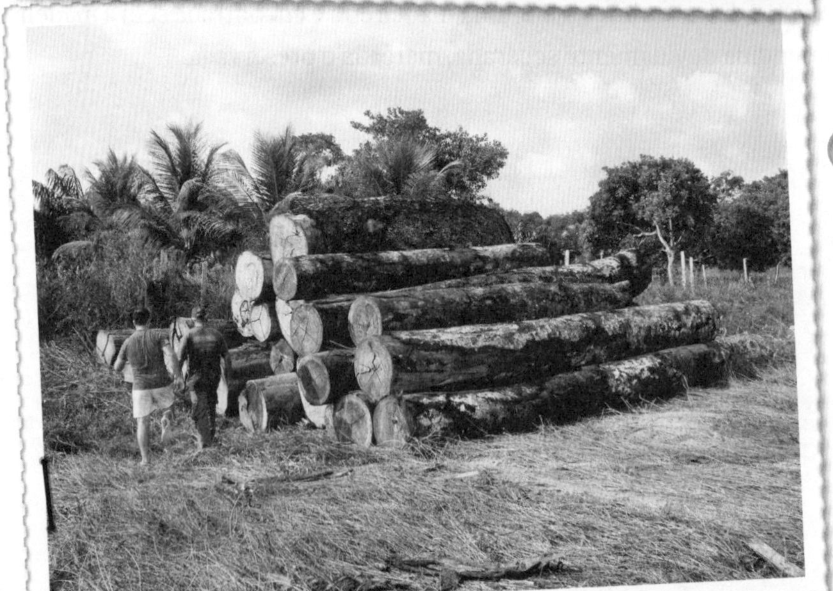

ARCO DE FOGO ▸ **263**

ANOTAÇÕES

- 32 -
É possível que sim

RELATÓRIO POLICIAL

Operação Arco de Fogo	Data: 7 de setembro de 2010
Local: Uruará, PA	Hora: 9h
Missão, dia 45	Pág. 265

— Conte o que nós temos aqui, Francisco — pede Henrique.

— A Polícia Militar nos acionou, dizendo que surpreendeu este caminhão com estas toras saindo do plano de manejo sem guia florestal. Parece que é de uma madeireira grande aqui, Floresta Negra. Ali estão o motorista, o dono do caminhão, que é filho do dono da madeireira, e o advogado dele.

— A Polícia Militar? Sério? Isso é novo para mim.

Os policiais militares estão junto à viatura, e os homens da Força Nacional acompanham o delegado. Henrique se aproxima do trio. O caminhão é novíssimo.

— Bom dia, senhores! Henrique, delegado federal. Alguma explicação para isso?

— Bom dia, doutor Henrique. Meu nome é Emerson Gonçalves — apresenta-se o advogado. — Acredito que esteja havendo um engano.

— Prazer em conhecê-lo — diz Henrique, estendendo a mão ao advogado e acenando bem discretamente para o dono do caminhão e motorista. — Sou todo ouvidos, doutor Emerson.

— A Polícia Militar abordou nosso caminhão dizendo que está sem guia, mas a guia está na madeireira.

— Ótimo, gostei do seu esclarecimento, doutor Emerson. O caminhão está aqui, a madeira está aqui e a guia está na madeireira. Simples demais isto aqui. O caminhão está apreendido. Aliás, o senhor é da defesa ou da acusação? — ironiza Henrique, demonstrando que os dias de luta na Amazônia já lhe deram uma nova feição, sem a paciência e a polidez costumeira.

O advogado ignora a ironia.

— Doutor Henrique — diz Rodrigo, — as toras estão sem plaquetas.

— Melhor. Rodrigo, identifique e meça a madeira e apreenda tudo administrativamente também. Agende para amanhã um pessoal para fiscalizarmos esse plano de manejo.

— É para já — diz Rodrigo.

— Não vou discutir sua decisão, doutor — diz o advogado. — O que o senhor vai fazer com o caminhão? Podemos ficar como depositários. É um caminhão novo, podemos preservá-lo até a restituição.

— Sinto muito, doutor Emerson. Não temos pátio aqui em Uruará. Tentamos o auxílio da prefeitura, mas até agora nada e eu não quero ficar responsável por esse caminhão. Não estou conseguindo manter a integridade nem das nossas viaturas!

— Veja, doutor. De onde o senhor é? — pergunta o advogado.

— De Foz do Iguaçu — responde Henrique, secamente.

— Um lugar lindo, tive a oportunidade de conhecer. Estou querendo ajudar, por isso, ofereço o pátio da nossa madeireira.

— Grato pela gentileza, mas o caminhão vai para o pátio do Ibama em Santarém.

— O quê? — protesta o dono do caminhão.

— Não se atreva! — adverte Henrique. — Qual o seu nome?

— Geraldo.

— Você tem duas opções, Geraldo. Mandar seu motorista devidamente habilitado levar o caminhão a Santarém, acompanhado de uma escolta nossa, ou a gente arruma um motorista qualquer para levar. Se não colaborarem, no segundo caso, além do motorista qualquer que vou arrumar, prendo o seu em flagrante.

Henrique tem pressa de atingir o maior número de empreendimentos e planos de manejo, além de manter sua equipe em permanente fiscalização de tráfego de madeira. Cada flagrante absorve tempo importante nessa escalada. Só em último caso ou, quando necessário, para servir de exemplo.

— Um momento, doutor — diz o advogado. — Quero falar com meu cliente.

— À vontade.

Geraldo, Emerson e o motorista do caminhão confabulam. Henrique está impaciente, até porque não vai voltar atrás em sua decisão.

— Doutor Emerson, não temos o dia todo — diz Henrique.

O advogado volta.

— Está tudo acertado, doutor Henrique. Nosso motorista vai levar o caminhão, mas insisto que é um desperdício e um abuso. Esse caminhão será restituído em poucos dias.

— É possível que sim, doutor.

— Ser restituído?

— Não! Ser um abuso — responde Henrique. — Passar bem, doutor.

Henrique sabe que um caminhão novo teria maiores chances de ser restituído, porque dificilmente apresentará problemas na documentação ou sinais de identificação, mas aposta na manobra arquitetada em Santarém. Além disso, mais uma razão para fazer o caminhão viajar quatrocentos quilômetros.

— Jô, lavre um auto de apreensão. Vou instaurar um inquérito por portaria.

— Feito, chefe.

Rodrigo também começa a fazer o seu serviço. Para não interromper o trabalho de fiscalização em Uruará, Capitão Hugo e mais um soldado escoltarão o caminhão até Santarém. A viagem dará ao capitão a oportunidade de passar a tropa em revista em Santarém e depois, de avião, em Prainha, onde está a resex Renascer ainda com a madeira sem destinação. Logo em seguida, retornará uma última vez a Uruará.

A falta de um espaço para colocar madeira apreendida ou veículos terá que ser tratada uma vez mais com a prefeita, mas já se sabe que a resposta será a mesma. Ainda assim, a reunião está marcada para o dia seguinte, com a vinda de Alessandro.

Cinquenta quilômetros a oeste dali, Juliano, Márcio, Luís, Felipe e

Ronaldo se dividem na fiscalização de planos de manejo junto com duas equipes do Ibama. Muitas toras têm sido encontradas abandonadas pelos travessões, mas nada de caminhões, tratores ou serrarias. As atividades ilegais estavam aceleradas antes da chegada da OAF, e os criminosos começaram a abandonar as toras.

As oficinas da cidade estão cheias, o que demonstra que muitos estão recolhendo seus tratores e caminhões para não tê-los apreendidos. Não há trégua no combate ao desmatamento. A OAF avança sobre todas as frentes.

A união da equipe é impressionante, e o desejo de cumprir a missão, inabalável. As irregularidades começam a diminuir, e a quantidade de madeira nos pátios das madeireiras também.

Ao final de cada dia, mais um *pool* de clientes insatisfeitos com a presença da OAF.

Macapixi é um objetivo da equipe cada vez mais distante. Henrique é um estrategista, mas a equipe também começa a se convencer de que entrar em um local conhecido por esconder os piores tipos de homens de todo o estado não é uma ideia segura, especialmente se estiverem sendo pagos para proteger o maquinário que saiu da Renascer.

Todos sabem que Henrique não arriscaria a vida dos homens que confiam no seu comando. Andrada Bueno também.

O tabuleiro está sem espaço para movimentos arriscados, e o prazo da missão, no fim.

ARCO DE FOGO ▶ **269**

ANOTAÇÕES

- 33 -
A teia fina

RELATÓRIO POLICIAL

Operação Arco de Fogo	Data: 9 de setembro de 2010
Local: Uruará, PA	Hora: 3h
Missão, dia 47	Pág. 271

A arma está apontada para a porta faz quatro horas.

Pela pouca luz que atravessa o vão por debaixo da porta, percebe-se o movimento de homens caminhando pelo corredor de um lado para o outro. Não há resposta no celular. As chamadas se sucedem sem sucesso. A equipe deveria ter voltado por volta das dezoito ou dezenove horas.

"Podem ter sido emboscados. Não, não, não. Estão armados. Devem ter quebrado, atolado."

A cama colocada de pé contra a janela voltada para o corredor externo do hotel com certeza dificultaria uma invasão, mas não evitaria que tiros a atravessassem.

A iluminação da rua invade o quarto pelas frestas da porta.

"Por que só o hotel está sem energia? Por que os homens sussurram? Por que tanto movimento no corredor às três da manhã?".

Poderia dar um grito, uma voz de comando, mas isso denunciaria sua posição. Sair não é uma opção, pois viraria um alvo fácil no corredor.

"E se não estiverem atrás de mim e isso tudo for uma maldita coincidência?"

Aos poucos, o corpo começa a pesar sobre as pernas. O colete à prova de balas é um incômodo a mais. Encostado no canto esquerdo do quarto, com a pistola abraçada pela mão direita, parece uma estátua silhuetada pela luz que adentrava as frestas ainda visíveis da janela.

"*Meu Deus! Como vim parar nisto aqui?*", pergunta-se Henrique, enquanto se lembra da filha e da mulher.

Alguém para em frente à porta do seu quarto. O policial restabelece a postura. Nesse instante, o indicador desliza da horizontal, pouco abaixo do ferrolho, para lentamente circundar o gatilho da pistola. Decidiu em milésimos de segundo que vai abrir fogo antes de perguntar. Experiente, Henrique sabe o estrago que uma 9mm faria. Poderia ser alguém da equipe, mas se fosse teria o código para bater na porta ou diria seu nome. Já está decidido. Vai atirar.

Bem na hora, o celular vibra sobre o tapete no chão em modo silencioso. Ele olha. Número desconhecido. Pode ser alguém da equipe. Agachando, sem desfazer a mira para a porta, com a mão esquerda aperta o botão para atender e aproxima o telefone do ouvido. Um chiado e a ligação cai.

"*Estão tentando ver se estou acordado, ou pode ser alguém da equipe precisando de ajuda! Ou estão tentando dizer que estão bem?*"

A cabeça já não funciona mais, bloqueada pelo cansaço. É muita adrenalina circulando. A Arco de Fogo não é para fracos. Não mesmo!

Lentamente, Henrique repousa o telefone sobre o tapete e retoma a posição de ataque, escorregando contra a parede. Checa mais uma vez se a arma está pronta para atirar. Já fez isso uma dúzia de vezes, mas nunca é demais conferir. Ao contrário da maioria das pistolas, a Glock não tem trava na lateral.

"*Não é nada. É só falta de energia elétrica. Vou dormir... Mas, e se for isso que querem que eu pense? Tem energia na rua. Por que só no hotel? Um fusível talvez, um disjuntor em curto.*"

Não há interfone no quarto para falar na recepção. O homem sai da frente da porta. Não dá para saber se estava de frente ou de costas para ela.

"*Ele estava aí até agora!*"

O relógio marca quatro e meia. Falta pouco para o dia clarear. A vigília já dura cinco horas e meia. A mulher brutalmente assassinada em Santarém, a tentativa de atropelamento defronte o hotel, a viatura em chamas, a tensão na audiência pública...

"*É assim que tudo termina?*"

O policial pesa tudo na balança para encontrar uma explicação lógica que se ajuste a todos esses fatos.

"Minha equipe emboscada no meio da Amazônia e eu morto em um quarto de hotel de quinta categoria. Talvez seja tudo coincidência."

Naquela tarde, haveria uma reunião com a prefeita e depois outra com a Promotora de Justiça, das quais o Ibama participaria. O restante do pessoal fez a fiscalização de uma madeireira no extremo do Travessão Norte de Uruará e depois uma incursão pela parte sul da floresta, início do caminho para Macapixi, com retorno programado para as dezoito horas. Partiram às nove da manhã.

Ao meio-dia, Alessandro avisou que o helicóptero precisaria de um reparo na turbina e não poderia voar até Uruará. As reuniões foram canceladas. O delegado ficou no hotel revendo as anotações do plano final que tinha para sua missão.

Sem o pessoal do Ibama, sem o retorno dos colegas federais e da Força Nacional havia ficado sozinho na cidade.

"É coincidência, com certeza. É óbvio que é. Os homens do Ibama conhecem a região, e os homens da Polícia Federal estão armados. A Força Nacional não facilitaria as coisas. Uma emboscada seria algo que exigiria muitos homens e algum armamento, mas isso não falta por aqui."

A incursão da equipe era conhecida por muitos, a reunião com a prefeita também. Os homens continuam sussurrando no corredor. Alguém está no corredor externo, próximo à janela. Não é um homem; são dois. Os passos e o barulho abafado dos calçados são diferentes.

Henrique aponta a arma para a janela.

"Mas e se estiverem tentando chamar minha atenção? E se entrarem pela porta?"

Um galo canta. Uma caminhonete estaciona ou para em frente ao hotel. Uma L200 com certeza. O barulho do motor há muito lhe é familiar.

"Será o meu pessoal?"

Tudo são hipóteses.

"Foram surpreendidos pelo nosso pessoal? Ou é mais alguém deles na caminhonete? Pode ser o carro de fuga? Vão entrar?"

A mão está suada, e os dedos doem por ter esmagado tantas vezes a empunhadura da arma. O policial respira fundo. Um mundo inteiro visto de um quarto escuro. Os homens do corredor externo também parecem estar indo embora.

Batidas seguidas de portas de carro são ouvidas. Quatro portas. O motor da L200 acelera e sai.

"*Foram-se. Ou é isso que querem que eu pense?*"

Um estampido forte no corredor e um clarão. A energia é restabelecida simultaneamente à partida dos homens. O rádio relógio acende, a iluminação do corredor também.

"*Desistiram!? É isso? Desistiram!?*"

São cinco e meia. Já há luz do dia. Henrique encosta o ouvido na porta. Olha pela fechadura e vê mulheres se movimentando. Parecem ser as camareiras e o pessoal da cozinha. O cansaço é grande.

"*Ou não estavam atrás de mim ou não tiveram coragem.*"

Coloca a arma no coldre e a cama no lugar. É a primeira vez que solta a arma desde as onze horas da noite anterior. Sua mão está com as marcas da empunhadura em baixo-relevo.

Encosta a cabeça no travesseiro. O relógio marca seis horas. Não pode dormir. É preciso descobrir o que aconteceu com sua equipe, mas precisa descansar cinco minutos. A cabeça dói.

"*O que foi que aconteceu esta noite?*"

Sem perceber, adormece.

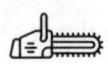

Batida forte na porta! Outra!

São oito horas.

Henrique se põe de pé imediatamente e, com a arma apontada para a porta, pergunta:

— Quem é?

— *Dotô!* Sou eu, o Pedro, da recepção.

— Fale, Pedro.

— *Dotô*, tem uns cinquenta homens lá fora! Eles querem falar com o *dotô*. Cercaram o hotel.

— Quem são, Pedro? — pergunta o delegado irritado e com a cabeça latejando.

— *Dotô*, não sei! Disseram que se o *sinhô* não sair eles vão entrar! Disseram que a conversa é com o *sinhô*.

— Desça, Pedro! Não quero que fique no corredor quando eu abrir a porta. Aliás, não quero ninguém no corredor! Entendeu?

— Sim, *sinhô*! *Tô* descendo!

"*Isto aqui não acaba.*"

O delegado tenta ligar uma vez mais para sua equipe. Sem chance. A bateria do celular está por um fio. Pega dois carregadores para sua pistola. Checa se estão municiados. Estão. Coloca um em cada bolso. Não adianta ficar no quarto. Está cansado.

"*Vamos acabar logo com isto.*"

Abre a porta do quarto bem devagar, e a pistola é a primeira a varrer o corredor. No final, duas mulheres assustadas vestindo uniformes brancos. Não era para ter ninguém ali. O policial gira o tronco para todos os lados. Onde vai a arma, vão os olhos.

À frente da sua porta, a escada que desce para o saguão. Fica de costas contra o corrimão da esquerda, fixado na parede, e vai descendo, varrendo o saguão. Pedro também está assustado. Do último degrau, dá para ver a porta de vidro do hotel e os homens do lado de fora. Um formigueiro humano.

— Pedro! Vá lá fora e mande um deles entrar aqui no saguão. Só um, Pedro! Só um!

Pedro se apressa e abre a porta. O barulho da conversa dos homens invade o saguão. Pedro fala com eles. Estão bravos. Não querem entrar; querem que o delegado vá lá fora. Pedro olha para dentro. Henrique balança a cabeça negativamente. E faz sinal com a arma e com a mão de que é para um deles entrar.

Pedro volta:

— *Dotô*, eles disseram que é com o *sinhô* a conversa. Querem conversar lá fora.

— Ou um deles entra ou não tem conversa nenhuma, Pedro!

Pedro sai novamente. Os homens começam a gritar, querem que o delegado saia. Pedro volta e dois homens entram logo atrás dele.

— Um só! Não, não, não, não! Um só — grita o delegado.

Um homem corpulento, forte, aparentando uns trinta e poucos anos, entra. O segundo fica parado na porta. Henrique coloca o primeiro na mira da arma e olha para o alto da escada para evitar ser surpreendido:

— Desembucha, amigo.

— Estamos sem emprego, delegado! E o patrão falou que a culpa é do senhor e do seu pessoal! — o homem está bravo.

— Não sei quem é esse seu patrão, mas tenho certeza que ele está enganado — argumenta, enquanto mantém o cano da pistola apontado para o rosto do homem.

— Tô armado não senhor! O senhor pode abaixar a arma. Mas o povo aqui fora quer falar com o senhor.

— Amigo, eu estou confortável aqui dentro, na medida do possível, exceto pela última noite, que o Pedro vai me explicar daqui a pouco. Então, você acaba de ser eleito o primeiro representante divino do pessoal lá fora!

O segundo homem continua parado na porta, com metade do corpo dentro do saguão e metade do lado de fora.

— O seu amigo ali pode sair e avisar que o senhor, s-o-z-i-n-h-o, vai conversar comigo. Pedro, tranque a porta e me traga um café, que eu estou precisando.

O segundo homem sai balançando a cabeça, contrariado. Pedro tranca a porta e vai buscar o café.

A oitenta quilômetros dali, no meio da selva, Francisco observa a teia de aranha. Acende a lanterna várias vezes para ver o brilho dos fios mais finos que o mais fino fio de cabelo e a velocidade em que o pequeno aracnídeo constrói a rede que em poucos segundos terá uma presa. Uma rede quase invisível, mas forte o suficiente para prender o mais destemido dos oponentes. Não demora, em questão de segundos, lá está a vítima.

— Já está amanhecendo, senhores! — grita Capitão Hugo. — São cinco horas! Vamos ver ser conseguimos resolver isso agora!

Os homens começam a acordar. Alguns dormiram dentro das picapes, outros nas caçambas, ao lado dos equipamentos de sobrevivência na selva. Outros montaram barracas. Francisco não dormiu. A missão está prestes a terminar, e ele conta cada segundo para voltar para casa. Está na hora de conhecer seu filho.

Os homens improvisam um fogareiro e preparam um café. Há biscoitos, bolachas de água e sal e alguns pães de forma. Estavam preparados para imprevistos. Mas, na selva, os imprevistos surpreendem mesmo os mais preparados.

— Como vamos resolver isso? — pergunta Juliano.

— Só tem um jeito: vamos ter que arranjar um trator — argumenta Luís.

— Trator? A oitenta quilômetros da cidade e no meio da Floresta Amazônica? — ironiza Márcio.

— Se bem que isso não falta por aqui no meio da Amazônia — diz Luís com o humor sempre ligado.

O comboio caiu em uma armadilha. Em um dos trechos mais estreitos da incursão, as picapes da Força Nacional, do Ibama e uma da Polícia Federal venceram com muita dificuldade o atoleiro. A segunda picape da Polícia Federal não. Era a última do comboio. Quebrou a suspensão traseira direita. O feixe de molas se desfez. Não há como puxar a L200 afundada na lama e com a suspensão naquela condição. Não há espaço para dar meia-volta nas outras picapes da frente e tampouco passar pela lateral da L200, que bloqueia a estreita passagem.

— Lei de Murphy! Tinha que ser a última do comboio? — observa Felipe.

Impedido de progredir floresta adentro e tampouco de poder voltar, o comboio passou a noite no local. Sem sinal para comunicação, os homens da OAF não puderam pedir ajuda ou contatar Henrique, que passou a noite no hotel. Estão cansados. Já se foram quase cinquenta dias de luta frenética para proteger cada centímetro da Amazônia ao alcance da equipe.

— Essa é a picape que o Henrique e eu usamos para voltar para Santarém no dia do incêndio — diz José. — Já tinha dado problema na suspensão.

— Mas nós consertamos — diz Márcio.

— Nós não! Foi o tiozinho da oficina em Santarém — argumenta Juliano.

— Está explicado — diz Luís, com sua gargalhada típica. — Deve ser amigo do matador de federal.

— Só tem uma solução: vamos até a cidade buscar um guincho ou puxamos a picape para trás no braço — argumenta Francisco.

— Acho que nem um trator consegue puxar isso aí desse lamaçal — argumenta Rodrigo.

— Eu tenho uma ideia do que podemos fazer, pessoal — expõe Capitão Hugo. — Passei a noite pensando e acho que é a melhor e única saída. Tiramos a roda e amarramos um tronco nela, como se fosse um esqui. Puxamos para fora do atoleiro com as picapes da frente...

— O que adianta? — interrompe Rodrigo. — Não temos espaço para manobrar ou passar duas picapes uma ao lado da outra. Vamos arrastar ela quantos quilômetros?

— Calma, Rodrigo! Calma! — continua Capitão Hugo. — Abrimos um espaço suficiente na mata para darmos meia-volta em pelo menos uma picape e passarmos uma ao lado da outra. Só uma. A L200 do Ibama é mais estreita que a nossa Frontier. O pessoal do Ibama retorna até Uruará ou qualquer propriedade no caminho e traz mecânico, trator ou equipamento para nós mesmos consertarmos a suspensão.

— Eu concordo. Não podemos passar outro dia aqui — diz Francisco.

— Também concordo — diz Luís.

Em minutos, o trabalho está distribuído. Os homens do Ibama ficaram responsáveis por abrir o espaço para manobra quarenta metros à frente do atoleiro. Com os troncos cortados, os policiais federais e os homens da Força Nacional improvisam uma sustentação dentro do atoleiro para a traseira da L200 quebrada. A lama está nos joelhos. Retiram a roda e a substituem por um tronco atravessado e amarrado com cordas.

Duas horas depois, a L200 está fora do atoleiro e a picape do Ibama, agora sem o retrovisor direito, quebrado ao passar no estreito espaço disputado pelas duas viaturas, está do outro lado. Vence o atoleiro novamente e se põe em direção a Uruará.

Não há o que fazer a não ser esperar que a equipe retorne com alguma solução.

— Quando eu chegar em casa, vou dormir uma semana — diz José.

— Eu vou dormir um mês — comenta Francisco.

— Não, Francisco! — diz Luís. — Nós todos vamos dormir, mas você vai cuidar do seu bebê, porque, assim que você botar os pés em casa, sua mulher vai dizer "toma que o filho é teu!".

A gargalhada é geral, mas, em um grupo de homens, ninguém perderia a piada e ela vem de Juliano.

— Se ela disser "toma que é teu", pode acreditar meu irmão, pega que você está no lucro!

Outra onda de gargalhadas. Francisco ri e balança a cabeça. Está orgulhoso de si mesmo. Deu o seu melhor e não tem do que se arrepender. As conversas, piadas e histórias de homens que cruzaram seus estados e se encontraram no meio da selva continuam por mais quatro horas até que a equipe do Ibama retorna com um mecânico. Henrique está com eles, cumprimenta todos e distribui frutas, água fresca, chocolates, broa de milho e manteiga.

Nas três horas que seguem, as conversas e histórias de companheirismo entre aqueles homens continuam a se multiplicar, regadas a café fresco. Henrique não diz uma palavra sobre sua longa e tensa noite no hotel nem sobre a manhã, cercado por cinquenta homens enfurecidos.

ANOTAÇÕES

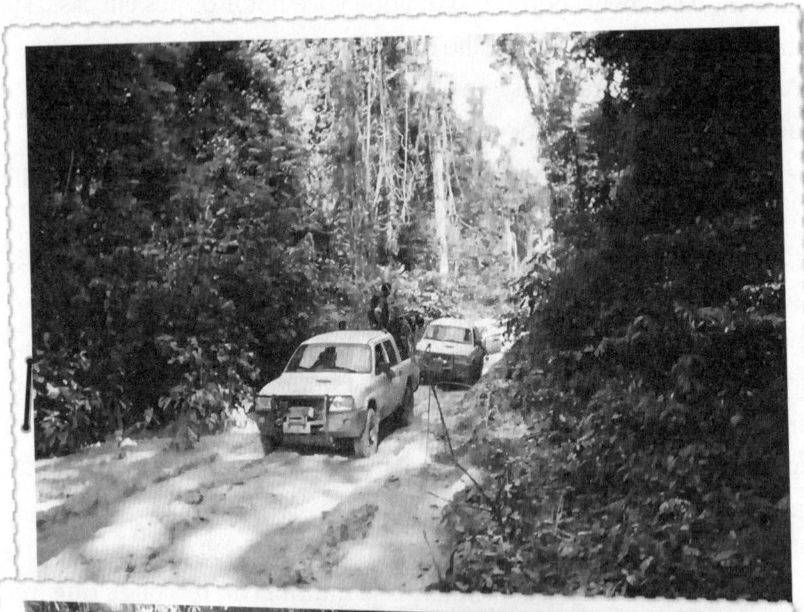

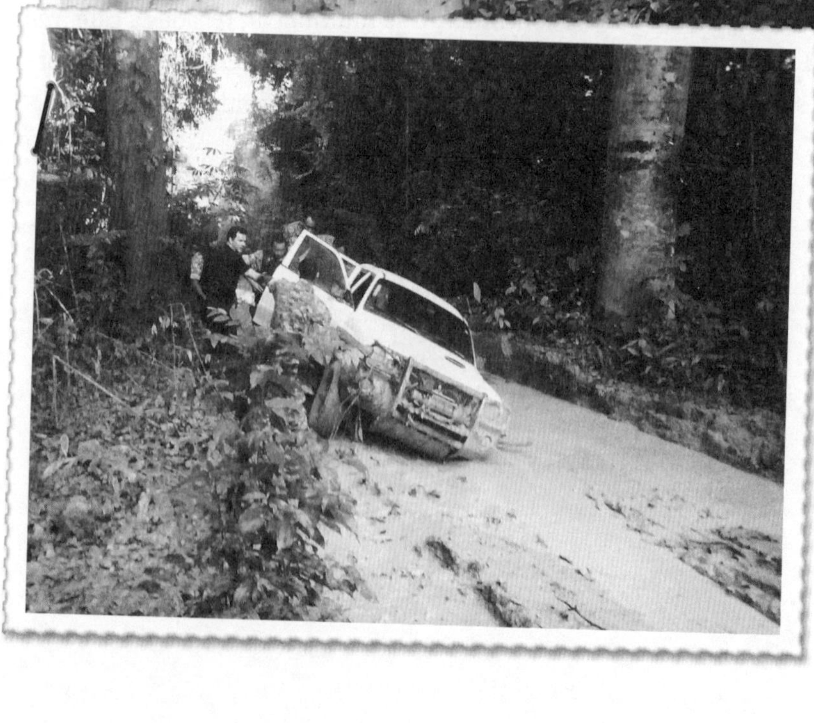

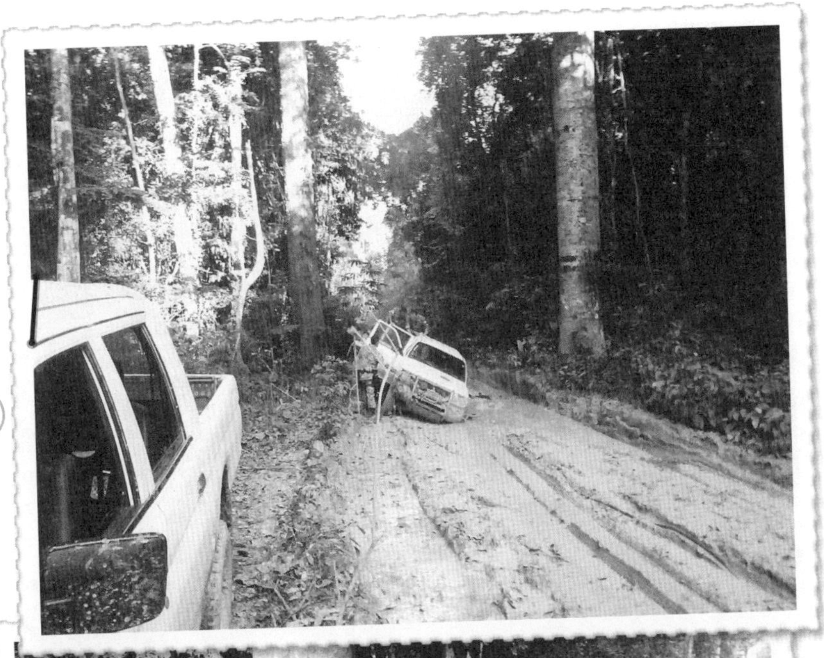

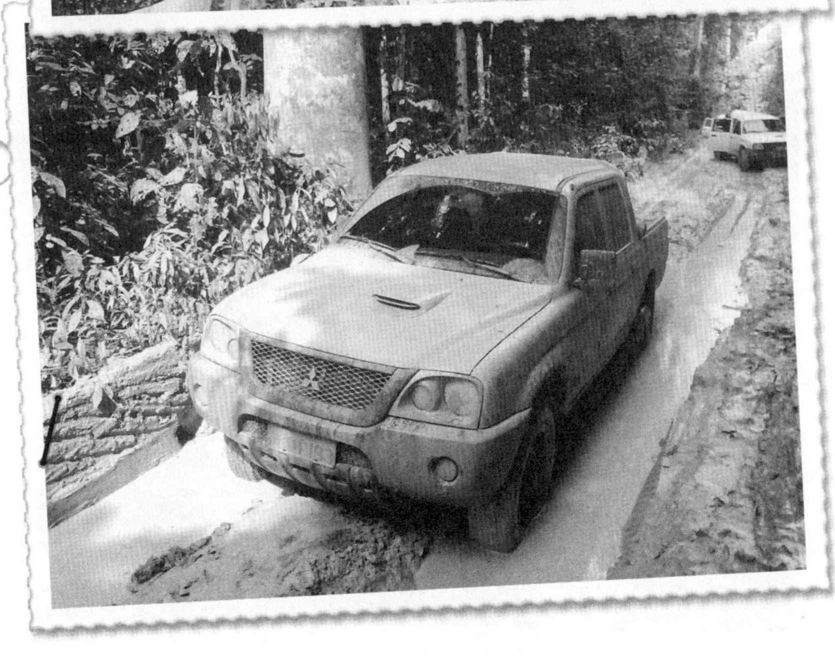

ANOTAÇÕES

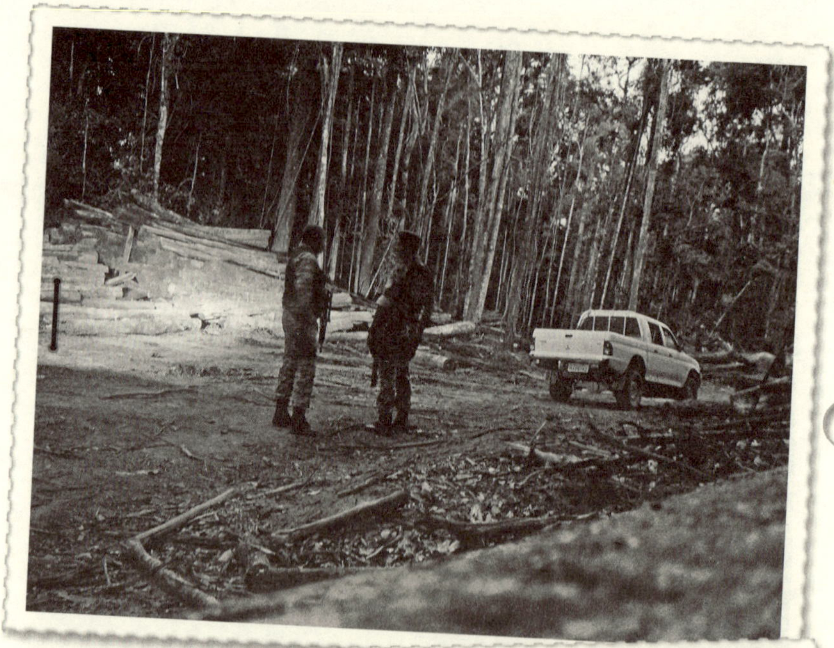

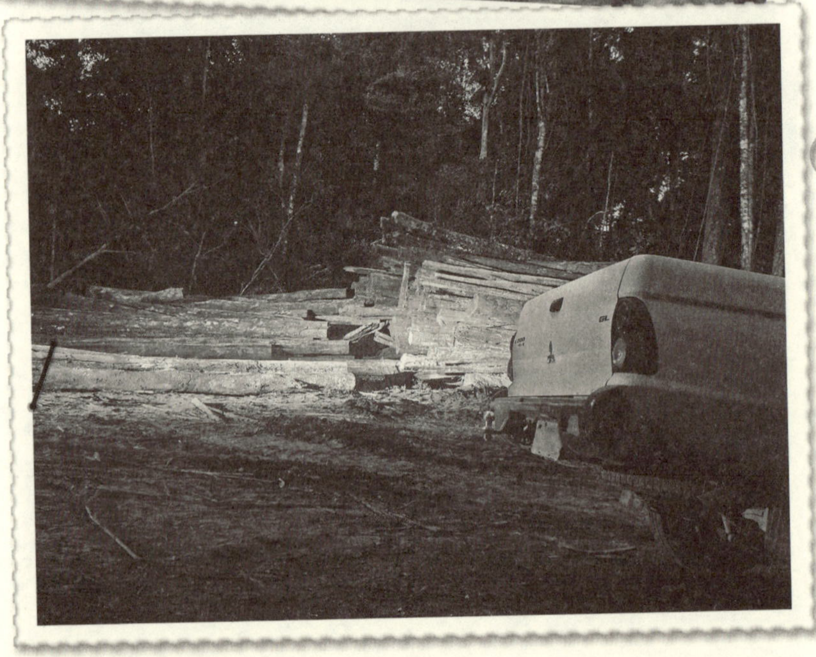

- 34 -
Os que o senhor mandou

RELATÓRIO POLICIAL

Operação Arco de Fogo	Data: 13 de setembro de 2010
Local: Uruará, PA	Hora: 7h
Missão, dia 51	Pág. 283

—**É** ele quem fala — responde Henrique ao telefone. — Sim, Júlio, é bom falar com você novamente. Tem alguma notícia boa para mim?

Henrique acabou de acordar. Está cansado, quatro ou cinco quilos mais magro que no início da missão. Os últimos dias foram exaustivos. A OAF visitou e conferiu o pátio de cada um dos empreendimentos madeireiros de Uruará, além de planos de manejo e pontos plotados pelo satélite.

A madeira apreendida está separada. As barreiras nos travessões geraram um efeito tão positivo que poucas irregularidades estão sendo encontradas. As oficinas continuam com máquinas paradas. Sinal de atividades ilegais suspensas.

O Ibama conseguiu reunir todos os autos de infração e encaminhá-los a Henrique, que, antes do término da missão, ainda tem que voltar a Santarém para instaurar os procedimentos e relatar à coordenação o trabalho que foi realizado. Macapixi não foi alvo da OAF.

Não se pode ganhar todas, mas o recado está dado.

Caberia à próxima equipe dar continuidade ao trabalho.

Não foi dado destino à madeira da Renascer, e remover a Força Nacional daquele local seria entregar de bandeja milhares de metros cúbicos de madeira aos saqueadores de plantão. O inquérito da Renascer está bem instruído.

Henrique manteve sua equipe motivada, mas sabe que não há como salvar o mundo todo, apenas o pedaço do qual se cuida.

Do outro lado da linha, Júlio Capreste relata o resultado das investigações sobre o assassinato da pobre mulher de Santarém, no dia 31, dona da pensão em que Juliano estava hospedado. A mala dele tinha sido revirada.

— Identificamos os dois suspeitos. Vieram de fora e se hospedaram em um hotel em Santarém. Um dia antes do homicídio, se mudaram para a pensão e permaneceram ali apenas um dia.

— Estranho. Por que se mudariam de um hotel para uma pensão por um dia?

— Temos mais. Depois do homicídio, foram direto para Itaituba, abaixo de Uruará uns trezentos quilômetros pela Transamazônica.

— Júlio, qual a razão do crime? O que eles estavam fazendo em Santarém?

— Não conseguimos descobrir nada que tenha sido subtraído. Eles estão presos. Já foram interrogados, mas não disseram nada.

— Parabéns pelo trabalho de vocês e obrigado, Júlio. Se tiver novidades, me ligue novamente, por favor. Logo estarei em Santarém, e a gente se fala pessoalmente antes de eu voltar para Ribeirão Preto.

Henrique encerra a ligação, pensativo. Um crime bárbaro e ainda sem explicação. Juliano não vai ficar satisfeito.

— Bom dia, senhores. Vamos a uma madeireira diferente hoje. É a última desta missão. O pessoal do Ibama não vai conosco, nem a Força Nacional. Eles vão fiscalizar áreas embargadas e nós não precisaremos deles hoje.

Os policiais estranham a missão, mas saem em direção a mais uma madeireira. Estão em duas picapes. Não demoram vinte minutos. É fora do município de Uruará.

— Depois dessa missão, nunca mais vou comprar qualquer coisa de madeira — brinca José.

— A verdade é essa mesma. Quando derrubarmos a lógica de que madeira morta é chique, talvez não precisemos desta guerra — comenta Juliano.

— É mais ou menos como a pele de animais, que era chique e depois passou a ser repulsiva — completa Henrique. — Acho que já falei isso para alguém.

Madeireira Global. Estacionam as duas L200 ao lado de fora. Henrique se aproxima de Juliano e lhe diz algo antes de entrarem. Na sala de Marcelo Silveira, proprietário do estabelecimento, além do próprio, permanecem Henrique, José, Márcio e Luís.

Juliano, Ronaldo, Felipe e Francisco ficam do lado de fora da madeireira.

— Bom dia, senhores — diz o homem.

— Bom dia, senhor Marcelo. Meu nome é Henrique, e estes são os policiais federais José, Márcio e Luís.

— Um prazer. Mas a que devo a honra da visita? Os senhores já nos fiscalizaram há três semanas e nos multaram, claro. E a madeira apreendida está separada lá no pátio.

Henrique se senta na cadeira defronte à mesa de jacarandá de Marcelo.

— Bela mesa, bela mesmo! — observa Henrique, pensando no que havia dito a pouco aos seus colegas na viatura. — Há uns dias, vários homens cercaram o hotel em que eu estou hospedado e fizeram um estardalhaço. Me acordaram bem cedo. Eu os atendi e me disseram que o senhor os mandou lá.

— Eu? Por que eu mandaria homens ao seu hotel?

— Porque, segundo eles, o senhor teria dito que estava encerrando suas atividades e que a culpa seria minha.

O homem engasga, tosse, tenta limpar a garganta.

— Um minuto — dirige-se até uma garrafa de vidro com água e se serve em um copo.

— Aceitam?

Os policiais fazem um sinal negativo com a cabeça.

— Voltando, senhor Marcelo — continua Henrique —, o senhor teria mandado uma turba raivosa para me linchar. É isso?

Entram um homem e uma mulher na sala. Cumprimentam todos e se sentam no sofá ao lado da mesa de Marcelo.

— Esses são meu cunhado, Beraldo, e minha esposa, Júlia.

— Prazer — responde Henrique ao aceno dos dois.

— Está tudo bem, Marcelo? — pergunta Júlia.

— Sim, o delegado veio falar conosco sobre o pessoal que foi demitido.

— Não! Eu vim falar do pessoal que o senhor mandou para o hotel em que eu estou hospedado. É sobre esse pessoal que eu vim conversar.

Márcio, José e Luís estão em pé perto da porta. Imóveis e com os olhos fixos em Marcelo.

— Eu acredito que deva ter havido alguma falha de comunicação.

— Pelo sim, pelo não, eu vim aqui resolver esse problema de falha de comunicação. Por que o senhor está fechando?

— Não estamos fechando. Estamos apenas diminuindo nossas atividades.

— Até a Arco de Fogo ir embora? — pergunta Henrique, ajeitando-se confortavelmente na cadeira.

Há um sorriso irônico no rosto do homem. Está seguro de si. Henrique observa seus gestos, sua postura arrogante e seu sorriso.

— Não. O que está havendo é que este ano as atividades de extração de madeira estão menores e o produto encareceu. Estamos aguardando a estabilidade do mercado.

Henrique gira a cadeira e olha para os policiais que estão logo atrás dele.

— Vocês ouviram isso? Nossa partida já tem nome: estabilidade do mercado.

Os policiais riem. Henrique, que também riu para os policiais, volta-se para Marcelo já com o semblante carregado e sério.

— Marcelo, não estamos aqui para fazer amigos, e parece que não fizemos nenhum mesmo. O que é ótimo. Fizemos algum amigo, senhores? — pergunta Henrique, olhando novamente para os policiais, que balançam a cabeça negativamente. Volta-se para Marcelo uma vez mais. — Então, como acredito que hoje não faremos amizades aqui nesta sala, vou ser breve.

— Fique à vontade, *seo* delegado.

Henrique sempre se irrita quando o chamam pelo cargo que ocupa. Acredita ser uma forma de despeito, como se chamassem as pessoas por "*seo* médico", "*seo* advogado", "*seo* pedreiro". E essa expressão "*seo*" é o fim. Faz cinquenta dias que vem ouvindo isso, mas sempre lidou com esse desrespeito e sabe como mudar isso.

— Os homens que foram ao hotel disseram que os senhores estão retendo as carteiras de trabalho deles, o que os impede de requerer seguro-desemprego e outros direitos. Disseram que isso já faz algum tempo.

— Nós estamos com problemas com o escritório de contabilidade de Santarém que contratamos.

— Parece que o senhor tem o hábito de transferir seus problemas para os outros. O seu problema não é problema desses homens trabalhadores que têm famílias para alimentar, e eu não sou juiz do Trabalho para ser acordado para resolver problemas trabalhistas de gente irresponsável.

— Então, se o senhor não é juiz trabalhista, o assunto está encerrado.

— Quase! Eu gostaria de lembrá-lo de que reter a carteira de trabalho ou não lançar as anotações do contrato é crime. Daí eu pensei: por que não deixamos para visitar a Madeireira Global por último? Não é, pessoal? — olhando para os policiais.

Os três, que estão se divertindo, apesar da cara de poucos amigos, acenam com a cabeça, enquanto Luís troca a algema de bolso.

— Pensei: passamos lá de manhã — continua Henrique —, porque dá tempo de produzir aquela tonelada de documentos que os flagrantes demandam no restante do dia. E dá tempo de levar o preso para Altamira!

O homem já entendeu o recado. Está lívido. Se for preso, será levado para a Justiça Federal em Altamira e pode passar uns bons dias atrás das grades. Já perdeu a arrogância. Eles sempre perdem. Gagueja. Júlia e Beraldo ameaçam protestar, mas Henrique levanta a mão, sinalizando para não se mexerem. O *seo* delegado já espera a mudança no vocativo.

— Não precisa disso, doutor! — diz Marcelo.

O tratamento sempre muda nessas horas. O respeito nasce. *Senhor* seria suficiente.

— Ótimo. Eu também penso que não! Eu e meus colegas aqui estamos na última visita a uma madeireira, e, na verdade, estamos bem cansados de prender gente. Então, eu pergunto: como o senhor pode colaborar com o nosso descanso e o que nós podemos fazer em prol desses trabalhadores?

— Doutor, pode ficar tranquilo. Até o final da tarde vai estar tudo resolvido.

Nesse momento, entra Juliano:

— Chefe, já estão aqui.

— Obrigado, Juliano — responde Henrique.

Henrique se levanta e arruma seu uniforme da Polícia Federal. Bate a poeira. Tira a algema do bolso e olha para o homem que está em suspensão. Guarda a algema no outro bolso.

— Veja, Marcelo, conforme meu colega e amigo Juliano avisou, os homens que o senhor mandou irem atrás de mim estão todos aí fora. Resolva com eles agora! Eu vou dar uma última volta por Uruará, tomar uma cerveja e volto no final da tarde, quando o senhor dirá o que podemos fazer para não termos que prender ninguém hoje. Passar bem.

Henrique e os policiais saem da sala de Marcelo e logo estão do lado de fora da madeireira. Os homens que haviam cercado seu hotel estão ali, conforme combinado.

— Senhores, bom dia! — diz Henrique. — O Marcelo vai devolver as carteiras de vocês hoje, todas com a baixa para os senhores poderem requerer seus direitos.

Os trabalhadores dão um grito: "Viva a Polícia Federal".

— Que loucura é isso aqui — diz Juliano, rindo, enquanto vai cumprimentando os trabalhadores.

— É isso aí, irmão — diz Henrique. — Um dia enxotados, outro aplaudidos. Sempre foi assim.

A equipe da Polícia Federal vai passando pelo grupo de trabalhadores que faz questão de cumprimentar os policiais.

— Vamos descansar pelo resto do dia, senhores. Tomar uma cerveja gelada.

— Valeu, chefe — diz José, batendo a mão no ombro de Henrique.

— Rapaz, essa equipe Santarém vai ficar para a história. Botamos para quebrar na Amazônia — diz Luís com os olhos marejados. — Tenho orgulho de ter sido essa a minha última missão. Conheci bons policiais federais aqui.

— Para, Luís — diz Márcio. — Daqui a pouco você transforma a gente em um bando de maricas chorões.

Os homens, que marcaram seus nomes na vida um dos outros, entram nas picapes e se dirigem ao hotel. É hora de descansar.

— Lutamos o bom combate, meus amigos. Amanhã, vamos embora — encerra Henrique.

- 35 -
Vai valer para todos

RELATÓRIO POLICIAL

Operação Arco de Fogo	Data: 14 de setembro de 2010
Local: Uruará, PA	Hora: 8h
Missão, dia 52	Pág. 289

— Tudo certo para partirmos? — pergunta Henrique.

— Tudo, chefe! — responde Luís.

— O pessoal está acabando de conferir o armamento — diz Juliano.

Henrique joga a mochila na caçamba da L200 e a amarra. Confere sua arma e olha para um homem sentado a certa distância, observando os passos dos homens da OAF.

— Jô, segura o pessoal, que eu já volto — diz Henrique.

Resoluto, com passos firmes, o delegado caminha pela calçada por uns quarenta metros e se senta à mesa do bar do Zé Raimundo em que Andrada Bueno está tomando cachaça logo pela manhã. Tem mais um copo na mesa.

— Bom dia, senhor Andrada Bueno! Ou devo chamá-lo de Preto? — pergunta Henrique.

— Bom dia, *seo* delegado. Aceita? — oferece Andrada, apontando o outro copo com o dedo indicador da mesma mão que segura o seu copo.

— Por que não?

Henrique pega a garrafa e enche o pequeno copo. Vira de uma vez. Faz cara de reação à queimação normal de uma cachaça forte e enche o segundo copo.

— Posso lhe fazer uma pergunta?

— Claro, o *sinhô* é a *otoridade* aqui. O *sinhô* manda.

— Como um homem branco, de barba branca, cabelos brancos e olhos verdes, conseguiu o apelido de Preto?

O homem ri e balança vagarosamente a cabeça, olhando para o chão.

— É longa a história, *seo* delegado.

— Por favor, não se incomode em contar. Eu descobri sozinho. Viatura queimada, uma mulher morta, um homem morto, eu quase fui por duas vezes aqui, uma cidade de pessoas boas sendo envenenadas e insufladas contra nós por uma nuvem negra de sede por dinheiro e poder, uma Amazônia inteira se desfazendo em cinzas. O coração de quem quer que seja que esteja por trás disto é revestido de muita escuridão.

— O *sinhô* é um *homi perspicaiz* — diz o homem, enquanto vira outro copo de cachaça e se oferece para encher o copo de Henrique, que recusa, tampando-o com a mão esquerda.

— Me diga uma coisa. Aquela noite no hotel. O pessoal foi lá para me apagar ou dar recado?

— *Num* sei *du qui u sinhô tá falano* — diz Andrada, com um olhar enviesado para Henrique e um sorriso carregado de cinismo.

— Entendo. Não tive tempo de ligar o senhor a tudo isso. Logo vou estar em casa, e, como o senhor vê, meus homens estão prontos para partir, mas vou ter um sucessor.

— O *sinhô, dotô, é di ondi*?

— Ribeirão Preto. Nascido, criado, vivido e sofrido e, se Deus me permitir, morrido lá também.

— Região *di* muito *dinhero*, cidade *du chopi*. Já *tive naquelas banda*.

— De dinheiro parece que o senhor entende. Pode ser que eu não volte aqui. Na verdade, gostaria de ficar mais tempo, mas não posso. É assim que funcionam as coisas. *Maaaaas*, terei prazer em recebê-lo por lá. Eu não perderia esse encontro por nada. E nós sabemos que isso vai acontecer.

O homem sorri, enquanto Henrique olha para o relógio. Ao longe, vê seus homens colocando coletes e malas nas caçambas das picapes e o pessoal da Força Nacional recolhendo seus armamentos.

— O *sinhô* é um *homi sensatu*.

— Por que diz isso?

— *Fechô* a cidade, recolheu armas, pôs *pracas nus carro*, mas *num arriscô* seus *homi nu* Macapixi. Acho *qui orviu o qui* eu disse ou *ficô cum* medo *di saí di* lá carregado.

A cada frase, a satisfação de Andrada é estampada em sorrisos. Henrique sabia que o cinismo de Andrada seria a tônica da conversa desde o momento em que se sentou na cadeira. O sabor da vitória é algo de que aquele velhaco não abriria mão e se sentar ali é entregar-lhe um troféu.

— Sabe, Preto... Posso continuar a chamá-lo assim, certo?

— Fique à vontade, *seo* delegado. Já *dissi*: o *sinhô* é *otoridade* aqui.

— Sabe, Preto, um dia a Polícia Federal vai provar para todo mundo que existe lei neste país e que ela é para todos. Está chegando esse dia. Eu estou na Polícia Federal há pouco tempo, mas vejo como os policiais trabalham. E não haverá Andrada Bueno, Macapixi, homens armados, violentos, partido político ou presidente que não se submeta à força da lei.

Andrada dá uma risada e aponta para os homens da OAF fazendo as malas.

— *Tô* vendo. Só *num achu qui* vai *sê hoji, di modo qui num vô nem mi alevantá pra num cansá di esperá* esse dia *chegá, seo* delegado.

Henrique respira fundo e olha para o relógio mais uma vez e para seus homens. Estão prontos.

— O senhor deve estar feliz, não é? Deve ter muito maquinário no Macapixi e nós aqui de partida. Explodiu nossa viatura, sabotou nossos planos, envenenou esta cidade de pessoas boas e trabalhadoras, corrompeu alguém no nosso meio, desmatou. Fez um estrago e está rindo de nós.

— A lei *mi garanti* o direito *di permanecê* em silêncio — e abre um sorriso acintoso para o delegado, enquanto vira o quarto copo de cachaça.

Henrique enfia a mão no bolso lateral de sua calça cargo e retira um papel amassado. Olha para ele e se recorda o quanto teve que se arriscar para consegui-lo. Estica-o sobre a perna direita e com as duas mãos tenta deixá-lo com uma apresentação melhor. É o mapa, a informação mais valiosa da missão, que foi buscar em Santa Maria do Uruará. Coloca-o sobre a mesa.

— Veja, Preto, eu sei onde estão suas máquinas. Todas elas. Sei que estão lonadas, cobertas de vegetação e guardadas lá em Macapixi, na terra sem lei. Nós íamos buscá-las quando incendiaram nossa viatura e, sem nós, o Ibama não pode ir lá.

Andrada olha para o papel com desdém e sorri. Está orgulhoso de ter abortado a apreensão das máquinas. São muitas, são caras, garantem a fonte de sua riqueza espúria e a impossibilidade de ligá-lo à Renascer. O mapa de hoje não valerá nada amanhã, porque ele vai removê-las em breve para outro canto da Amazônia ou, quem sabe, com a saída da Operação Arco de Fogo, continuar ali mesmo, protegido pela violência de homens primitivos comprados por ouro, diamante, dinheiro ou corpos de mulheres ainda jovens entregues à prostituição.

Henrique olha para o mapa, lembra-se da horrível sensação do cano da arma encostado na nuca, se levanta, vai até a sarjeta, permanece de pé, gira o pescoço como se quisesse livrar-se de todo o peso que carregou nas semanas que se foram, olha para o chão e uma última vez para os seus homens, já dentro das picapes. José acena positivamente. Grande José. Policial fiel, escrivão de primeira, em momento algum esboçou qualquer insatisfação com o trabalho. Até aqui, missão cumprida. Estão prontos. Henrique olha por cima do ombro esquerdo para Andrada, que lhe brinda no ar com o quinto copo de cachaça. Está comemorando.

— Um brinde, *seo* delegado, e *bão* retorno a *Reberão*. Um dia a gente vê *essi* negócio *di* lei, *di sê pra* todo mundo e essas fantasias *d'ocêis*. Mas *num vô vivê pra vê issu* não.

Henrique mira o horizonte da estrada que o levará para casa e fecha os olhos lentamente. Respira, fica em silêncio por um instante, esboça um sorriso e abre os olhos novamente. Foram dias de luta intensa, sem descanso. Passa os dedos sobre a cicatriz da mão esquerda, o corte que sofreu quando lutaram para tirar os dois caminhões do meio da selva. Pensa na satisfação de ter conhecido e lutado o bom combate ao lado de homens dedicados e fiéis ao dever. Juliano, Márcio, Luís, Felipe, Francisco, Ronaldo, todos grandes policiais federais. Os agentes da Força Nacional, do Ibama, ICMBio, todos homens de valor. Não há do que se arrepender, nada foi feito abaixo do esperado. A Amazônia existe, os homens existem. E, enquanto ambos existirem, sempre haverá árvores a serem derrubadas.

Com o corpo virado para a via, por cima dos ombros olha mais uma vez para Andrada e vagarosamente lhe aponta o dedo indicador da mão esquerda, a mesma da cicatriz. Quando obtém a sua atenção, eleva a mão devagar para um ponto distante na estrada. Andrada acompanha o gesto do delegado e olha para a mesma direção.

Um comboio da Arco de Fogo está chegando.

Henrique se lembra da frase do superintendente ao telefone: *"Vou lhe dar o que temos! O senhor deve mostrar a eles do que a Polícia Federal é feita e, a mim, do que o senhor é feito".*

São quatro picapes da Polícia Federal, quatro da Força Nacional e dois micro-ônibus.

Andrada deixa cair o copo e se apoia na mesa. A garrafa cai no chão e se espatifa, espalhando cachaça pela calçada. O cigarro que tinha na boca também vai ao chão, incendiando surpreendentemente um meio círculo.

— Para você, Andrada Bueno, ver antes de morrer que a lei existe e que ela vai ser cumprida hoje — sentencia o delegado.

Os veículos estacionam um a um em ângulo de quarenta e cinco graus. Deles descem homens vestidos com coletes à prova de bala e armados com fuzis, submetralhadoras, espingardas e pistolas.

Um deles se aproxima de Henrique.

— Daniel Gonçalves, delegado federal, Operação Arco de Fogo, base Tailândia, se apresentando. Trouxe cinco policiais federais.

— Henrique Pietro, delegado federal, Arco de Fogo, base Santarém.

Outro homem se apresenta:

— Capitão Alexandre Bernardes, Força Nacional, Arco de Fogo, base Tailândia. Trouxe oito homens.

— Prazer, Henrique Pietro.

E mais um:

— Capitão Marcelo Hermann, Força Nacional, base Novo Mundo. Trouxe seis homens.

Por sobre a cabeça de todos, passam dois helicópteros da Polícia Federal, os Caçadores 01 e 02, um de cada base da operação. Aproxima-se mais um homem vestido com o uniforme da Polícia Federal.

— Irineu Fortes, delegado federal, Arco de Fogo, base Novo Mundo, Mato Grosso. Trouxe seis homens. Soubemos que você está precisando de uma forcinha por aqui.

— Sim, meus amigos. Vocês foram pontuais. Meus homens estão prontos também. Estamos em oito policiais federais e seis homens da Força Nacional, mais o pessoal do Ibama — diz Henrique, apontando para sua equipe.

— Qual o plano, Henrique? — pergunta Irineu.

Henrique se aproxima da mesa, pega o mapa, olha para Andrada Bueno, se volta para os homens da lei e dispara o plano verdadeiro, que só ele conhecia:

— É simples, senhores. Nos próximos dois dias, varrer da face da Terra cada serraria móvel, serra, motosserra, trator, caminhão ou pistoleiro maldito que encontrarmos em Macapixi...

ARCO DE FOGO ▸ **295**

FIM?

Notícia da Amazônia

No ano de 2012, uma madeireira e cinco pessoas foram denunciadas à Justiça Federal como responsáveis pela extração e transporte ilegal de 64,5 mil metros cúbicos de madeira — mais de 23 mil toras, volume suficiente para carregar 2.500 caminhões — na reserva extrativista Renascer. Segundo coordenadores da Operação Arco de Fogo, a apreensão de madeira ilegal, ocorrida em 2010, foi a maior já feita no Brasil pela Polícia Federal.

A extração ilegal ocorreu entre maio de 2009 e março de 2010, e foi descoberta pela Arco de Fogo, com homens da Polícia Federal, Instituto Chico Mendes de Conservação da Biodiversidade (ICMBio), Força Nacional de Segurança e Instituto Brasileiro do Meio Ambiente e dos Recursos Naturais Renováveis (Ibama).

No ano da descoberta, o Ministério Público Federal, sob argumento de violação das leis eleitorais, dos princípios da Administração Pública e da Convenção da Organização Internacional do Trabalho (OIT) para proteção dos direitos das comunidades tradicionais, obteve ordem judicial para que o ICMBio fosse impedido de doar ao Ministério do Desenvolvimento Social e Combate à Fome (MDS) a madeira apreendida, que teve seu valor calculado à época em R$ 16 milhões[7].

A ação penal ainda está em tramitação.

---

7 Fonte: Felipe Tau, *Estadão*/Agência Estado, 9 de julho de 2012. Disponível em: http://www.estadao.com.br/noticias/geral,mpf-denuncia-por-extracao-ilegal-recorde-de-madeira,897909.

Um novo paradigma: Operação Arco de Fogo

Criada em 2008 pela Polícia Federal, a Operação Arco de Fogo tinha por objetivo a repressão a crimes contra a flora praticados na região amazônica por meio de ações conjuntas com a Força Nacional de Segurança Pública (FNSP) e o Ibama.

Instaladas bases operacionais inicialmente nos estados de Rondônia, Mato Grosso e Pará, algum tempo depois a operação passou a abranger também o Maranhão e o Acre.

Até 2010, as atividades eram realizadas por equipes compostas por policiais federais, servidores do Ibama e policiais da Força Nacional, que se dedicavam a atividades ostensivas como barreiras e fiscalização de estabelecimentos madeireiros.

A partir de 2011, constatou-se que essas ações de policiamento ostensivo não eram suficientes para reprimir esses crimes ambientais, e, com o progresso das investigações, a Polícia Federal percebeu também que eles eram praticados dentro de um complexo esquema criminoso envolvendo o "esquentamento" de madeira furtada de áreas federais protegidas, o que dificultava a constatação do ilícito mediante ações ostensivas.

Em um processo evolutivo, a Operação Arco de Fogo passou a realizar trabalho investigativo especializado no sentido de comprovar esses "esquentamentos", realizados, em sua maioria, com a utilização de créditos de madeira fictícios oriundos de planos de manejo, não raramente também fraudados.

Assim, a atuação da Operação Arco de Fogo passou a compreender o apoio a Operações Especiais conduzidas pelas Delegacias de Repressão a Crimes Ambientais e Contra o Patrimônio Histórico (Delemaphs) e a delegacias descentralizadas da região amazônica, com especial foco na descapitalização como medida necessária ao enfrentamento ao crime organizado ambiental.

Como resultado dessa nova metodologia de enfrentamento do crime organizado ambiental, diversas operações foram realizadas, e dentre elas, como exemplo, podem ser citadas as relacionadas a seguir.

2013

UF	Nome	Síntese	Medidas cumpridas
MA	Dríade	Extração de madeira da Reserva Biológica do Rio Gurupi	29 MBA
MA	Nuvem Negra	Fraudes cibernéticas de créditos de madeira	21 PP, 7 CC e 22 MBA
PA	Ibira	Extração de madeira da Terra Indígena Alto Rio Guamá	27 MBA
PA	Termitas II	Fraude em sistemas de controle ambiental e extração ilegal de madeira	07 APFD, 06 CC e 21 MBA
PA	Trairão	Extração de madeira da Flora do Trairão	01 PP, 14 CC e 03 MBA

2014

UF	Nome	Síntese	Medidas cumpridas
MT	Kalupsis	Extração de madeira da Terra Indígena Aripuanã	9 MPP, 28 CC e 67 MBA
PA	Lupa	Corrupção de servidores do Ibama de Santarém	7 MBA
PA	Castanheira	Extração de madeira em unidades de conservação da BR 163	11 MPP, 3 MPT, 4 CC e 22 MBA
RO	Mesclado	Extração de madeira da Terra Indígena Mequéns	10 MPP, 1 MPT, 17 CC e 23 MBA

2015

UF	Nome	Síntese	Medidas cumpridas
MT	Corrida do ouro ("Goldrush")	Exploração e comércio ilegal de ouro	10 MPP, 5 CC e 30 MBA
MT	Reco	Exploração e comércio ilegal de ouro	10 MPT e 4 MBA
MT	Mãe do Ouro	Exploração e comércio ilegal de ouro	11 MPP, 1 MCC e 19 MBA
PA	Grand Canyon	Corrupção para obtenção de títulos minerários	5 MPP, 8 CC e 14 MBA
PA	Madeira Limpa	Extração e comercialização ilegal de madeira	22 MPP, 1 MPT, 10 CC e 41 MBA
PA	Tabebuia	Exportação de madeira extraída ilegalmente	02 MPP, 16 MPT, 10 CC e 41 MBA
RO	Crátons	Extração de diamantes e madeira da Terra Indígena Roosevelt	11 MPP, 35 CC e 41 MBA

Legenda
MPT: mandado de prisão temporária
MPP: mandado de prisão preventiva
MBA: mandado de busca e apreensão
CC: mandado de condução coercitiva
APFD: auto de prisão em flagrante delito

Madeira que vale milhões

Embora o perfil das ações da Operação Arco de Fogo tenha mudado ao longo dos anos, o trabalho da Polícia Federal para proteger o meio ambiente não para.

Em maio de 2018, a Polícia Federal, com o apoio do Ibama, deflagrou a Operação Pátio, para desarticular um esquema de fraudes na homologação de depósitos de madeireiras, conhecidos no ramo como pátios, que era usado para "esquentar" madeira de origem ilegal e manipular o sistema de controle de irregularidades administrativas.

Treze pessoas foram presas.

As investigações, iniciadas em maio de 2016 pela Delegacia da Polícia Federal em Bauru a partir de indícios de um esquema criminoso envolvendo um servidor do Ibama, que, em conluio com consultores e intermediários que atuavam junto a empresas do ramo madeireiro, praticou atos para aprovação de pátios de empresas madeireiras no sistema SISDOF.

A operação resultou na maior apreensão de madeira oriunda da região amazônica no estado de São Paulo. Foram 1.820 metros cúbicos de madeira serrada, suficientes para carregar 72 carretas que, enfileiradas, se estenderiam por cerca de um quilômetro e meio.

A madeira apreendida foi avaliada em pelo menos R$ 10 milhões.

Uma empresa exportadora de madeira processada, além de suspensa pelo Ibama, foi proibida de realizar novas movimentações de madeira e autuada em aproximadamente R$ 700 mil.

Além da carga irregular encontrada nos pátios, foram identificados mais de 10 mil metros cúbicos de créditos fictícios no SISDOF sem que houvesse madeira correspondente no estoque.

O processo ainda está em andamento.

Saiba mais sobre a **Editora Novo Conceito** acessando o site:

www.editoranovoconceito.com.br

Não quer perder nenhuma notícia da Editora Novo Conceito?
Visite nossas redes sociais e fique por dentro dos lançamentos e novidades.
Você ainda pode participar de sorteios e fóruns de discussão de livros.

- www.editoranovoconceito.com.br
- Facebook.com/editoranc
- Twitter.com/novo_conceito
- Instagram.com/novo_conceito
- Skoob.com.br/novo_conceito
- Youtube.com/editoranc

Editora Novo Conceito
Rua Dr. Hugo Fortes, 1885 – Pq. Industrial Lagoinha
Ribeirão Preto/SP • Brasil • 14095-260
+55 16 3512.5500
contato@nceditora.com.br